P9-BYW-781

L'ŒIL DE LA LUNE

Paru dans Le Livre de Poche :

LE LIVRE SANS NOM

Anonyme

L'Œil de la Lune

TRADUIT DE L'ANGLAIS PAR DINIZ GALHOS

SONATINE ÉDITIONS

Titre original :

THE EYE OF THE MOON
Publié par Michael O'Mara Ltd

ISBN : 978-2-253-16143-1 – 1re publication LGF

AVIS AU LECTEUR

À la page 178 du *Livre sans nom*, la Dame Mystique met en garde contre l'Œil de la Lune avec ces mots :

« Son aura est extrêmement puissante, et il n'aura de cesse d'attirer le mal à lui, où qu'il aille. Tant que vous l'aurez, vous ne serez pas en sécurité. En réalité, vous courez déjà un réel danger de l'avoir touché. »

Cher lecteur,

vous tenez maintenant entre vos mains *L'Œil de la Lune*.

Profitez-en tant qu'il en est encore temps…

ANONYME.

1

Joel Rockwell ne s'était jamais senti aussi nerveux. Le moins qu'on puisse dire, c'était que sa carrière de gardien de nuit au musée d'Art et d'Histoire de Santa Mondega n'avait été marquée par aucun événement notable. Il avait voulu suivre les pas de son père Jessie au sein de la police, mais, durant sa formation à l'académie, il ne s'était pas montré à la hauteur. À bien des égards, cet échec avait été un soulagement. Le métier de policier était vraiment trop dangereux. Preuve en était que, trois jours plus tôt, son père s'était fait descendre par le Bourbon Kid à la suite de l'éclipse qui avait donné lieu à la fête de la Lune. Un job tranquille de gardien de nuit lui avait semblé être une option plus sûre. Et ç'avait été le cas. Jusqu'ici.

La tâche la plus ardue qui lui avait été assignée consistait à rester assis dans le local de surveillance, les yeux rivés à un mur d'écrans, qui généralement témoignaient qu'absolument rien ne se passait dans l'enceinte du musée. En outre, l'uniforme gris que Joel était obligé de porter le grattait terriblement. Il avait sans doute été porté par une foule d'employés successifs, longtemps avant qu'on ne le lui passe, et il était évident que celui qui l'avait conçu n'avait jamais envisagé qu'on puisse avoir l'idée de s'asseoir avec. Le fait de se sentir un minimum à l'aise dedans était sans doute le plus grand défi de ses nuits de service. Ce que Joel venait de voir sur l'écran numéro 3 minimisait néanmoins considérablement ces petits tracas.

Joel Rockwell n'était pas très imaginatif. Il n'était pas très intelligent non plus, et c'étaient précisément ces deux lacunes qui l'avaient amené à foirer sa formation à l'académie de police. Comme l'avait noté dans un rapport confidentiel l'un de ses instructeurs, un lieutenant grisonnant d'une trentaine d'années : « Ce type est tellement abruti que même les autres aspirants s'en sont rendu compte. » Pourtant, il était doté d'une ténacité et d'une honnêteté qui faisaient de lui un gardien et un témoin oculaire on ne peut plus fiable, ne serait-ce que parce qu'il n'était ni assez imaginatif, ni assez intelligent pour ne pas l'être.

Si ses yeux ne lui jouaient pas de tour, il venait d'assister à un meurtre sur l'écran numéro 3. Son collègue, Carlton Buckley, semblait avoir été tué alors qu'il effectuait sa ronde au premier sous-sol. Rockwell aurait bien appelé la police, mais le fait de leur décrire ce qu'il pensait avoir vu les aurait fait rire et les aurait sans doute poussés à l'arrêter pour leur avoir fait perdre leur temps. Aussi opta-t-il pour le plan B, qui consistait à appeler le professeur Bertram Cromwell, l'un des responsables du musée.

Il avait enregistré le numéro du professeur sur son portable, et bien qu'assez mal à l'aise à l'idée de l'appeler à une heure aussi indue, il s'exécuta. Cromwell était un véritable gentleman, qui ne se serait jamais avisé de lui reprocher de le contacter, même pour quelque chose de tout à fait insignifiant.

Le cœur battant la chamade, le téléphone collé à l'oreille, redoutant le moment où Cromwell décrocherait, Joel sortit du bureau de surveillance et descendit au premier sous-sol afin de vérifier que ce qu'il avait vu dans le coin égyptien était bel et bien réel.

Au bas de l'escalier, il s'engageait tout juste dans le long couloir de droite lorsque Cromwell se décida enfin à décrocher. Sans surprise, le ton du professeur était celui d'un homme qu'on venait de tirer d'un profond sommeil :

« Allô ? Bertram Cromwell à l'appareil. À qui ai-je l'honneur, je vous prie ?

— Salut Bernard, c'est Joel Rockwell, du musée.

— Bonsoir, Joel. Soit dit en passant, c'est "Bertram", pas "Bernard".

— Si vous voulez. Écoutez, je crois qu'il y a un intrus dans le musée, mais j'en suis pas complètement sûr, alors je me suis dit qu'il valait mieux vous prévenir avant de, vous voyez, avant d'appeler la police et tout. »

Cromwell parut sortir un peu de sa torpeur :

« Vraiment ? Que s'est-il passé au juste ?

— Eh bien, ça va vous paraître complètement cinglé, mais je crois que quelqu'un vient de sortir du présentoir de la momie égyptienne.

— Redites-moi ça ?

— Le présentoir de la momie. J'ai l'impression que quelqu'un est sorti de ce foutu sarcophage.

— *Comment ?* Mais voyons, c'est impossible ! Qu'est-ce que vous êtes en train de raconter ?

— Ouais, je sais que ça paraît complètement dingue. C'est pour ça que je vous ai appelé en premier.

Vous voyez, je crois que cette personne vient juste de s'en prendre à l'autre gardien de nuit.

— Qui est de service avec vous ce soir ?

— Carter Bradley.

— Vous voulez dire Carlton Buckley ?

— Ouais, si vous voulez. Si ça se trouve, c'est juste une blague qu'il est en train de me faire. Mais si ce n'est *pas* une blague, alors il a de sérieux problèmes. Mais des problèmes vraiment sérieux.

— Comment ça ? Que s'est-il passé ? »

Le professeur, à présent tout à fait réveillé, observa une courte pause pour remettre de l'ordre dans ses pensées, puis reprit d'un ton plus calme :

« Qu'avez-vous *vu* au juste, Joel ? Des faits, jeune homme, il me faut des faits. Vous excuserez ma franchise, mais ce que vous dites semble assez insensé, et je suis franchement las. »

Tout en conversant avec Cromwell, Joel avait parcouru le large couloir faiblement éclairé, au bout duquel il venait d'arriver un peu trop rapidement à son goût. Il inspira profondément et prit sur la droite pour pénétrer dans la vaste salle du nom de Lincoln Hall. *C'est à cet instant qu'il entendit de la musique.* Quelqu'un jouait un petit morceau au piano. Un air délicat et triste qui ressemblait assez au thème *Lonely Man* qui marquait la fin de chaque épisode de *Hulk*, série télé de la fin des années 1970 que Joel adorait quand il était petit. Il savait qu'il y avait un piano quelque part dans les parages, mais qui est-ce qui pouvait bien en jouer, putain ? Et aussi mal, en plus…

« Attendez un peu, professeur Cromlech. Vous allez pas le croire, mais quelqu'un est en train de jouer du piano. Je vais juste mettre mon portable dans ma poche un instant. Attendez cinq secondes et je vous raconterai ce que je vois. »

Joel glissa son téléphone dans la poche de sa chemise grise et dégaina sa matraque. Puis il s'avança dans l'énorme salle. Le piano se trouvait dans un coin sur la gauche, derrière un mur jaune sable qui courait sur la moitié de la longueur de la salle. Des portraits de musiciens célèbres y étaient accrochés. Ignorant un instant la musique, Joel porta toute son attention sur le présentoir égyptien qui se trouvait à sa droite, l'une des pièces les plus imposantes de la collection permanente du musée, intitulée « Le Tombeau de la momie ». Les vitres avaient été brisées. Le sol était recouvert de bris de verre, juste en dessous du point d'impact. Les éclats surnageaient dans une mare de sang. Un lac de sang, en réalité.

Plus singulier encore, le sarcophage doré, maintenu à la verticale, était ouvert. Le couvercle reposait au sol et la dépouille momifiée qui l'occupait jusque-là avait disparu. Joel savait que le professeur Cromwell aimait particulièrement cette pièce de la collection. Il entrerait dans une colère noire s'il apprenait que la momie avait été dérobée, ou simplement déplacée. C'était la pièce d'excellence du musée, son objet le plus rare et le plus précieux. Et il en manquait l'essentiel.

Joel pensa une nouvelle fois à ce qu'il avait cru voir sur l'écran de surveillance et secoua la tête, en proie à la plus grande confusion. Quelques minutes à peine s'étaient écoulées depuis, et pourtant il commençait déjà à se dire qu'il avait dû rêver. Ça ne pouvait être qu'une mise en scène, on lui faisait une blague. Un peu déplacée, surtout avec tous les meurtres de ces derniers jours à Santa Mondega et dans la région, une blague de super mauvais goût, même, pour être totalement franc, mais une blague quand même. Et c'était quoi, ce bordel avec le piano ? *Commence par apprendre à jouer, qui que tu sois !* pensa-t-il avec une légèreté assez stupéfiante, même pour quelqu'un d'aussi peu malin que lui.

Pour s'approcher du piano (qui, à en croire les rumeurs, avait jadis appartenu à un grand compositeur), Joel allait devoir contourner le lac de sang hérissé d'éclats de verre et passer devant une statue colossale d'Achille, le héros grec, jusqu'à une petite alcôve qui se trouvait de l'autre côté du long mur jaune sable. Si ses souvenirs étaient corrects, un mannequin en bois grandeur nature était assis au piano, apprêté et habillé comme l'avait été le compositeur auquel l'instrument avait appartenu. *Au fait, c'était qui, déjà ?* se demanda-t-il. *Beethoven ? Mozart ? Barry Manilow ?* Après tout, peu importait. Et puis de toute façon, la réponse ne se fit pas attendre. Joel passa devant la statue gigantesque (et assez lugubre) du héros grec, et, au détour du mur jaune sable, aperçut le mannequin gisant au sol sur le dos, à une bonne distance du piano, comme s'il avait été jeté avec une force considérable. Il portait une chemise blanche sous une veste pourpre, avec en prime un pantalon sombre et évasé et des chaussures noires et brillantes. À la boutonnière gauche de sa veste était épinglé un petit badge où l'on pouvait lire « Beethoven ». Joel ne le remarqua pas en enjambant le mannequin de bois. L'identité du compositeur demeurerait pour lui un mystère.

Une chose était sûre : ce n'était pas le mannequin qui jouait du piano. Joel avança de quelques pas en direction de l'alcôve où se trouvait l'instrument afin de jeter un coup d'œil à l'individu qui jouait aussi mal. Il parvint enfin à discerner une silhouette assise sur le petit tabouret face au piano à queue, dont elle chatouillait les touches avec, disons, plus d'inspiration que de technique. Un frisson glacial parcourut alors l'échine de Joel.

L'individu portait une longue robe en riche étoffe écarlate. Avec cette capuche rabattue sur la tête de l'insupportable musicien, on aurait dit le genre de vêtement que portent les boxeurs en arrivant sur le ring. La silhouette qui se dissimulait sous ce déguisement se déhanchait de droite à gauche, secouant la tête comme Stevie Wonder tout en jouant son air horriblement faux. Aucune trace de Buckley, son collègue : en revanche, et ce n'était pas sans l'inquiéter franchement, une traînée de sang s'étendait jusqu'à la silhouette encapuchonnée assise au piano.

Tout en gardant ses distances, Joel décida de l'interpeller, dans l'espoir d'apercevoir le visage du mystérieux pianiste. Si ce qu'il verrait ne lui plaisait pas, il lui resterait une vingtaine de mètres d'avance au cas où il devrait choisir l'option « prends tes putains de jambes à ton cou ».

« Hé, vous, là-bas ! s'écria-t-il. On est fermé ! Vous n'avez pas le droit d'être ici. Va falloir dégager, mon pote. »

L'individu cessa de jouer, ses doigts osseux tremblotant presque imperceptiblement au-dessus des touches blanches et noires.

« Fredonnez un air et je vous le joue ! » lança-t-il finalement, d'une voix âpre, comme rouillée, sous sa capuche écarlate. Un ricanement tonna dans la vaste salle, et les mains retombèrent sur les touches pour reprendre le morceau.

« Hein ? Hé, il est passé où, Carterton ? » s'écria Joel en s'avançant, sa main moite serrant sa matraque de toutes ses forces.

L'individu s'interrompit de nouveau et tourna la tête en direction de Joel. N'ayant aucune envie de sauter sur la créature qui se dévoilait devant lui, ni même de courir vers elle, Joel n'eut guère d'efforts à faire pour se figer. S'ensuivit un moment assez inconfortable durant lequel sa principale crainte fut de se pisser dessus.

Sous le capuchon ne se trouvait qu'une moitié de visage. Dans les semi-ténèbres, le gardien de nuit terrifié parvint à distinguer quelque chose qui ressemblait grandement à un crâne jaunâtre. Des lambeaux de chairs noircies pendaient encore par endroits à hauteur des joues, de la mâchoire et du front, avec en sus un œil vert à l'aspect très singulier : l'autre orbite était cependant vide, et le visage semblait dépourvu de lèvres et de nez. Révulsé par ce spectacle, Joel détourna le regard, pour se rendre compte que les doigts qui avaient pianoté sur les touches étaient bel et bien osseux, et pas au sens figuré : ce n'étaient que des *os*. Des putains de doigts sans peau. *Et merde.*

Avant que Joel n'ait eu le temps de se retourner pour courir de toutes ses forces, la silhouette se dressa. Elle dépassait le mètre quatre-vingts et semblait dominer de toute sa taille la vaste salle d'exposition. Elle tendit ses doigts sans chair en direction de Joel, puis fit quelque chose de très étrange. L'une de ses mains se mit à bouger comme si elle manipulait les ficelles d'une marionnette invisible. Son semblant de visage, bien qu'inexpressif, parut refléter une sombre ironie.

Même s'il se trouvait à une vingtaine de mètres, Joel Rockwell eut le pressentiment que ces doigts osseux n'allaient pas tarder à s'approcher de lui. En tournant les talons dans le but de foutre le camp de cette salle (nom de Dieu, un truc aussi mort que ça ne devait pas être très doué pour le sprint), Joel en fut quitte pour son deuxième choc en moins de cinq minutes.

Le mannequin de Ludwig van Beethoven venait de se lever, animé par la main de, de cette *chose* qui se tenait en face du piano. Il se tenait face à Joel, ses yeux de verre plantés dans les siens, ses bras et ses mains de bois tendus vers sa gorge. Le gardien de nuit, interdit, le frappa de sa matraque. La tête de bois du mannequin absorba le choc dans un impact sourd, et un petit bout de l'oreille se détacha. Les doigts pris de fourmillements, Joel laissa tomber son arme dérisoire, tira son portable de la poche de sa chemise et le colla à son oreille, alors que les doigts du mannequin se refermaient sur sa gorge. En tombant au sol sous le mannequin qui l'étranglait, il parvint à crier à l'aide, espérant en dépit de tout que Cromwell l'entendrait et, d'une façon ou d'une autre, trouverait un moyen de venir le sauver, ou du moins de lui envoyer la cavalerie :

« Bernard, putain de merde ! lança-t-il dans un cri étouffé. Faut que vous veniez m'aider ! Je suis en train de me faire attaquer par cet enculé de Barry Manilow ! »

Joel ne sut jamais si le professeur l'entendit ou lui répondit. Lâchant son portable, il se débattit de toutes les forces qui lui restaient afin d'échapper au mannequin, mais en vain. Ce dernier était trop fort et totalement insensible à ses efforts pour s'en débarrasser. Il le plaquait simplement au sol, serrant de plus en plus fort sa gorge entre ses doigts de bois.

Faiblissant un peu plus à chaque seconde, Joel continua à se débattre désespérément, jusqu'à ce qu'une silhouette se dresse au-dessus de lui, et que le visage hideux de la momie lui apparaisse. Le mort-vivant égyptien devait encore se repaître de chair humaine afin de revitaliser son corps décati : celle de Joel ferait parfaitement l'affaire.

Durant les dix minutes qui suivirent, le gardien terrifié se vit déchiré et dévoré par l'immonde créature. Il lui fallut quelques instants pour rendre l'âme dans des douleurs infinies. Trois jours à peine avaient suffi pour qu'il suive son père dans l'autre monde.

Après s'être régalé de la chair des deux gardiens morts, le cadavre (dépouille immortelle et embaumée du pharaon plus connu sous le nom de Ramsès Gaius) se sentait fin prêt à réintégrer le monde des vivants, afin d'y remplir ses deux objectifs : se venger des descendants de ceux qui l'avaient tenu si longtemps prisonnier du sarcophage, et retrouver l'objet qui avait fait de lui le maître de l'Égypte tout entière. *L'Œil de la Lune*.

2

31 octobre – dix-huit ans plus tôt

Le bal costumé du lycée de Santa Mondega organisé chaque année pour Halloween était, pour tous ses élèves, le plus gros événement du calendrier scolaire. Beth Lansbury, quinze ans, avait patiemment attendu cette nuit depuis le jour de la rentrée. C'était sa chance (selon elle, sa seule chance) d'attirer le regard de ce garçon qui se trouvait une classe au-dessus d'elle. Elle ignorait comment il s'appelait, et elle n'avait pas osé le demander à qui que ce soit, par crainte qu'on ne se rende compte qu'elle avait complètement flashé sur lui, et qu'on ne la charrie à ce sujet. Ce qui n'aurait pas manqué d'arriver.

Beth n'avait aucun ami au lycée. Elle ne connaissait personne, et le fait d'être extrêmement mignonne n'arrangeait pas vraiment les choses. C'était apparemment l'une des raisons principales de l'inimitié que lui témoignaient les autres filles. En fait, le véritable problème, c'était qu'Ulrika Price ne l'aimait pas, et qu'elle avait très clairement ordonné aux autres filles de ne pas lui parler, sauf pour lui balancer de méchantes vannes.

Conformément à la tradition, le bal avait lieu dans la grande salle de sport du lycée. Dans la journée, Beth avait aidé Mlle Hinds, sa professeur d'anglais, à décorer les lieux. Une fois cette tâche accomplie, la salle ne lui était pas apparue très folichonne, mais à présent, en pleine nuit, avec les lumières et la musique, il s'en dégageait une tout autre atmosphère. Beth se réjouit que, en dépit de l'éclat intermittent des spots disco, la salle était globalement plongée dans l'obscurité, parfait refuge des solitaires comme elle.

Il y avait une autre raison à l'anxiété de Beth. Sa belle-mère, qui avait la manie de contrôler chaque aspect de sa vie, avait insisté pour lui trouver elle-même un déguisement. Comme de bien entendu, elle avait choisi un costume immonde et impossible à porter. Alors que tout le monde portait des tenues typiques d'Halloween (déguisements de fantômes, zombies, sorcières, vampires, squelettes, jusqu'à une chauve-souris peu convaincante, et, au bas mot, quatre Freddy Krueger), Beth était, quant à elle, déguisée en Dorothy du *Magicien d'Oz*, des nœuds bleus de ses couettes jusqu'aux souliers rouges à la con. Beth avait réussi à se persuader que cela ne l'empêcherait pas de passer un bon moment, mais elle était encore furieuse que sa belle-mère ait opté pour un costume aussi stupide et déplacé.

Dire qu'Olivia Jane Lansbury était extrêmement autoritaire reviendrait à déclarer qu'Hitler pouvait se montrer parfois très vilain. Le pire de tout, c'est qu'elle semblait farouchement résolue à empêcher sa belle-fille de faire connaissance avec n'importe quel garçon. Elle était devenue veuve très peu de temps après avoir épousé le père de Beth, et peut-être en éprouvait-elle une certaine aigreur. La mère de Beth était morte en la mettant au monde : Olivia Jane avait donc été son seul parent durant la plus grande partie de sa vie. Jusqu'ici, le fait de grandir n'avait pas été chose aisée pour Beth. *Et cette soirée risque de ne pas être une partie de plaisir non plus*, pensa-t-elle.

C'était le bal d'Halloween, et elle était déguisée en mongolienne du Kansas, sans le moindre ami à la surface de la Terre : une cible de choix pour les vannes d'Ulrika Price et de son cercle de copines. Ulrika et ses trois plus proches fidèles étaient venues déguisées en félin. Les trois filles avaient enfilé une tenue de panthère noire, et Ulrika avait jeté son dévolu sur un costume de tigre du Bengale, pourvu de griffes acérées au bout de chaque doigt.

Les félins avaient aperçu Beth, assise sur une chaise en plastique au bout de la piste de danse, aux côtés d'autres parias qui espéraient qu'un garçon se résolve à les inviter. Constatant que l'objet préféré de leurs sarcasmes était déguisé en Dorothy, les félins ne jugèrent pas utile de lui envoyer la moindre pique méprisante : Ulrika et ses amies se contentèrent de pointer Beth du doigt en riant très bruyamment et très ostensiblement. Cela suffit à attirer l'attention sur la pauvre fille que, jusque-là, on avait ignorée. Tous se joignirent aux ricanements moqueurs. Quand Ulrika et ses amies riaient, il fallait absolument rire avec elles. L'acceptation sociale était un élément crucial dans la vie du lycée de Santa Mondega, et si Ulrika Price, fausse blonde et *cheerleader*, s'avisait qu'on ne partageait pas son humour, on avait tôt fait de ramasser ses affaires et de rentrer chez soi. La seule consolation de Beth, pour infime qu'elle fût, était que sa belle-mère ne l'avait pas obligée à se teindre les cheveux en roux pour correspondre parfaitement à la Dorothy originale. Il lui restait au moins ses superbes cheveux châtains, longs et forts.

Cette consolation s'avéra encore plus mince lorsque, peu après 23 heures, l'une des panthères noires convainquit le type qui s'occupait des lumières de braquer une poursuite sur Beth. Au moment où la lumière crue illumina la silhouette solitaire, le DJ (un autre ami d'Ulrika) annonça que, eh oui, cette bonne vieille Dorothy, là-bas sous le spot, remportait « à l'unanimitéééé » le concours du déguisement le plus naze de la soirée. Cette annonce, horriblement amplifiée, suscita une nouvelle vague de vociférations moqueuses chez ce qui n'était déjà plus qu'une meute d'ados défoncés à l'alcool et à diverses drogues.

Beth resta digne, immobile sur sa chaise, attendant désespérément que le faisceau lumineux se détourne d'elle, et s'efforçant de retenir l'océan de larmes qui naissait en elle. Mais le faisceau ne bougea pas. Soucieuse de figurer sur les photos qu'on ne manquerait pas de prendre, Ulrika s'approcha nonchalamment de Beth pour lui tapoter gentiment la tête :

« Tu sais quoi, ma chérie ? lança-t-elle dans un petit sourire suffisant. S'il existait un concours de la plus grosse ratée au monde, tu finirais deuxième. »

C'en fut trop pour Beth. Les larmes roulèrent sur ses joues et un gros sanglot ravalé la saisit littéralement à la gorge. Il ne restait plus qu'une chose à faire ; se lever et quitter le bal à toutes jambes. Dans sa course, Beth entendit les rires de tous les élèves dans son dos. Même les autres exclues s'étaient jointes à la risée : le fait de ne pas rire les aurait désignées comme les prochaines victimes de la soirée. Et personne n'avait envie de figurer dans la catégorie des ratés, aux côtés de la fille qui était venue déguisée en Dorothy du *Magicien d'Oz*.

En franchissant la porte à double battant du bout de la salle pour se retrouver dans le couloir, Beth sentit qu'elle avait atteint le fond du gouffre. Elle avait supplié sa belle-mère de ne pas lui choisir un costume de merde. Mais ses implorations étaient tombées dans l'oreille d'une sourde, comme elle s'y était attendue. Par-dessus le marché, cette vieille salope avait gloussé lorsque Beth lui avait demandé la permission de changer de déguisement. Tout, son humiliation publique et sa fuite en larmes du bal, tout était de la faute de sa belle-mère. Et Beth savait que lorsque de retour chez elle, elle lui raconterait tout, cette connasse afficherait un sourire satisfait, en lui rappelant qu'elle l'avait prévenue, que c'était une erreur d'espérer que les autres l'acceptent. Depuis la mort du père de Beth, sa belle-mère prenait un plaisir toujours renouvelé à lui dire qu'elle ne valait rien. À présent, Beth en était convaincue. Elle commençait même à comprendre les raisons qui poussaient certaines personnes à mettre un terme à leur vie. Parfois, il était vraiment trop difficile d'exister.

Alors qu'elle avançait d'un pas peu sûr dans le couloir, désespérant de quitter ce lieu et de laisser loin derrière elle les échos des rires qui la poursuivaient, Beth entendit quelqu'un l'appeler. C'était la voix qu'elle avait rêvé d'entendre ce soir. Le garçon une classe au-dessus d'elle. Elle ne l'avait entendu parler qu'une seule fois, lorsqu'il lui avait demandé si elle allait bien, la fois où l'une des copines d'Ulrika lui avait fait un croche-patte dans la cour. Il l'avait aidée à se relever, lui avait demandé si ça allait, et, en l'absence de réponse (Beth était complètement abasourdie), il avait simplement souri, avant de poursuivre son chemin. Depuis ce jour, elle n'avait cessé de regretter de ne pas l'avoir remercié et s'était juré de trouver un moyen de lui adresser la parole, pour lui exprimer sa gratitude. Et à présent, c'était bien sa voix qu'elle entendait, et qui lui demandait : « Toi aussi, c'est ta mère, hein ? »

Beth se retourna. Il était là, au beau milieu du couloir. Bizarrement, il était déguisé en épouvantail, un chapeau brun pointu sur la tête, le visage recouvert de maquillage marron censé imiter la boue, une carotte en carton orange fixée sur son nez à l'aide d'un élastique qui passait derrière son crâne. Son costume se résumait à un tas de haillons marron, avec cependant une paire de bottines bistre plutôt cool.

« Que… ? » fut tout ce que put répondre Beth en essuyant quelques larmes afin de ne pas faire trop mauvaise figure.

« Ma mère aussi est fana du *Magicien d'Oz* », dit-il en désignant d'un revers de main son accoutrement. Beth parvint enfin à esquisser un sourire, chose qui lui aurait paru impossible ne serait-ce qu'une minute plus tôt. D'un air contrit, elle baissa les yeux sur sa robe chasuble en vichy bleu et son chemisier blanc à manches courtes.

« J'imagine que ce n'est pas toi qui as choisi ton déguisement ? » lança l'épouvantail.

Une fois de plus, Beth était abasourdie. C'était cet instant précis qu'elle avait espéré. Elle l'avait attendu toute la soirée, et s'était fait outrageusement humilier dans la foulée. Et à présent que son souhait se réalisait, rien ne se passait comme prévu. Elle n'était pas censée pleurer quand ça arriverait, elle n'était pas censée ne ressembler à rien, même si, à vrai dire, elle n'y était pas pour grand-chose. *Oh ! mon Dieu*, pensa-t-elle, *il va croire que je suis une pauvre naze*.

« Clope ? » demanda le garçon en s'approchant, un paquet de cigarettes tendu vers elle.

Beth hocha la tête :

« Je n'ai pas le droit. »

Le garçon secoua le paquet, le porta à sa bouche, en tira une cigarette avec les dents, pour la coincer à la commissure de ses lèvres. Puis, sans cesser de marcher en direction de Beth, il tira sur la carotte en carton, l'abaissa en prenant bien garde de ne pas toucher sa cigarette, et la laissa pendre autour de son cou.

« Oh ! allez, dit-il en souriant, tu veux pas te laisser un peu vivre ? »

Beth aurait tout fait pour paraître cool à ses yeux, et, à dire vrai, la seule chose qui l'empêchait de fumer était l'interdiction formelle de sa belle-mère. Eh bien, pour l'heure, très franchement, sa belle-mère pouvait aller se faire foutre.

« OK, dit-elle en tirant une cigarette du paquet. Tu as du feu ?

— Nan, répondit le garçon avec une mine très sérieuse. Je dois absolument me tenir à l'écart de n'importe quelle flamme. Sans quoi je partirais aussitôt en fumée.

— Hein ?

— À cause de la paille, tu vois ? » Il sourit en constatant la confusion de Beth. « Mon déguisement d'épouvantail. »

Beth ouvrit grand la bouche, puis tenta de rattraper le coup :

« Ah ouais ! Ouais, bien sûr ! » dit-elle dans un rire nerveux. *Espèce de conne !* se dit-elle. *Il sort une blague et tu ne la saisis même pas. Concentre-toi, bon sang : il ne faut pas qu'il pense que tu es stupide.*

S'ensuivit un silence inconfortable durant lequel, cigarette aux lèvres, elle se demanda ce qu'elle était censée faire sans briquet.

« Comment est-ce que je l'allume, alors ? » demanda-t-elle.

Le garçon sourit de nouveau, avant d'aspirer à fond à travers sa cigarette toujours éteinte. Elle s'alluma dans un minuscule feu d'artifice, et il inspira une bouffée.

« Ouah, c'est vraiment cool ! s'écria Beth, qui parvenait enfin à parler sans trop réfléchir. Comment tu arrives à faire ça ?

— C'est un secret. Je ne le révèle qu'à mes amis.

— Oh ! »

S'ensuivit un nouveau silence inconfortable durant lequel Beth hésita à lui demander s'il voulait bien lui montrer comment il s'y prenait. Le truc, c'est que s'il refusait, ça signifierait qu'ils n'étaient pas amis. Au terme de ce qui parut une éternité, le garçon inspira une nouvelle bouffée et saisit sa cigarette de la main gauche :

« Cette Ulrika Price, c'est vraiment une garce, hein ? » lança-t-il en expirant un peu de fumée par le nez.

Beth ne put s'empêcher d'acquiescer frénétiquement :

« Je la déteste », dit-elle en retirant sa cigarette de la bouche.

Ils se sourirent un moment, et le garçon reprit la parole :

« Alors, ça te dirait que je te montre comment allumer cette cigarette ? »

Acquiesçant de nouveau comme une hystérique, Beth se fendit d'un large sourire. Sa beauté était telle qu'elle parvint à camoufler les vestiges des larmes qui, une minute auparavant, coulaient encore sur ses joues.

« Oui, s'il te plaît, dit-elle d'un ton cajoleur.

— Alors viens, barrons-nous d'ici avant de déclencher l'alarme incendie. »

L'instant qui suivit fut le plus beau moment de la vie de Beth. Ce garçon, ce mec dont elle avait tellement voulu attirer l'attention, passa son bras autour de ses épaules. Dans un geste nerveux, elle glissa son bras autour de sa taille et le serra presque imperceptiblement contre elle. Il faut croire qu'il s'en rendit compte, car il l'attira un peu plus contre lui, avant d'ouvrir la marche en direction de la sortie du lycée. *Dorothy et l'Épouvantail qui marchent bras dessus bras dessous… il ne manque plus que la chanson qui va avec*, pensa Beth.

« Nous allons voir le magicien… commença-t-elle à chanter.

— Ne chante pas, coupa net son cavalier en hochant la tête.

— Vraiment pas ? » demanda Beth, saisie d'un frisson glacial. Elle craignait d'avoir commis une lourde erreur de jugement.

« Pas étonnant que tu n'aies aucun ami ! » plaisanta le garçon. Beth releva les yeux et, à son grand soulagement, vit le large sourire qu'il arborait. Il la serra encore un peu plus contre lui. *Ouf, c'était juste pour me charrier*.

En sortant du lycée, ils virent un jeune homme déguisé en rongeur géant bondir devant eux. Son costume était tout d'une pièce, de la tête aux pieds, recouvert d'une fausse fourrure auburn, avec une longue queue derrière. On distinguait une partie du visage, maquillée de la même couleur que le déguisement, avec en prime de fausses rouflaquettes peintes sur les joues. Beth ne connaissait pas ce garçon, mais son tout nouvel ami crut reconnaître le visage dissimulé sous le demi-masque et le maquillage.

« T'es en retard, remarqua l'épouvantail alors que la boule de poils arrivait à leur hauteur.

— Je sais, j'avais oublié mes cachetons à la maison. Il a fallu que j'aille les chercher, marmonna le rongeur. Au fait, un de vous deux aurait vu quelque part cette nana, vous savez, Ulrika Price ?

— Elle est dans la salle de bal, répondit Beth en désignant l'entrée du couloir d'un mouvement de la tête.

— Cool, merci, lança le rongeur. Je vais aller lui offrir un verre. »

Puis, se grattant une partie assez évocatrice de son déguisement, il se précipita vers la salle de gym.

« Flippant, ce type, commenta Beth. C'est qui ? »

Son charmant épouvantail connaissait bien l'individu :

« Marcus la Fouine, répondit-il. Le roi des pervers. Dieu sait ce qu'il réserve à ton amie Ulrika. »

Les deux jeunes gens l'ignoraient, mais l'ignoble traitement que Marcus la Fouine allait infliger à Ulrika Price n'aurait rien de comparable avec l'horreur et la souffrance qu'ils devaient endurer tous deux durant cette nuit, la plus maléfique de leur existence.

3

Beth et l'épouvantail longeaient la promenade, au son des vagues qui, sur leur gauche, léchaient la jetée du port. Une lune bleue illuminait le ciel nocturne, entourée de sombres nuages, gros de pluie, qui semblaient prêts à crever à tout moment. Pourtant, les nuages se tenaient éloignés de la lune, comme par respect, aussi bien pour l'astre que pour ceux qui l'admiraient en contrebas.

De toute sa vie, Beth ne s'était jamais sentie aussi vivante, aussi débordante d'énergie. Sa belle-mère avait jusqu'ici réussi à effrayer tous les garçons qui s'étaient un peu trop approchés d'elle : Beth n'avait jamais eu ne serait-ce qu'une véritable conversation avec un jeune homme. Depuis sa plus tendre enfance, elle avait suivi sa scolarité à domicile, ce qui lui valait une instruction plus que décente, mais à peu près aucune expérience de la vie, tout du moins jusqu'à une date très récente, celle de son entrée au lycée. Et à présent, pour la première fois de toute son existence, elle se trouvait en compagnie d'un garçon, son bras enserrant ses épaules, tandis qu'ils se promenaient le long de l'océan. Beth ne prêta que peu d'attention au firmament : elle n'avait jamais été aussi proche du septième ciel. En fin de compte, converser avec l'épouvantail n'était pas aussi difficile et stressant qu'elle l'avait craint. Son cœur battait toujours la chamade, emballé par le flot d'adrénaline qu'elle sentait courir dans ses veines. C'était une sensation douce et enivrante qui semblait ne jamais devoir s'achever, et Beth aurait tout donné pour qu'il en soit ainsi.

« Alors, monsieur l'Épouvantail, est-ce que vous allez finir par me dire comment vous vous appelez ? demanda-t-elle en le chatouillant.

— *Tu ne sais pas comment je m'appelle ?* rétorqua-t-il, surpris.

— Non. Tout ce que je sais sur toi, c'est que tu es celui qui m'a aidée à me relever, la fois où on m'avait fait un croche-pied.

— Waouh ! Tu sais, moi, au moins, je me suis fait un point d'honneur à connaître ton nom le jour même de ton entrée au lycée. Et là, ça fait maintenant, quoi, deux mois que tu y es, et tu ne connais toujours pas le mien ?

— Non. Mais ne le prends pas mal. Je connais quasiment le nom de personne. Personne ne m'adresse la parole.

— Personne ? »

De nouveau, il semblait surpris.

« Personne. Toutes les filles me méprisent, à cause de cette Ulrika Price. Elle a une dent contre moi depuis que je suis arrivée dans ce lycée, alors personne ne me parle. »

L'épouvantail s'arrêta et retira son bras des épaules de Beth. Il se campa devant elle pour la pousser à marquer le pas, et, lorsqu'ils furent assez proches pour qu'elle sente son souffle sur son visage, il passa sa main gauche sur ses longs cheveux châtains.

« JD », dit-il.

Beth haussa un sourcil.

« Je te demande pardon ?

— JD. C'est comme ça que mes amis m'appellent.

— Ah ! d'accord. C'est les initiales de quoi ?

— À toi de deviner.

— Ça marche », répliqua Beth dans un sourire. Elle releva les yeux en direction de la lune et tâcha de trouver un nom intéressant qui correspondrait aux initiales JD.

« T'as trouvé ? lui demanda-t-il.

— Joe Dalton, le petit teigneux ? »

JD cessa de lui caresser les cheveux pour lui envoyer une petite bourrade :

« Maintenant, je comprends pourquoi personne ne t'adresse la parole ! »

Beth lui renvoya son sourire. En fin de compte, il était aussi amusant que facile de discuter avec JD. On aurait cru que, quoi qu'elle dise, il « captait » parfaitement ce qu'elle racontait. Peut-être que les mecs, ce n'était pas si compliqué que ça, après tout. En tout cas, celui-ci semblait être exactement sur la même longueur d'onde qu'elle. Elle ne s'était jamais sentie aussi en phase avec quelqu'un, encore moins avec un garçon. Il semblait la comprendre et, pour la première fois, elle n'avait plus peur de dire quelque chose de stupide. En fait, elle commençait même à éprouver une certaine confiance en elle. Et ça, c'était quelque chose de complètement nouveau.

« Tu sais quoi, Beth ? lança JD en se reculant de quelques pas. Si tu arrives à trouver ce que signifient les initiales “JD”, j’accepte de sortir avec toi. »

Beth pencha la tête de côté, interloquée :

« Et qu’est-ce qui te fait croire que j’ai envie de sortir avec toi ? »

JD réfléchit un instant à sa réponse. Puis il répondit simplement, dans un clin d’œil :

« Tu as envie de sortir avec moi. »

Beth reprit son chemin et, en passant devant lui, prit soin d’effleurer son épaule avec la sienne.

« Peut-être », dit-elle.

JD l’observa marcher sur la promenade de bord de mer, en direction de la jetée de bois abandonnée qui se trouvait à une centaine de mètres. Lorsque dix mètres les séparèrent, il reprit posément son chemin, admirant l’ondoiement délicat des hanches de Beth. De son côté, elle savait qu’il était en train de la mater, aussi accentua-t-elle un tout petit peu le mouvement de son bassin, afin de s’assurer que son regard ne quitte pas ses fesses.

« Tu vas rester derrière moi toute la nuit ? finit-elle par lui lancer par-dessus son épaule.

— *Merde !* » s’écria JD.

Beth se retourna franchement. Le ton de JD avait trahi sa colère.

« Qu’est-ce qui ne va pas ? demanda-t-elle.

— Il est presque minuit ! »

JD regardait tout autour de lui, l’air inquiet.

« Et où est le mal ? Tu dois rentrer chez toi ?

— Non, non, rien à voir. Écoute, il faut que je me presse. Je dois aller chercher mon petit frère à l’église.

Si j'arrive en retard, il risque de paniquer et de s'énerver pour de bon. »

Beth s'avança vers JD.

« Je peux t'accompagner, si tu veux.

— Nan, c'est sympa de ta part, mais si mon frère te voit, il sera tout excité et on aura du mal à le ramener à la maison. Et s'il arrive pas à l'heure, ma mère va péter un plomb.

— Bon. Je veux bien t'attendre ici, si tu as envie de revenir. »

Beth ne voulait pas que la nuit s'achève là, et elle avait encore moins envie de rentrer chez elle pour y retrouver sa belle-mère.

« T'es sûre ? demanda JD.

— Bien sûr que j'en suis sûre. Et tu sais quoi ? Si tu arrives ici à 1 heure, à la fin de l'heure maléfique, j'accepte de sortir avec toi. »

JD afficha un large sourire.

« Rendez-vous à 1 heure, alors. Attends-moi sur la jetée de bois. Mais fais gaffe, j'ai l'impression qu'il y a pas mal de cinglés dehors, ce soir. »

L'écho de sa voix ne s'était pas encore tu que déjà il tournait les talons et se précipitait en direction du centre-ville.

La promenade était toujours déserte, et les vagues se brisaient doucement contre la jetée du port, à deux pas de Beth, qui avait repris sa marche. L'air océanique qui emplissait ses poumons était frais et vivifiant, et elle en inspira plusieurs longues bouffées. Elle découvrait enfin ce que c'était que de se sentir vraiment heureuse.

En moins d'une minute, elle arriva à hauteur de la jetée de bois et posa les pieds sur les planches vermoulues qui surplombaient les flots. La jetée était longue d'une cinquantaine de mètres tout au plus, elle branlait un peu, mais le maire n'avait toujours pas jugé utile d'en interdire l'accès. Beth alla jusqu'au bout de la jetée où, s'accoudant à la rambarde de bois, elle contempla l'océan.

La lune brillait toujours, et Beth se perdit dans la contemplation de son reflet sur les vagues, en souriant. Les petites gouttes de pluie qui perlaient sur son visage depuis quelques minutes se firent plus fréquentes. Mais elle s'en fichait, presque autant que de la promesse qu'elle avait faite à sa belle-mère de rentrer avant minuit.

Fort malheureusement, il existe à Santa Mondega une longue liste de règles tacites. L'une d'elles stipule très clairement que personne ne peut rester heureux très longtemps. Quelque chose de mauvais finit toujours par se profiler à l'horizon. Et dans le cas de Beth, cette chose était bien plus proche que l'horizon qu'elle contemplait.

À quelques mètres d'elle était tapie l'une des créatures des ténèbres les plus infectes qui soient. Si Beth avait jeté un coup d'œil par terre, elle aurait aperçu dix doigts décharnés agrippés à la jetée de bois. Ces doigts étaient ceux d'un vampire. Il attendait depuis si longtemps, suspendu dans le vide, que quelque innocente ingénue vienne contempler l'océan, que la marée ait monté, et les vagues venaient maintenant lui lécher les chevilles. Mais l'innocente ingénue était là. Beth.

C'était enfin l'heure de manger.

4

Sanchez avait horreur d'aller à l'église, aussi veillait-il à ne pas s'y rendre trop souvent. Ce soir faisait figure d'exception, à plus d'un titre. C'était pour cela qu'il avait revêtu ses plus beaux habits : un jean bleu sans la moindre déchirure et un pull blanc à col roulé sans tache visible. Il avait même passé un peu de Gomina dans ses épais cheveux noirs, afin de se donner un air stylé de mec *vraiment* trop cool.

Ils devaient l'événement spécial de ce soir au prédicateur nommé tout récemment à la tête de la paroisse, et qui avait la manie d'essayer de nouvelles choses. Cette fois, il avait convié ses ouailles à une messe de minuit pour Halloween, avec, en guise de cerise sur le gâteau, un spectacle que le révérend avait simplement qualifié de « plus grand show rock de tout Santa Mondega ». Il n'avait révélé ni le nom du spectacle ni sa nature, aussi, au cas où la surprise s'avérerait être un groupe bien ringard dans le goût des Osmonds, Sanchez était venu équipé, avec un sac en papier kraft rempli de fruits pourris qu'il n'hésiterait pas à lancer sur tout individu dont les talents musicaux ne seraient pas à la hauteur de ses goûts, très stricts en la matière.

Aucun doute là-dessus : l'église de la Très Sainte Ursule et des Onze Mille Vierges (*la iglesia de la Bendita Santa Úrsula y las Once Mil Vírgenes*) était superbe, tant à l'extérieur qu'à l'intérieur. Par les nuits dégagées, le bâtiment se découpait majestueusement sur le ciel sombre, ses murs blancs décorés de stuc brillaient à la lueur de la lune, et sa flèche se dressait comme pour atteindre les étoiles. Cette nuit d'Halloween, cependant, était particulièrement couverte. Le sermon débutait à peine que les gros nuages qui s'étaient amoncelés durant la plus grande partie de la soirée au-dessus de l'église finirent par crever, déversant des torrents de pluie sur la maison du Seigneur.

De là où il se trouvait, au dixième rang, Sanchez pouvait entendre la pluie marteler les vitraux derrière l'autel où officiait le révérend. Sur les bancs se serraient toutes sortes de personnes, de classes sociales et d'âges divers. À côté de Sanchez était assis le simplet du coin, un gamin de douze ans du nom de Casper qui, à ce qu'on disait, avait une sacrée araignée au plafond. Nul ne savait précisément ce qui clochait chez lui, mais Sanchez l'avait vu durant toute son enfance endurer les mauvais tours des autres mômes. En fait, en plus de son petit côté « crétin consanguin », ce gamin avait un air vraiment bizarre. Ses cheveux pointaient constamment dans huit directions différentes, et ses yeux en faisaient autant, en tout cas, c'était l'impression que ça donnait. Quand on regardait ce mioche, on s'attendait presque à voir un éclair zébrer le ciel, suivi d'un coup de tonnerre retentissant, avec peut-être en prime l'écho lointain de la cloche d'une église. Comme un fait exprès, destiné à faire flipper Sanchez, tous ces éléments étaient réunis ce soir.

L'intérieur de l'église n'était pas très éclairé. En cette nuit qui sortait de l'ordinaire, les seules sources de lumière étaient les bougies des candélabres qui jalonnaient les murs, et deux énormes cierges à chaque extrémité de l'autel, qui faisaient étinceler sporadiquement l'énorme croix d'or en leur centre. (En réalité, ce n'était pas de l'or, mais du laiton. À Santa Mondega, tout ce qui ressemblait de près ou de loin à un métal précieux disparaissait toujours très vite, à moins d'être solidement cadenassé et surveillé jour et nuit par une meute de pitbulls à moitié sauvages.) Sanchez remarqua la présence incongrue de divers équipements de son et leurs longues traînées de câbles qui recouvraient le sol devant l'autel. Il en vint à la conclusion que si l'église était aussi faiblement éclairée, c'était sans doute parce qu'un stroboscope allait être utilisé durant le concert rock qui débuterait bientôt.

Du point de vue de Sanchez, le manque de luminosité ne faisait qu'empirer la situation : à chaque fois que le tonnerre retentissait, les flammes des bougies vacillaient, et, dans les flashs de la foudre, il ne voyait rien d'autre que le gamin dérangé en train de le regarder fixement de ses yeux fous. Alors, comme de bien entendu, la cloche de l'église résonnait, et le môme lui adressait un large sourire dément, vraiment effrayant. Sanchez aurait bien aimé changer de place, mais l'église était quasiment pleine à craquer. Il n'y avait plus de place libre derrière lui, et il ne tenait pas particulièrement à s'asseoir trop près de l'autel, par peur que le révérend ne l'invite à participer à l'une de ses mises en scène. Des rumeurs couraient selon lesquelles l'homme d'Église tout fraîchement affecté à la paroisse était un peu *new age*, raison pour laquelle il tenait à ce qu'on l'appelle « révérend » et non « mon père ». Quoi qu'il en fût, c'était un jeune homme énergique, qui avait la fâcheuse habitude de mettre à contribution ses ouailles dans ses improvisations impromptues sur des épisodes bibliques, tels que David et Goliath.

Cela faisait à présent une heure que le révérend parlait avec fougue de Dieu, Jésus et tout le bazar, et Sanchez commençait à perdre patience. Il était venu pour voir le spectacle, pas pour le blabla. Si les musiciens s'avéraient plutôt bons, il tenterait de les faire jouer dans son tout nouveau rade en plein centre-ville, le Tapioca Bar. S'ils jouaient comme des merdes, il rentrerait chez lui. Après s'être débarrassé de son stock de fruits pourris.

Finalement, à minuit cinq, le révérend acheva son sermon, et l'assistance se prépara à accueillir chaleureusement le groupe de musique. Derrière sa chaire en bois haute d'un mètre vingt, le révérend (qui, comme le remarqua Sanchez, était sacrément balèze pour un prêtre) s'adressa directement au public. Bien qu'il fût âgé d'une petite vingtaine d'années, il avait un très fort charisme, et Sanchez était convaincu que derrière cette soutane noire et austère se cachait un bon gros tas de muscles. Ce qui expliquait sans doute que les six ou sept premiers rangs n'étaient occupés que par de jeunes et bonnes chrétiennes, et par des putes déguisées en jeunes et bonnes chrétiennes. Toutes étaient suspendues à ses lèvres. *C'est pas croyable*, se dit Sanchez. *Venir ici juste pour voir le révérend. Elles ont pas honte ? Et quand est-ce que ce foutu groupe va se mettre à jouer ?*

« Bref. Mes très chères sœurs, mes très chers frères, je suis sûr que vous en avez assez entendu de ma bouche pour ce soir », déclara le révérend en souriant à ses ouailles. Il avait un de ces sourires qui faisaient fondre le cœur des femmes, et pour un homme d'Église, pensa Sanchez, une lueur plus que déplacée dans le regard. « Je conclurai rapidement par une ou deux choses, avant que nous n'enchaînions sur le superbe show tant attendu. En tout premier lieu, j'en appelle à vos dons généreux lorsque, en sortant, vous passerez devant les troncs qui se trouvent de part et d'autre de l'entrée principale. »

Le ton ferme de sa voix n'échappa à personne, et tous les fidèles remuèrent sur leur siège, un peu mal à l'aise. (À Santa Mondega, charité bien ordonnée commençait par soi-même. Et s'y arrêtait également.) Le révérend observa ensuite une courte pause, réfléchissant sérieusement à ce qu'il allait dire.

« Et deuxièmement, tonna-t-il, et je dois le préciser, à ma très grande déception, j'ai appris qu'on avait trouvé des traces d'urine dans l'eau bénite. Je vous prierai donc de ne pas utiliser les bénitiers de la porte ouest. Nous laisserons à votre disposition des bouteilles d'eau bénite. Je précise que celles-ci ne sont là qu'à des fins spirituelles ; autrement, si vous avez soif, il y a de l'eau au robinet. »

Il passa un regard sévère sur l'ensemble des fidèles et ajouta :

« Et si je retrouve l'auteur de ce répugnant sacrilège… alors que Dieu lui vienne en aide. »

Cette dernière annonce fut accueillie par des murmures indignés et des hochements de tête désapprobateurs. Sanchez sentit peser sur lui le regard mauvais du gamin, comme si ce dernier le soupçonnait d'être à l'origine de cette pollution.

« Quoi ? Qu'est-ce qu'y a ? » siffla Sanchez entre ses dents, agacé par le regard plissé et impénétrable du jeune garçon.

Celui-ci hocha la tête, avant de la recouvrir de la capuche de sa parka et de regarder droit devant lui. L'attention de Sanchez se reporta sur le révérend. Pas besoin de se faire surprendre en train de faire les gros yeux à un gamin handicapé mental. Ce n'était pas ce qu'il y avait de plus classe. Autant éviter de se faire ce genre de réputation.

À côté de sa chaire, le révérend manipula plusieurs boutons sur une grosse console. L'équipement son scintilla d'abord de diodes, puis la musique se fit entendre : à travers d'énormes haut-parleurs, on entendit le thème principal du film *2001 : l'Odyssée de l'espace* [1]. Sanchez aimait bien cet air, qui posait une sacrée atmosphère, surtout dans la nef sombre et sifflante de courants d'air, avec la rumeur incessante de la pluie sur le toit et contre les vitraux.

Au bout d'une vingtaine de secondes à peine, l'assistance sentit dans son dos une rafale de vent froide et humide, accompagnée d'une odeur de moisissure particulièrement désagréable. Quelqu'un venait d'ouvrir la grande porte à double battant de l'église.

Tous tournèrent la tête et, de l'autel, le révérend lança un regard inquisiteur par-dessus ses ouailles, en

---

1. Qui n'est autre que l'introduction du poème symphonique de Richard Strauss, *Also sprach Zarathustra* (« Ainsi parlait Zarathustra »). Sanchez ignorait ce détail. Et il s'en contrefoutait complètement.

se demandant qui pouvait bien arriver à ce point en retard à l'office. Tous virent entrer un homme. Il portait une longue cape noire dont la capuche recouvrait sa tête. Plusieurs autres apparurent dans l'encadrement de la porte, vêtus de la même façon, et pénétrèrent en file indienne dans l'église. Lorsqu'ils eurent formé un rang, ils s'immobilisèrent. Ils étaient sept au total. Le dernier à entrer referma les battants de la porte derrière lui, dissimulant de la sorte les sombres silhouettes dans l'obscurité qui régnait au fond de l'église. Leur présence avait quelque chose d'indubitablement maléfique, et cette aura se répandit dans l'enceinte du lieu saint, aussi sûrement que l'odeur pestilentielle qui l'avait précédée. Ils n'avaient pas leur place ici : pas besoin d'être un génie pour le deviner. C'était la nuit d'Halloween, et ces sept créatures encapuchonnées faisaient figure de parfaits croquemitaines, venus semer dans cette église le chaos et la désolation.

Le révérend sentit immédiatement la menace et s'empressa d'appuyer sur un bouton de sa console : l'entrée de l'église s'illumina. Les sept hommes furent alors parfaitement visibles : la lumière crue venait d'éliminer toute chance de profiter d'un quelconque effet de surprise. Si leur intention avait été de s'approcher sournoisement des fidèles dans l'ombre, c'était raté. Par un curieux hasard, c'était exactement ce qu'ils avaient projeté de faire.

Alors que la musique enflait, plus forte et plus intense à chaque instant qui passait, les deux cents fidèles assis fixaient les sept hommes, en proie à une terreur insondable. C'est alors que le révérend prit la parole au nom de tous, en s'adressant aux visiteurs importuns.

« Vous n'êtes pas les bienvenus ici. Sortez immédiatement. »

Il parlait calmement dans son micro, mais assez fort pour se faire entendre au-dessus de la musique. Il se dégageait de lui une autorité indéniable, et, en dépit de sa frayeur, Sanchez ne put s'empêcher de penser : *Pas de doute, c'est vraiment un putain de gros balèze.*

Pendant quelques secondes, aucune des sept silhouettes ne bougea. Puis l'homme qui se trouvait au milieu, le premier à être entré dans l'église, s'avança en rejetant sa capuche en arrière. Son visage étroit d'une blancheur de spectre était encadré par de longs cheveux noirs qui lui tombaient aux épaules. Il ouvrit la bouche pour répondre, révélant d'énormes crocs jaunes.

« Ce soir, c'est Halloween, et c'est maintenant l'heure des maléfices, siffla-t-il. Nous sommes les vampires du clan des Capuchards, et cette église nous appartient à présent, ainsi que tous ceux qui s'y trouvent. *Personne ne sortira d'ici vivant !* »

Ce serait un euphémisme de dire que cette déclaration provoqua la panique générale. Toutes les femmes et au moins la moitié des hommes présents se mirent à hurler en se levant de leur banc. Le gros problème, c'est que personne ne savait au juste où se cacher. À l'exception de l'entrée où se tenaient les vampires, les lieux étaient plongés dans une semi-obscurité, et le révérend ne semblait pas très enclin à éclairer le reste de l'église. En tout cas pas tout de suite. Mais lorsque le thème de *2001 : l'Odyssée de l'espace* laissa place à un autre morceau, il se décida enfin à appuyer sur plusieurs boutons de la console. Un projecteur illumina soudain la scène montée en face de l'allée centrale. Le faisceau lumineux n'éclairait rien d'autre qu'un pied de micro nimbé de poussière.

La surprise générale ne dura pas plus d'une seconde. Les sept vampires poussèrent des hurlements stridents, tels des fauves prêts à bondir sur leurs proies. Les uns après les autres, ils rejetèrent leurs capuches en arrière et s'élevèrent au-dessus des dalles de pierre, jusqu'en haut des voûtes de la nef. Tous n'avaient plus qu'une idée en tête : choisir une victime en contrebas et fondre sur la malheureuse pour se délecter de son sang.

Les ouailles horrifiées ne savaient toujours pas où se cacher. Le chaos régnait sur les bancs que certains tentaient d'enjamber en bousculant leur prochain, tandis que d'autres cherchaient à se dissimuler en dessous. À l'instar de tous les fidèles, Sanchez était pétrifié de terreur. Il eut tout d'abord l'idée de tirer quelques fruits pourris de son sac en papier kraft pour les lancer en direction des vampires, mais il se ravisa presque aussitôt : tout compte fait, ça n'aurait pas été très malin. Au lieu de ça, il prit la décision de se tapir sous le banc en espérant que les vampires s'en prendraient d'abord aux fidèles les plus grands. Ainsi, avec ce courage qui le définissait aussi bien en tant qu'homme qu'en tant que barman, il s'agenouilla par terre, se recroquevilla sous le banc et, pour faire bonne mesure, tira vers lui Casper, le gamin bizarre à la parka, afin de s'en servir comme bouclier humain. Alors que les vampires tournaient dans l'air glacial de l'église, acculant leurs proies en se repaissant de la terreur qu'ils suscitaient chez les fidèles éperdus, les haut-parleurs retentirent soudain du son de trompettes, ce qui ne fit qu'ajouter encore à la confusion et au désordre qui régnaient déjà.

C'est alors que quelque chose d'inattendu se produisit. Fermement campé derrière sa chaire, le révérend porta son micro à la bouche :

« Je vous avais pourtant dit de ne jamais mettre un pied dans cette église, bande d'enculés de vampires ! beugla-t-il en secouant son poing fermé en direction des créatures qui lévitaient, menaçantes, au-dessus des Santamondeguins terrorisés. Maintenant, préparez-vous à souffrir. Mesdames, mesdemoiselles, messieurs et tas d'enculés ! Veuillez accueillir chaleureusement… le King du rock and roll ! »

Une imposante silhouette apparut dans l'espace vide éclairé par le projecteur, au beau milieu de la scène. Vêtu d'une combinaison blanche, une large ceinture dorée ceinte autour des reins, et arborant une chevelure dense et noire, ainsi que des rouflaquettes particulièrement épaisses, se dressait Elvis, le plus grand tueur à gages toujours en vie de Santa Mondega. Il avait une guitare demi-caisse entre les mains, un monstre noir, élégant et racé, auquel, à en juger par son lustre, Elvis devait tenir comme à la prunelle de ses yeux. Sans un tressaillement, sans la moindre marque de nervosité, il se mit à jouer sur l'accompagnement que faisaient tonner les haut-parleurs. Il plaqua quelques furieux accords de blues et se mit à battre la mesure du pied droit, s'apprêtant à chanter le premier couplet de *Steamroller Blues*.

Elvis était tellement absorbé par sa musique, tellement concentré sur le moindre détail afin d'offrir une prestation parfaite au public, qu'il ne semblait pas se rendre compte de ce qui se passait autour de lui. Par ailleurs, son charisme était tel que tous s'immobilisèrent pour le regarder, y compris les vampires qui planaient sous les voûtes : aux yeux de chacun d'eux, Elvis apparut comme une première prise de choix.

C'est alors qu'il se mit à chanter.

I'm a steamroller baby
I'm'bout to roll all over you[1]...

Les premières syllabes giclaient à peine des amplis que l'un des vampires fut incapable de réprimer plus longtemps sa soif de sang. Dans un hurlement perçant, il plongea en direction du sosie tourbillonnant d'Elvis, tous crocs dehors, prêt à la mise à mort. En réponse, et sans louper un seul temps, le King se contenta de rouler des hanches dans un sens en pointant le manche de sa guitare dans l'autre, c'est-à-dire droit sur le suceur de sang.

Un dard d'argent fusa par un trou dissimulé dans la tête de la guitare noire. Le projectile fendit l'air, plus rapide que la foudre qui tonnait dehors, et, dans un bruit sourd très désagréable, se planta dans le cœur du vampire, brisant net son piqué. La maléfique créature sentit la flèche se frayer un chemin dans sa poitrine, et s'immobilisa dans les airs, les yeux écarquillés de douleur et d'incrédulité. Il eut tout juste le temps de se dire : « *Putain, je vais quand même pas crever sur un morceau de James Taylor...* » L'instant d'après, il s'enflammait spontanément et tombait sur la scène, aux pieds d'Elvis, où il fut vite réduit en un petit tas de cendres fumantes.

---

1. « Je suis un rouleau compresseur, *baby*, et je vais te rouler dessus. » (*N.d.T.*)

Dans les rangs des paroissiens de l'église Sainte Ursule, la panique et la terreur cédèrent instantanément la place à l'espoir et à l'optimisme. On ne pouvait pas en dire autant des vampires volants. Abasourdis dans un premier temps par la disparition d'un de leurs collègues, ils se concentrèrent de nouveau sur le chanteur.

Et le King continua à jouer son blues.

Blotti à même le sol de pierre, sous le jeune garçon (étonnamment lourd) qu'il avait tiré à lui, Sanchez assistait à la scène, bouche bée.

Ça promettait d'être un sacré show.

5

Kione adorait les 31 octobre. Les mises à mort d'Halloween avaient quelque chose de très spécial. Elles avaient un je-ne-sais-quoi de terriblement savoureux.

Si Santa Mondega accueillait des vampires venus des quatre coins du monde, le centre-ville était plus particulièrement réservé aux créatures maléfiques originaires d'Europe et des Amériques. Les premiers colons vampires étaient venus de Paris et avaient été rejoints par une foule de cousins européens avant même la découverte du Nouveau Monde par Christophe Colomb. Au XVIIIe siècle, la ville avait vu affluer un grand nombre de réfugiés d'Amérique latine. Certains parmi eux n'avaient pas tardé à grossir les rangs des créatures des ténèbres, et à fonder de nouveaux clans. Très vite, la population vampire était devenue bien trop importante pour la ville : lorsque arrivèrent les premiers vampires originaires d'Afrique (tels que Kione), une nouvelle politique d'immigration tacite fut mise en place. En conséquence, les vampires africains et asiatiques s'installèrent dans les collines qui encerclaient Santa Mondega. Ces nouveaux arrivants, en particulier les Nord-Africains, adoraient la liberté et l'air pur des vallées et des hauteurs : tous préféraient chasser leurs proies dans la nature, en lisière de la ville. Enfin, tous, excepté Kione. Il y avait fort longtemps, il avait été banni des collines pour avoir violé non pas quelques points du code d'honneur des vampires, mais toutes ses règles, sans exception. Dénué de scrupules, de distinction et de dignité, il vivait depuis sous la jetée de bois, se nourrissant la nuit de tout ce qui pouvait lui tomber sous la main.

À l'époque où il vivait encore dans les collines, Kione faisait partie de la Peste noire, un clan qui n'avait jamais empiété sur les plates-bandes des autres groupes. Il était fort de nombreux membres, tous aussi vicieux que n'importe quel vampire, et toute la communauté des créatures de la nuit savait que si un jour ce clan décidait de revendiquer une partie de Santa Mondega comme leur chasse gardée, une terrible guerre de clans s'ensuivrait. L'une des choses qui les tenaient écartés de la ville était un conte de bonne femme qui remontait à plusieurs siècles déjà. Selon le folklore de Santa Mondega, chaque nuit durant une heure, les épouvantails s'éveillaient et pourchassaient tout inconnu qui osait s'aventurer dans la ville. Aucune preuve n'avait jamais étayé cette légende, mais la forte présence d'épouvantails dans les jardins de la périphérie santamondeguine avait suffi jusqu'alors à décourager les vampires des collines.

Les rares fois où des membres de la Peste noire passaient les portes de la ville, c'était toujours en grand nombre, et les clans citadins en faisaient autant lorsqu'ils s'aventuraient dans les collines et les vallées. Kione, qui n'avait aucun ami de son espèce (ni d'aucune autre, du reste), vivait caché dans le port, se contentant souvent de poissons et de crustacés pour subsister. Il arrivait pourtant que certaines nuits (comme cette nuit, par exemple), le sort lui réserve un cadeau. Les jeunes innocentes avaient sa préférence, et l'innocente de ce soir était des plus alléchantes.

Kione avait assisté au départ de l'épouvantail qui accompagnait la jeune fille, avant de l'observer fiévreusement, alors qu'elle parcourait seule la jetée de bois. Il avait prié la déesse Yemaya de pousser la jeune fille dans sa direction. Et la déesse avait accédé à sa demande. Elle avait guidé la jeune innocente le long de la jetée jusqu'à Kione. Et ce dernier n'aurait refusé pour rien au monde un tel présent.

Ses longs ongles plantés dans la dernière planche de bois du bout de la jetée, il attendait le meilleur moment pour attaquer. La jeune fille semblait au summum du bonheur et de l'insouciance, et cela tombait d'autant mieux que c'était ainsi que Kione les préférait. Il la laissa admirer un moment l'océan, tandis que, de son côté, il scrutait émerveillé ses souliers rouges. Très vite, la robe bleue et blanche qui recouvrait la majeure partie de sa chair prendrait la même couleur, celle de son sang. À cette pensée, Kione ne put s'empêcher de se lécher les babines. Après s'être excité de la sorte, presque au point d'atteindre l'orgasme, Kione se résolut enfin à agir.

Il bondit à une vitesse hors du commun et prit un malin plaisir à flotter à deux mètres au-dessus de la mer, juste en face de sa future victime. Il était à une trentaine de centimètres de la jeune fille. Ce fut pour lui un instant de jouissance indicible. Il se délecta comme jamais du changement d'expression de sa proie, lorsque celle-ci comprit qu'elle allait se faire dévorer toute crue par un répugnant pervers, vêtu de haillons marron et empestant le poisson pourri. Plus qu'à la vue des pupilles de la jeune fille, dilatées par la terreur, Kione tira un plaisir infini du fait qu'elle ignorait encore que la douleur atroce qu'il allait lui infliger s'accompagnerait d'une perversion et d'une luxure intolérables.

Alors qu'elle ouvrait la bouche, prête à hurler, Kione la déshabilla du regard. Ah ! cette chair blanche et soyeuse, déchirer cette robe et s'en mettre plein les yeux, la bouche et les mains…

« Bonsoir, ma mignonne », grinça-t-il d'une voix qu'il crut séductrice.

Pour Beth, en revanche, c'était une voix tout à fait ignominieuse, portée par une haleine méphitique qui semblait tout droit sortie des profondeurs du rectum de Satan. Reprenant un peu ses esprits, elle eut le réflexe de reculer d'un pas et réfléchit un très bref instant. Valait-il mieux prendre ses jambes à son cou, ou tenter de se sortir de cette situation par le dialogue ? L'instinct de survie prit le dessus, et elle se retourna pour fuir. Mais elle n'avait pas fini de tourner la tête que Kione se trouvait de nouveau face à elle. Avec une agilité qui n'était pas de ce monde, il avait accompli un salto au-dessus de Beth pour lui barrer la route.

« Je vous en supplie, implora-t-elle, ne me faites pas de mal. Il faut que je rentre chez moi. »

Kione afficha un large sourire, dévoilant ses gros crocs jaunis, de la même couleur que le blanc de ses yeux plissés et maléfiques. Entre ses dents tordues, de petits bouts de chair vieux d'un jour finissaient de pourrir. Ce vampire était un sale enfoiré, dans tous les sens du terme. Malpropre, malplaisant, malveillant, c'était un déviant sexuel du pire acabit qui ait jamais été.

« Enlève ta robe, dit-il en la couvant d'un regard infect.

— Quoi ?

— Ta robe. Enlève-la.

— Mais, mais… *quoi* ?

— Tu m'as parfaitement entendu. Désape-toi. Et vite, ma jolie, parce que je peux te garantir que si tu ne le fais pas, c'est moi qui m'en chargerai, et, à ce qu'il paraît, j'ai pas le tour de main le plus délicat au monde. »

Elle baissa les yeux sur les mains de Kione. Il les tendait vers l'abdomen de Beth, et ses longs doigts décharnés semblaient manipuler une paire de seins imaginaire. Ne sachant pas trop quoi faire, mais espérant gagner assez de temps pour trouver un moyen de lui échapper, Beth se mit à faire glisser les bretelles bleues de sa robe sur ses épaules. Kione ne put s'empêcher de se pourlécher les babines d'impatience.

La première bretelle glissa au bas de l'épaule de Beth, et ce qui suivit ne correspondit pas vraiment aux attentes de Kione. Loin derrière lui, les planches de bois de la jetée se mirent à retentir de puissants impacts de bottes, lancées dans une course échevelée. Le désir l'obnubilait tellement que, au début, le bruit ne résonna qu'au fond de son subconscient. Les pas se firent de plus en plus sonores, de plus en plus rapides à mesure qu'ils approchaient. La luxure accapara son esprit une seconde de trop : lorsque son instinct reprit le dessus, il était déjà trop tard. Kione se retourna juste à temps pour voir le poing d'un épouvantail s'abattre comme la foudre sur son nez. Kione trébucha en arrière contre

Beth, qui le repoussa dans un hurlement, et il tomba lourdement sur les planches de bois. En rajustant sa robe, Beth considéra JD, les yeux écarquillés, rivés sur son propre poing, manifestement ahuri par ce qu'il venait de faire.

Kione fut le premier à réagir. Il se releva d'un bond une seconde après s'être écroulé. Beth décida alors de se précipiter en direction de la promenade. Elle passa à toute vitesse à côté du vampire et de JD, bien trop occupés à se jauger l'un l'autre pour lui prêter la moindre attention. Ses saletés de souliers rouges n'avaient franchement pas été conçus pour le sprint sur planches de bois, et Beth avait bien conscience qu'à chaque foulée elle prenait le risque de perdre pied.

Arrivée au milieu de la jetée, elle s'immobilisa soudain. *Et JD ? Il suit ? Ou il se bat encore avec ce vampire ?*

« AOUTCH ! » Le cri de Kione, où se mêlaient à parts égales la douleur, la colère et l'impuissance, apporta à Beth la réponse à ses questions. Elle se retourna et aperçut le vampire à genoux, souffrant d'un nouveau coup porté à quelque partie sensible de son anatomie. Il se releva une deuxième fois, plus lentement. JD fit alors pleuvoir un torrent de coups de poing sur le pervers qui se recroquevilla.

En moins d'une minute, Kione se retrouva allongé sur le dos, tendant les mains devant son visage, implorant la pitié de son bourreau :

« Je t'en supplie, gémit-il, je suis désolé. J'allais pas lui faire du mal, c'était pour rigoler, c'est tout ! Sérieux ! »

JD recula d'un demi-pas, méfiant, et laissa le vampire se relever, tout penaud :

« Fous le camp d'ici, espèce de sac à merde », ordonna-t-il.

Kione baissa la tête, tel un vilain petit écolier qu'on aurait grondé pour une bêtise en classe. JD lui décocha un regard méprisant et se tourna en direction de Beth :

« Ça va ? lança-t-il d'une voix forte.

— ATTENTION ! » hurla-t-elle. Kione avait fait semblant de se repentir, dans l'espoir que JD baisse sa garde ne serait-ce qu'un instant. Et c'était exactement ce qu'avait fait le jeune homme. Le vampire saisit sa chance et, tous crocs dehors, sauta à la gorge de son ennemi. Le garçon déguisé en épouvantail était doté d'incroyables réflexes : Beth n'avait pas fini de crier qu'il avait fait volte-face et poussé brutalement de côté la tête du vampire. Tous deux luttèrent alors au corps à corps, chacun tâchant de prendre le dessus sur son adversaire, sous le regard horrifié de Beth. Lorsque JD semblait dominer Kione, le vampire parvenait au prix de diaboliques tortillements à reprendre l'ascendant. Lorsqu'il eut épuisé son catalogue de positions sans arriver à planter le moindre bout de croc dans la chair de JD, ce dernier le repoussa violemment contre la rambarde branlante de la jetée et serra dans ses mains la gorge du vampire, chassant peu à peu l'air de ses poumons.

Kione tâchait d'inspirer, en dévisageant son ennemi d'un regard implorant.

« J't'en supplie, grinça-t-il. Ne… »

Il ne lui restait plus qu'un mince filet de voix, et son visage prenait peu à peu une teinte terreuse. Lisant le désespoir dans ses yeux, JD relâcha son étreinte, juste assez pour permettre à Kione d'inspirer une brève bouffée d'air.

« J't'en supplie… ne… me… tue pas, souffla le vampire. Je suis déjà mort une fois, il y a des années. Me… me fais pas revivre ça. J't'en supplie. Lâche-moi. Je partirai. Je te le jure. »

Avec un air sinistre, JD serra plus fort la gorge du vampire qui à chaque instant se rapprochait un peu plus de son lugubre sort. Mais mettre un terme à une vie n'est pas chose facile, même quand, techniquement, cette vie n'en est pas vraiment une. Surtout, JD aurait dû aller à confesse pour se faire pardonner son crime. Aussi, dans un moment de compassion que Kione ne méritait pas, JD relâcha sa terrible étreinte.

« Dégage. Et reviens plus jamais », lâcha-t-il d'un ton sec, incapable de dissimuler son dégoût.

Il n'en fallut pas plus au vampire. Il bondit aussitôt en l'air et disparut dans les ténèbres.

Beth se précipita vers JD qui, après sa lutte contre la créature maléfique, tentait comme il pouvait de reprendre haleine.

« Ça va ? demanda-t-elle, en s'arrêtant à deux mètres afin de lui laisser assez de place pour s'étirer et respirer un coup.

— Ouais, ça va, répondit-il en palpant maladroitement son cou, à la recherche de la moindre morsure. À part le fait que je viens de me battre contre un vampire, qui en principe est censé être une créature imaginaire, tout va bien. Et toi ? Il t'a fait du mal avant que j'arrive ?

— Non, mais sans toi, je crois que je serais morte à l'heure qu'il est. Tu as senti que j'avais besoin d'aide ?

— Non. Je suis revenu parce que j'ai oublié quelque chose. »

JD s'approcha de Beth et tendit le bras vers elle. Elle n'éprouva pas le désir de reculer, comme cela aurait été le cas ne serait-ce qu'une heure auparavant si un garçon avait tenté de la toucher. Elle le laissa écarter ses cheveux de ses épaules et examiner son cou.

« Qu'est-ce que tu as oublié ? » demanda-t-elle.

Les doigts de JD glissaient sur sa peau, en quête d'éraflures, mais son regard restait planté dans le sien.

« Ça », répondit-il. Il se pencha alors et l'embrassa sur les lèvres. Beth n'avait jamais embrassé personne et, malgré sa très grande surprise, la chaleur du baiser irradia tout son corps. Elle répondit à son baiser, palliant son manque d'expérience par un instinct très sûr. C'était aussi incroyable que ce qu'elle s'était imaginé.

Après un baiser de dix bonnes secondes qui fit oublier à Beth les moments terribles qu'elle venait de vivre, JD se recula. Il lui décocha ce sourire de voyou, effronté et confiant, auquel elle était d'ores et déjà accro.

« Viens, partons d'ici », dit-il.

Il lui prit la main et ils se mirent à marcher en direction de la promenade. Il faisait de plus en plus froid, et le ciel s'assombrissait : les nuages menaçants venus de l'autre bout de la ville commençaient à grossir. Dans le port, les vagues enflaient sensiblement, à mesure que l'inévitable tempête approchait.

Beth et JD étaient si absorbés l'un par l'autre qu'ils ne remarquèrent pas vraiment cette détérioration météorologique. Ce qui les tira vraiment de leur rêverie amoureuse fut la silhouette solitaire qui les attendait sur la promenade, juste en face du début de la jetée en bois. C'était la silhouette d'une femme d'âge mûr, toute vêtue de noir. Ses cheveux étaient blancs et, de loin, elle paraissait tout à fait repoussante. À mesure qu'ils approchèrent, la laideur ne fit qu'empirer.

« Encore ce foutu vampire ? coassa-t-elle d'une voix aussi désagréable que son visage.

— Faut croire, répondit JD.

— La sale raclure ! gronda-t-elle. Ça fait maintenant des mois qu'il traîne dans le coin, à manger toutes sortes de merdes. Vous êtes bien brave de l'avoir chassé comme ça. » Elle se tourna alors vers Beth. « Et vous, ma petite demoiselle, ça va ? » Malgré son étrangeté et son visage hideux, cette femme avait quelque chose d'étonnamment rassurant. *Bizarre, cette vieille*, pensa Beth. *Sûrement un petit peu folle. Mais pas méchante.*

Le jeune couple s'immobilisa à un mètre d'elle, au bout de la jetée de bois.

« Oui, tout va bien maintenant, merci, répondit Beth, rayonnante, en relevant les yeux vers JD dont elle serra la main plus fort encore, tout juste capable de contenir la joie infinie qu'elle éprouvait du simple fait d'être à côté de lui.

— Vous feriez bien de vous abriter chez moi, tous les deux, proposa la femme en désignant une vieille caravane en sale état qui se dressait un peu à l'écart de la promenade. Je vais vous préparer quelque chose de chaud. Une terrible tempête approche, les cieux vont s'ouvrir et je doute que vous vouliez vous retrouver dessous. »

Un éclair illumina soudain le ciel, et ses derniers mots furent recouverts par le coup de tonnerre assourdissant qui suivit, accompagné d'un tourbillon de vent sorti de nulle part. Tous trois sursautèrent et levèrent les yeux pour apercevoir un deuxième éclair, accompagné d'un nouveau coup de tonnerre. Une seconde plus tard, avec la même soudaineté, une cataracte de pluie s'abattit, dégorgée par les sombres nuages au-dessus de leur tête.

« Putain, il faut que j'y aille, s'exclama JD à l'intention de Beth. Sérieux, si je vais pas chercher mon frère tout de suite, je risque d'être vraiment dans la merde. Je le ramène à la maison, et je reviens aussitôt. Ça te va, de rester avec… » Il jeta un regard à l'étrange femme. « Comment vous vous appelez, m'dame ?

— Annabel de Frugyn. »

Dans le vacarme de la pluie et les grondements de l'orage, JD n'entendit qu'à moitié sa réponse, aussi se contenta-t-il d'acquiescer. La femme tourna les talons et, luttant contre le vent et la pluie, se dirigea vers sa caravane qui se trouvait à une bonne vingtaine de mètres. Elle boitait terriblement, comme si elle souffrait d'une fracture de la hanche, ou tout du moins qu'elle avait une jambe plus longue que l'autre.

JD l'observa un instant, interloqué par sa démarche ridicule. Il s'arracha finalement à sa contemplation et embrassa de nouveau Beth sur la bouche, avant d'écarter de ses yeux ses cheveux humides que le vent rabattait sur son visage.

« Écoute, suis la dame hystérique et moi, je serai là à 1 heure du mat', comme promis. Ça marche ? »

Beth sourit et lui rendit son baiser.

« Ça marche.

— OK. Je reviens, promis juré. »

JD se précipita dans les ténèbres de la nuit et, en l'espace de quelques secondes, disparut derrière l'épais rideau de pluie. Il courait droit vers l'église, sans savoir que la nuit allait prendre pour lui un tour tout à fait abominable.

Beth rattrapa Annabel sur le seuil de sa caravane. L'étrange femme lui adressa un sourire ignoble auquel semblaient manquer plusieurs dents.

« Comment est-ce que votre petit ami m'a appelée ? » demanda-t-elle à Beth.

La première chose qui frappa Beth fut la joie qu'elle éprouva en entendant Annabel parler de JD comme de son petit ami. La seconde, ce fut le fait de se rappeler que JD venait de l'appeler « la dame hystérique ». Un brin de diplomatie s'imposait.

« Je crois qu'il vous a appelée "la Dame Mystique", répondit Beth en se protégeant de la pluie, alors qu'Annabel ouvrait la porte rose de sa caravane.

— "La Dame Mystique", hein ? répéta-t-elle. Ça me plaît. »

Alors que Beth entrait dans la caravane à la suite d'Annabel, Kione le vampire volait à un kilomètre de là, ballotté par la pluie torrentielle et les rafales de vent soulevées par la tempête. Il aurait dû se sentir méchamment blessé dans son amour-propre, pour s'être fait aussi brutalement tabasser par un simple ado. Mais Kione n'avait pas une once d'amour-propre. En revanche, il avait le portefeuille qu'il avait tiré de la poche de JD durant leur lutte. Un portefeuille qui contenait l'adresse de son propriétaire. Tout en survolant les ruelles sordides de Santa Mondega, Kione le vampire ruminait sa vengeance.

6

Un peu plus tôt, cette même nuit…

Olivia Jane Lansbury, veuve de son état, était une femme de tête. C'était également l'une des plus riches habitantes de Santa Mondega. La demeure dont elle avait hérité à la mort de son époux, moins de quinze ans plus tôt, était l'un des plus somptueux bâtiments de la ville. Elle se dressait au sommet d'une haute colline, en lisière d'un quartier huppé de la périphérie, et dominait tous les alentours. Forte de vingt chambres, elle aurait fait un superbe hôtel cinq étoiles, si Olivia Jane avait eu besoin de gagner sa vie d'une façon ou d'une autre. Mais elle était assez riche pour s'épargner la location ne fût-ce que d'une seule chambre. Du reste, seules deux d'entre elles étaient utilisées : la sienne et celle de sa belle-fille qu'elle avait adoptée, Beth.

Feu son mari, Dexter, avait été abattu dans son bain, durant leur nuit de noces. Dans un premier temps, l'inspecteur chargé de l'affaire, Archibald Somers, avait avancé que le seul meurtrier potentiel n'était autre qu'Olivia Jane. Cependant, peu après qu'elle eut offert une récompense de 50 000 dollars pour toute information concernant l'identité de l'assassin, Somers avait appris de la bouche d'un de ses indicateurs que l'auteur du crime était en fait un pêcheur de Santa Mondega. L'intrépide inspecteur avait fait de cette enquête une affaire personnelle, et avait traqué lui-même cet homme. Après avoir tiré des aveux du suspect, il avait été obligé de le tuer pour résistance à agent, tentative de fuite et outrage à policier dans l'exercice de ses fonctions. Enquête close. Joli boulot.

Personne n'avait jamais compris ce qui avait poussé Olivia Jane à adopter Beth. Elle semblait n'avoir aucune patience vis-à-vis de la fille de feu son époux. Les nourrices s'étaient succédé au début, mais, lorsque Beth avait été en âge d'entrer à l'école, sa belle-mère s'était occupée seule de son éducation et de son instruction. Elle ne l'avait laissée sortir de la demeure que très rarement, et avait toujours scrupuleusement veillé à ce qu'elle ne fréquente aucun enfant de son âge. Jusqu'à une date récente.

Cela faisait à peine deux mois que, dans un brusque revirement, elle avait inscrit sa belle-fille au lycée de Santa Mondega, en l'encourageant même à participer au bal d'Halloween. Cela correspondait si peu à ses habitudes que Beth en avait conçu une extrême surprise, ainsi qu'une extrême suspicion à son endroit. Néanmoins, la jeune fille s'était empressée de saisir cette chance unique de se retrouver en compagnie de gens de son âge.

Les doutes de Beth étaient tout à fait fondés. La décision d'Olivia Jane de lâcher ainsi sa belle-fille dans le vaste monde s'inscrivait dans un plan plus large, qui avait débuté près de quinze ans plus tôt. Et ce plan était sur le point d'arriver à son terme. Le temps des réjouissances était enfin venu.

Ses invités arrivèrent tous ensemble dans le secret de la nuit. En entendant la sonnerie de la porte retentir, Olivia Jane éprouva une excitation intense. Elle se regarda une dernière fois dans le grand miroir qui se trouvait dans le vestibule, fin prête pour la soirée qui l'attendait. Elle avait passé plus d'une heure à faire boucler son épaisse chevelure blonde dans un style qui, de son point de vue, la faisait ressembler à Marilyn Monroe. À cela s'ajoutait une robe rose moulante, sans bretelles. *Pas mal pour la quarantaine*, se dit-elle.

Elle ouvrit la porte sur un homme assez grand, vêtu d'une longue robe blanche, et portant un masque doré représentant une tête de bouc, dont les cornes se courbaient juste au-dessus de ses oreilles. Douze autres convives se tenaient derrière lui. Six hommes habillés de la même façon et six femmes portant des robes écarlates, tous dissimulés derrière des masques blancs sans expression.

« Bien le bonsoir, madame Lansbury, déclara l'homme d'une voix de stentor.

— Si vous voulez bien vous donner la peine d'entrer. » Olivia Jane sourit en faisant signe à ses visiteurs de pénétrer dans le chaleureux vestibule.

Les treize convives entrèrent en file indienne, saluant chacun à son tour leur hôtesse, et s'émerveillant de l'unique touche personnelle qu'Olivia Jane avait apportée à son intérieur : l'ensemble des murs, plafonds et tapis était d'un rouge vif, le même écarlate que celui des robes de ses invitées. Un tour du propriétaire leur aurait permis de constater que l'ensemble de la demeure était ainsi décoré, ce qui produisait un effet aussi saisissant qu'inquiétant. Mais l'emploi du temps de ce soir excluait toute visite guidée, et aucun convive n'eut l'idée d'en solliciter une. Toutes et tous étaient impatients de débuter les festivités de cette nuit très spéciale.

Olivia Jane les conduisit jusqu'au salon, une pièce gigantesque de dix mètres de haut, au sol tapissé de rouge. S'y trouvaient en outre un mobilier très confortable de la même couleur ainsi que deux longues tables chargées de bouteilles de vin et de mets copieux. En l'espace de dix minutes, tous ses convives avaient ôté leurs robes et, ne portant plus que leurs masques, avaient débuté l'orgie. En sourdine, de la musique classique accompagnait leurs diverses activités sexuelles, qu'ils n'interrompaient qu'occasionnellement pour manger et boire.

Le temps et l'énergie que leur hôtesse avait consacrés à sa chevelure et sa tenue vestimentaire s'avérèrent assez vains. La robe fut déchirée dans un accès de luxure débridée par un homme imposant, tandis qu'un autre l'attrapait par les cheveux pour tirer son visage sans masque vers son entrecuisse. L'initiation d'Olivia Jane à leur culte satanique n'en était qu'à ses débuts. L'orgie allait durer deux heures et serait suivie peu après minuit de l'événement crucial de la nuit. Olivia Jane ne rejoindrait leur secte qu'à condition de leur sacrifier une jeune vierge durant l'heure des maléfices.

Et Beth était censée rentrer à minuit.

7

Sanchez se disait que, en fin de compte, il n'aurait pas dû attraper le jeune déficient mental et l'attirer au sol. À présent, le gamin se serrait contre lui comme un clébard lubrique se frottant contre la jambe d'un pauvre quidam. Il avait passé ses deux bras autour du cou du barman, qu'il regardait d'un air d'adoration.

« Tu m'as sauvé, dit Casper dans un sourire bête.

— Ouais, ouais, c'est exactement ça », répondit Sanchez. Si le gamin tenait tant à croire qu'il l'avait attiré à terre pour sa sécurité, à quoi bon briser ses illusions en lui dévoilant la vérité ? La vérité, c'était que Sanchez avait voulu se servir du jeune garçon comme d'un bouclier humain, contre une éventuelle attaque aérienne de vampire. Cette précaution s'avérait inutile à présent que les créatures du mal étaient occupées à attaquer Elvis en évitant ses dards mortels. Sanchez était en proie à deux sentiments aussi forts l'un que l'autre. *Primo*, un soulagement infini à l'idée d'être toujours en vie. Et, *secundo*, un embarras absolu à l'idée que n'importe qui pouvait le surprendre ainsi, dans les bras d'un jeune garçon, en pleine église.

« T'es mon héros, dit Casper dans un sourire rayonnant.

— Ouais, ouais, ouais. Mais maintenant, ça suffit, OK ? Lâche-moi la grappe, tu veux ? Pas envie que quelqu'un nous voie comme ça, putain. La honte. »

L'embarras de Sanchez parut encourager Casper qui le serra encore plus fort contre lui. Tous deux étaient fermement enlacés entre deux rangées de bancs, jambes entremêlées, comme un couple de jeunes amants.

« Putain, ça suffit ces conneries maintenant, lâcha Sanchez d'un ton sec en se débattant. Allez, merde, dégage ! »

Dans un geste brusque, il parvint enfin à écarter le gamin, qu'il poussa sous le banc qui se trouvait derrière. Aussitôt, un vampire fondit sur eux et, saisissant d'une main le cou de Sanchez, le remit sur ses pieds.

« *MERDE !* »

Le visage blafard et les yeux rouges, le suceur de sang se pencha sur lui, la bouche grande ouverte et les crocs en avant, prêt à mettre en lambeaux la chair tendre du cou de Sanchez. Terrifié, le jeune barman ferma les yeux en grimaçant. Il entendit alors un claquement sec, sans pour autant ressentir la moindre douleur. Pas la moindre morsure. À son plus grand soulagement, il sentit l'étreinte du vampire se relâcher. Il rouvrit les yeux et resta bouche bée. Le vampire avait autour du cou la mèche tressée d'un fouet en cuir et, dans des sifflements furieux, se faisait traîner par l'homme qui en tenait la poignée. Et ce n'était pas n'importe quel homme : c'était le révérend, nom de Dieu ! À présent, l'admiration absolue de Sanchez lui était toute gagnée. Sa nomination à la tête de la paroisse avait été une vraie bouffée d'air frais, mais personne ne se serait jamais attendu à le voir se mesurer à un vampire avec pour seule arme un fouet. *OK, c'est bon*, pensa Sanchez. *J'arrête de pisser dans l'eau bénite du révérend.*

À l'abri entre les bancs, bouche bée, Sanchez et Casper virent l'homme d'Église mal rasé tirer jusqu'à lui le vampire qui se débattait. Lorsque le visage de la créature fut assez près de celui du révérend pour sentir sa barbe de trois jours, quelque chose d'encore plus improbable se produisit. Le révérend sortit un fusil à canon scié de sous sa soutane noire et enfonça le canon sous le menton du suceur de sang.

BOUM !

Sang, cervelle et bouts de crâne giclèrent dans l'air, avant que le corps sans tête du vampire n'explose et ne retombe en morceaux par terre. Sans le moindre rictus de dégoût, le prêtre regarda autour de lui, en quête de sa prochaine victime.

Durant les deux minutes qui suivirent, les ouailles éberluées virent Elvis et le révérend tailler en pièces ce qui restait du clan des Capuchards. Sans s'interrompre une seule seconde, Elvis avait continué à chanter et à jouer *Steamroller Blues*, en pointant à l'occasion la tête de sa guitare vers un vampire pour le transpercer d'un ou deux dards d'argent. Sanchez, plus qu'aucun autre, était subjugué par ce spectacle.

Trop cool.

Le combat, plus que déséquilibré, s'acheva vite et un silence absolu s'empara des paroissiens abasourdis. La puanteur de charnier s'était volatilisée, remplacée par une odeur de brûlé et une brume bleutée de poudre noire. Le révérend se mit à passer en revue toutes ses ouailles afin de s'assurer qu'elles allaient bien et qu'aucune n'avait été mordue. Arrivé à hauteur de

Sanchez (contre lequel Casper se serrait de nouveau de toutes ses forces), il toisa le jeune barman.

« Je suis fier de toi, Sanchez. Tu as été d'une bravoure exemplaire.

— Hein ?

— Je t'ai vu tirer ce gamin à toi, par terre, et le pousser ensuite sous le banc quand le vampire a fondu sur lui. Il faut un sacré cran pour faire un truc pareil. Il y a vraiment de quoi être fier. »

Sanchez n'éprouva pas le besoin de ternir l'image que le saint homme se faisait de lui :

« Bof, c'est rien du tout, révérend, n'importe qui aurait fait pareil. »

Il haussa les épaules dans l'espoir de se défaire du gamin un peu trop collant. En vain.

Le révérend leur sourit à tous les deux :

« Pas la peine de me donner du "révérend", dit-il. Mes amis m'appellent "Rex".

— Révérend Rex ? C'est vachement accrocheur comme nom, pour un homme d'Église ! fit remarquer Sanchez.

— Pour rien te cacher, je suis pas vraiment un homme d'Église. Je suis juste un mec qui tue des pourritures au nom de Dieu, tu vois ?

— Ah ! ouais. OK.

— Vous voulez peut-être que je vous laisse tout seuls dans la sacristie, tous les deux ? »

Sanchez profita de la remarque pour tenter une nouvelle fois de se débarrasser du gamin en parka.

« Sanchez m'a sauvé, dit Casper dans un sourire rayonnant.

— Yep, absolument. Maintenant, t'as une dette envers lui. »

Casper tourna son large sourire vers Sanchez, son nouveau héros. Ce sourire avait beau être un peu flippant, il avait beau s'accompagner une fois de plus d'un éclair et d'un coup de tonnerre, il avait aussi quelque chose d'attachant. Avec la fragilité et la gratitude infinies qu'on pouvait lire dans le regard du jeune garçon, il commençait même à faire fondre le cœur de Sanchez. Ce pauvre gamin était quand même très attendrissant… *Pour un chtarbé.*

« OK. C'est bon. Ça suffit, lança Sanchez d'un ton un peu sec. Tu devrais pas être au lit, à l'heure qu'il est ?

— Ah ! bien vu, dit Rex avant de se retourner pour s'adresser aux fidèles toujours interdits, qui, pour la plupart, se relevaient timidement. Écoutez-moi tous. Je vous suggère de rentrer très vite chez vous, à moins que vous ne préfériez passer la nuit ici. On a un sacré gros orage au-dessus de la tête, et ça va pas aller en s'améliorant. »

Malgré le temps plus qu'exécrable, personne n'avait réellement envie de dormir dans l'église où ils venaient de vivre un véritable cauchemar, aussi, la majeure partie des fidèles se dirigea vers la grande porte. Alors qu'ils vidaient peu à peu les lieux, en se parlant à voix basse de ce à quoi ils venaient d'assister, Elvis descendit de scène dans un bond.

« Merci à vous tous. Merci beaucoup », lança-t-il à la foule qui sortait de l'église. Il posa sa guitare de côté et se dirigea vers Sanchez, Rex et Casper, qui se tenaient dans l'allée centrale.

« Yo, Rex, je crois que j'en ai fini ici. Ça t'emmerde pas trop si je te laisse nettoyer tout seul ?

— Putain, mec, grogna Rex. Tu te casses déjà ?

— J'ai d'autres enfoirés à buter ce soir, mon pote ! » se défendit Elvis.

Rex haussa les épaules en envoyant un sourire à son collègue de tuerie :

« Pas de problème, mec. Fais ce que t'as à faire.

— Ce coup-là, je suis vraiment impatient de m'y coller, ajouta le King. Il faut que je tue un boys band en centre-ville. »

Cet Elvis était vraiment super cool, et Sanchez était incapable de dissimuler à quel point il était impressionné par sa confiance et son allure.

« Ouah, souffla-t-il. Une autre bande de vampires, c'est ça ? »

Elvis tira de sa boutonnière une paire de lunettes dignes de la légende qu'il incarnait, et les enfila :

« Nan. Juste un boys band, dit-il d'un ton impassible, les yeux à présent dissimulés derrière ses verres noirs.

— Ah ! OK. Bien sûr », bégaya le jeune barman.

Elvis acquiesça, puis se dirigea vers la grande porte. Un jeune homme entra soudain dans l'église, en jouant des coudes dans la foule qui ne s'était pas encore tarie. Il était déguisé en épouvantail (plus précisément, en épouvantail particulièrement trempé et débraillé), et il scrutait l'intérieur de l'église comme s'il recherchait quelqu'un ou quelque chose.

« Casper ! » s'écria-t-il tout d'un coup.

Il fut aussitôt évident qu'il s'agissait d'une personne extrêmement importante dans l'existence de Casper. Le gamin, jusque-là si attaché à Sanchez (dans tous les sens du terme), parut oublier totalement son sauveur et accourut en direction de l'épouvantail, dépassant Elvis dans l'allée centrale. Le jeune garçon sauta sur le jeune homme qui l'attrapa, manquant de tomber à la renverse.

« Qu'est-ce qu'il s'est passé ici, Casper ? On dirait que les gens qui sortent ont perdu la tête. Ils parlent tous d'une bande de vampires. Tu vas bien ?

— Oui, je vais bien, mon frère. »

Casper s'agrippait de toutes ses forces à son frère aîné, et, se sentant enfin complètement en sécurité, éclata en sanglots en prenant conscience de l'énormité du danger auquel il venait d'échapper.

« Eh, c'est fini, Casper. Je suis là. On rentre à la maison ? » Aucune réponse verbale de la part du jeune garçon, rien qu'une plus forte étreinte. « Allez, je te raccompagne. On ferait même bien de se presser, parce qu'il commence à pleuvoir vraiment sérieusement, et je n'ai pas de manteau.

— T'as qu'à mettre le mien, proposa Casper dans un sourire, en rejetant en arrière la capuche de sa parka, prêt à la céder à son frère.

— Sois pas bête, répondit JD d'un ton aimable en ébouriffant Casper. T'en as plus besoin que moi. Si maman nous voyait, moi avec ta parka, et toi tout mouillé, elle me tuerait, c'est sûr. »

Elvis arriva à leur hauteur. Il marqua le pas et toisa l'épouvantail : « Tu sais, tu ferais bien de remercier ces deux types, là-bas, lança-t-il à JD. Ils ont sauvé ton frère des griffes des vampires.

— Oui, renchérit Casper. Sanchez m'a sauvé.

— Sanchez, hein ? répéta JD en observant le barman, en pleine conversation avec le révérend. On dirait bien qu'on lui doit une faveur.

— C'est sûr, répliqua Elvis. Tu n'as qu'à faire un saut de temps en temps dans son bar, le Tapioca. Il a besoin de se faire une clientèle. En revanche, prends une arme avec toi. L'ambiance est franchement musclée.

— Pourq... Euh, OK. Si vous le dites. »

JD était assez abasourdi par cet enchaînement d'événements.

Casper lâcha son frère et pointa Rex du doigt :

« Tu devrais faire connaissance avec le révérend, il est vraiment super cool, dit-il, surexcité, en tirant sur la manche de JD.

— Ouais, carrément, mais un autre jour, d'accord ? Il faut qu'on y aille, là. »

Bien que la pluie ne parût pas faiblir, JD n'avait aucune envie que Casper s'attarde dans une église dont, par endroits, le sol et les murs étaient recouverts de sang. Plus tôt il pourrait le tirer de là, mieux ce serait. Si Casper se mettait à faire des cauchemars suite à ce qu'il venait de vivre, une longue série de nuits blanches était à redouter. Alors qu'il tirait son frère cadet en direction de la sortie, Elvis lui lança :

« Tu vas quand même pas partir sans échanger au moins une poignée de main avec le nouveau curé ?

— Je suis sûr que j'en aurai l'occasion une prochaine fois, répondit JD dans un sourire poli, en poussant Casper devant lui.

— Yo, l'Épouvantail ! appela Elvis dans son dos. Tu vas te tremper jusqu'à la moelle avec cette putain de pluie. Enfile ça. »

Le King venait de ramasser par terre un tas de tissu noir, qu'il lança au jeune homme. C'était l'une des capes à capuche qu'avait portée l'un des vampires exterminés. JD l'attrapa et la considéra longuement.

« Merci, Elvis, lança-t-il à son tour.

— C'est rien, mon gars. Prends bien soin de ton frangin. »

Alors que JD dépliait la cape afin de l'enfiler sans s'emmêler dedans, Elvis les dépassa et disparut dans la nuit. Une mission de la première importance l'attendait : débarrasser la ville de ses mauvais groupes de musique.

JD se débattit un moment avec les manches de la cape noire avant de réussir à l'enfiler. Lorsqu'il y parvint enfin, il s'aperçut qu'elle lui allait à la perfection, et tombait juste au-dessus de ses chevilles. Après en avoir rabattu les pans grâce à la fine ceinture de cuir qui y était attachée, il suivit son frère cadet surexcité sous la pluie, sa capuche sur la tête.

8

Beth s'assit dans l'un des deux fauteuils vert sombre, très confortables mais plutôt crasseux, qui meublaient la caravane d'Annabel de Frugyn. Cette dernière, sentant que Beth était transie de froid, avait fait bouillir de l'eau pour leur préparer une tasse de son meilleur thé.

Elle posa la bouilloire sur le buffet qui se trouvait derrière elle, à l'autre bout de la caravane, dans ce qui faisait office de coin cuisine. Dos à Beth, Annabel versa l'eau bouillante dans ses plus belles tasses, en remua un instant le contenu, et rejoignit la jeune fille pour s'asseoir en face d'elle et lui tendre une des deux tasses. Le thé était extrêmement fade. Plus dérangeant encore, la tasse était estampillée de la tête de John Denver, une vieille star de *folk music*. La dilution extrême du thé était due au simple fait qu'Annabel se refusait à utiliser plus d'un sachet de thé par jour. Elle en avait déjà bu quatre tasses depuis ce matin, ce qui expliquait pourquoi la vieille prune desséchée qui essayait de se faire passer pour un sachet de thé n'était pas vraiment parvenue à aromatiser l'eau bouillante.

Annabel adopta une position confortable sur le fauteuil qui faisait face à Beth, et déposa sa tasse (estampillée, elle, du visage de Val Doonican, un autre chanteur un peu *has been*) sur la petite table qui se trouvait entre elles.

« Ne vous inquiétez pas, il va revenir, dit Annabel d'un ton rassurant.

— Ça se voit autant, que je pense à lui ? demanda Beth.

— Ça se lit quasiment sur votre front, ma belle. Et sachez que c'est bien l'homme de votre vie. J'en suis convaincue. J'ai un flair imbattable pour ce genre de chose. J'exerce le métier de diseuse de bonne aventure.

— C'est vrai ? » Beth se redressa. « Vous pourriez me parler de mon avenir ? » Un détail la frappa soudain. « En revanche, je n'ai pas d'argent », précisa-t-elle d'un ton piteux.

La femme tout de noir vêtue sourit.

« Ce serait avec plaisir. Tendez vos mains. Je vais lire les lignes de vos paumes.

— D'accord. »

Beth déposa sa tasse sur la table : entre John Denver et Val Doonican, c'était à présent à qui baisserait les yeux le premier. Puis elle tendit ses paumes à l'intention d'Annabel.

Dehors, l'averse redoublait, tambourinant contre le toit en métal dans un boucan de tous les diables. Il n'y avait apparemment aucune lampe électrique dans la caravane, dont le seul éclairage se résumait à un alignement irrégulier de bougies, le long d'un petit rebord qui faisait tout le tour de l'habitacle. Elles brillaient faiblement d'une flamme verte des plus étranges. La seule fenêtre se trouvait derrière la tête de Beth : de temps à autre, un éclair illuminait le visage pâle et planté de verrues d'Annabel. Et ce fut précisément ce qui arriva lorsqu'elle saisit les mains de la jeune fille avec un sourire quelque peu irrégulier.

« Oh ! de grandes choses vous attendent, Beth, déclara-t-elle après une longue pause. Je le vois très clairement.

— C'est vrai ? Comme quoi ? »

Annabel releva les yeux pour la toiser de la tête aux pieds, puis acquiesça :

« Oui, oui, vous avez parcouru une longue route avant d'arriver ici. Vous n'êtes pas de Santa Mondega, n'est-ce pas ?

— Non, c'est vrai. Mon père a décidé de déménager quelques semaines après ma naissance.

— Vous êtes originaire du Kansas, je le sens.

— Du Delaware, en fait.

— Chut. Ne m'interrompez pas, sauf si c'est pour me dire que j'ai raison. Autrement, vous briseriez ma concentration.

— Désolée.

— Bien, reprit Annabel. Votre maison vous manque, n'est-ce pas ? Et vous voudriez y retourner, mais vous ne savez pas trop comment. »

Beth fronça les sourcils. *Elle se fout de moi ou quoi ?* Ce n'était pas parce qu'elle était déguisée en Dorothy du *Magicien d'Oz* qu'elle venait forcément du Kansas, ou qu'elle pensait qu'il n'y avait rien de mieux que son chez-soi. Elle se rassura en se disant que tout ça ne durerait pas longtemps et que JD ne tarderait pas. Cette vieille chouette de diseuse de bonne aventure était vraiment une blague ambulante. Et par-dessus le marché, elle était assez bête pour croire que Beth n'avait pas vu le *Magicien d'Oz*. Pourtant, la jeune fille ne l'interrompit pas.

« Et votre ami, lui aussi, recherche quelque chose. Et sa quête prendra fin lorsqu'il aura trouvé son âme. »

Beth haussa un sourcil :

« Un cerveau, vous voulez dire ?

— Quoi ?

— Dans le *Magicien d'Oz*, c'est un cerveau qui manque à l'épouvantail.

— Qu'est-ce que le *Magicien d'Oz* ?

— Vous vous fichez de moi ? »

La surprise de Beth l'avait emporté sur ses bonnes manières.

Annabel s'adossa à son siège, légèrement offensée :

« Vous voulez que je vous parle de votre avenir, oui ou non ?

— Veuillez m'excuser. Je vous prie de poursuivre.

— Merci. »

Son ton n'était pas dénué d'un brin de suspicion. La diseuse de bonne aventure n'avait pas l'habitude d'être contrariée aussi franchement.

« Peu importera la voie que vous choisirez, ma belle, car vous arriverez toujours au même lieu. Toutes les routes vous ramèneront là où vous vous sentez la plus heureuse, ce "chez-vous" que vous recherchez. Sous la lune d'une nuit blanche, ce garçon sera toujours à vos côtés. »

Beth haussa de nouveau un sourcil. *Elle a disjoncté*, se dit-elle. *Ce vieux machin est complètement givré*.

« Qu'est-ce que ça veut dire, au juste ? » demanda-t-elle, à présent impatiente de mettre un terme à cette stupide charade.

En guise de réponse, la femme vêtue de noir sursauta soudain, comme si quelqu'un lui avait planté une épingle dans les fesses.

« Il y a quelqu'un à la porte, chuchota-t-elle.
— Hein ? »

Avant que la médium ne puisse répondre, la porte de la caravane résonna de puissants coups.

« C'est pour vous, Beth, dit posément Annabel.
— Je vous demande pardon ?
— Il apparaît clairement que la méchante sorcière vous a retrouvée. Vous devez aller lui ouvrir. »

Une peur absolue s'empara de Beth.

« C'est ma belle-mère ? »

Annabel acquiesça :

« Elle vient pour vous ramener à la maison.
— Oh non ! J'ai promis à JD de l'attendre. Vous ne pouvez pas faire semblant d'être seule ? »

Trois nouveaux coups firent trembler la porte, parfaitement audibles malgré la forte pluie qui ne cessait de tomber. C'est alors que Beth entendit la voix qui avait le don de faire trembler chaque particule de son être.

« Beth ! *Nom de Dieu, je sais que tu es là !* Je t'ai vue par la fenêtre. Tu vas me suivre *tout de suite*. Attends un peu que je te mette la main dessus, espèce de petite salope… »

Beth se leva pour aller ouvrir la porte, se préparant aux souffrances physiques et mentales qui l'attendaient.

Elle tendit la main pour se saisir de la poignée de la porte, geste qui marquerait le début des sévices, et Annabel lui fit une ultime remarque : « Beth, vous avez du sang sur les mains. »

C'était une phrase bien curieuse, même de la part de quelqu'un d'aussi étrange que cette voyante, mais elle eut l'effet recherché. Beth regarda ses paumes. *Pas de sang*. Elle tourna ses mains pour en inspecter le dos. *Pas la moindre goutte non plus*. Elle se retourna et lança un regard perplexe à la femme étrange et repoussante.

« Je n'en vois pas, dit Beth.

— Mais vous en verrez, ma belle. *Vous en verrez*. »

9

JD et Casper se frayèrent un chemin tant bien que mal sous la pluie torrentielle et arrivèrent chez eux vingt minutes plus tard. La petite maison de location à deux étages qu'ils habitaient avec leur mère, Maria, était située en plein quartier rouge de Santa Mondega. Il y avait deux raisons à cela. Premièrement, c'était tout ce qu'ils pouvaient s'offrir. Et deuxièmement, leur mère exerçait la profession de prostituée. JD le savait, et Casper n'en avait pas la moindre idée. Un jour, il finirait par le comprendre, et cette prise de conscience laisserait de sales blessures inconscientes. Mais ce jour semblait encore assez lointain.

JD n'avait jamais exprimé le moindre désaccord vis-à-vis du métier de sa mère. Lorsqu'il avait compris comment elle gagnait sa vie, ses raisons s'étaient imposées à lui, très naturellement. Elle n'avait pas choisi librement ce métier. C'était tout simplement une mère célibataire qui essayait d'élever correctement ses deux fils. Le père de JD était parti alors qu'il n'était encore qu'un petit enfant, sans la moindre explication ne serait-ce qu'à moitié valable. Les choses s'étaient un peu améliorées lorsqu'elle avait trouvé un autre homme, Russo, dont elle avait eu Casper. Mais lui aussi n'avait pas tardé à la quitter pour retrouver son ex-épouse, avec qui il avait déjà eu un enfant, Bull, à peu près du même âge que JD. Ils vivaient tout près d'ici.

La porte de la maison de Casper et de JD se trouvait au fond d'une ruelle sombre, et pour y arriver, en temps normal, il leur aurait fallu passer devant un certain nombre de putes, macs et dealers. À leurs yeux, ça n'avait rien d'effrayant, parce que tout le monde les connaissait. C'étaient les gamins de Maria, et à peu près toutes celles et tous ceux qui se trouvaient dans cette ruelle avaient à un moment ou à un autre travaillé avec, derrière, sous ou sur leur mère. Et puis c'étaient tous de braves gens, vraiment. Ce soir pourtant, avec ce vent et cette pluie démoniaques, il n'y avait personne en vue, aussi les deux frères arrivèrent-ils sur le seuil de leur maison sans les salutations d'usage.

JD enfonça sa clé dans la serrure et ouvrit la porte, laissant passer Casper en premier. Il rejeta la capuche de sa cape sur ses épaules et entra à la suite de son frère. Ils pénétrèrent tous deux dans le petit vestibule dont le tapis rouge était déjà maculé de boue, sans doute laissée par les clients de la soirée. Mais les deux frères ne prêtèrent pas attention à la boue, car un véritable carnage les attendait à l'intérieur de leur propre maison. Casper fut immédiatement saisi par l'angoisse et la confusion. Un simple coup d'œil autour de lui, et JD prit dans l'instant une ferme décision, pour le plus grand bien de son petit frère.

« Casper, sors », lui lança-t-il d'un ton sec qui ne lui était pas habituel.

La maison n'était pas très grande, et quelques regards supplémentaires suffiraient à prendre la pleine mesure du cauchemar : JD devait donc écarter Casper au plus vite avant que ses yeux innocents ne se posent sur quelque élément susceptible de lui faire faire des cauchemars. JD lui-même ne pouvait s'empêcher d'apercevoir à chaque seconde qui passait un nouveau signe qui ne laissait rien présager de bon. Casper, quant à lui, avait l'air complètement sous le choc. « Qu'est-ce qui s'est passé ? » demanda-t-il.

JD attrapa la tête de son frère entre ses mains et l'obligea à le regarder droit dans les yeux. « Écoute-moi bien, dit-il. Je veux que tu descendes la rue aussi vite que tu peux jusqu'à la maison de ton père. Une fois arrivé là-bas, dis-lui que quelque chose est arrivé et que j'ai besoin de son aide, le plus vite possible. Mais toi, tu restes là-bas avec Bull, d'accord ? Ne reviens pas ici, envoie ton papa. Je crois qu'on s'est fait cambrioler.

— Et toi ? demanda le jeune garçon d'une voix étranglée par la peur.

— T'inquiète pas pour moi, hein ? Je vais aider maman à nettoyer tout ça.

— Elle est où, maman ?

— Elle a dû aller au commissariat. *Casper ! Regarde-moi !* »

Le gamin avait laissé son regard se poser sur le mur qui se trouvait derrière JD. Il s'empressa d'obéir à son frère.

« C'est… c'est du sang, sur le mur ? demanda-t-il.

— Non. Ça doit sûrement être de la peinture rouge. Les voleurs peignent souvent en rouge les maisons qu'ils ont cambriolées, pour ne pas revenir une deuxième fois.

— J'veux rester ici avec toi. »

La lèvre inférieure de Casper tremblait, et il avait du mal à avaler sa salive.

« Je sais, frérot, mais il faut que tu partes. J'irai te chercher tout à l'heure. Je viens toujours te chercher, pas vrai ? Je sais que je suis toujours en retard, mais je finis toujours par arriver, non ? »

Casper parut triste.

« Pas toujours.

— Eh ben, à partir de maintenant, ce sera toujours le cas. Maintenant, presse-toi. Allez. Cours aussi vite que tu le peux, et ne regarde pas derrière toi avant d'être arrivé chez ton papa. D'accord ?

— D'accord. »

Casper tendit les bras et serra JD de toutes ses forces. JD savait que son frère était terrifié, aussi le serra-t-il pendant quelques secondes. Puis il l'ébouriffa affectueusement avant de le pousser dehors.

Dans le couloir recouvert de sang, en dépit de la terreur qu'il éprouvait, JD se félicitait que Casper n'ait vu que le mur qui se trouvait derrière lui. Car sur la gauche, dans la cuisine, se tenait un vampire qui, dans un large sourire maléfique, dévoilait des crocs ensanglantés.

10

« Je peux te jurer que tu vas regretter de m'avoir fait sortir pour venir te chercher », siffla Olivia Jane à Beth en la tirant par ses longs cheveux châtains, le long de la sente qui menait à leur maison, au sommet de la colline. Beth remarqua que sa belle-mère avait un air particulièrement négligé, ce qui était pour le moins inhabituel. Elle mit cela sur le compte du vent, de la pluie, et de l'agitation dont elle était la proie.

« Mais, dit-elle d'un ton suppliant, j'ai fait la connaissance d'un garçon, je lui ai promis de le retrouver sur la jetée en bois à 1 heure du matin. Est-ce que je peux l'y attendre ? Je rentrerai à la maison aussitôt après !

— Ne dis plus un seul mot, je te l'interdis. Tu vas rentrer à la maison maintenant, un point c'est tout. Je n'ai pas passé près de quinze ans à t'élever pour que tu fiches tous mes projets en l'air à la dernière minute. »

La tempête se fit un point d'honneur à ce que belle-fille et marâtre arrivent trempées et épuisées sur le seuil de leur maison. La robe et le chemisier de Beth lui collaient à la peau, imbibés de pluie. Encore une chance qu'il n'y eût personne dans les alentours, car ses vêtements ne laissaient quasiment plus la moindre place à l'imagination. Sa belle-mère portait une longue robe rouge que Beth n'avait jamais vue auparavant. Là encore, on aurait dit une seconde peau.

Olivia Jane sortit une grosse clé d'une poche de sa robe et déverrouilla la porte, avant d'en ouvrir le battant. Elle força sa belle-fille au comble du désespoir à entrer, puis la jeta brutalement par terre. Beth trébucha la tête la première, et sentit le tapis rouge lui érafler le nez et le menton.

En roulant sur le côté, elle constata qu'elles avaient des invités. Par-delà le vaste seuil du salon, sur sa gauche, elle aperçut un groupe d'hommes et de femmes portant masques et robes, blanches pour les hommes, rouges pour les femmes. L'un des hommes, qui portait un masque de bouc doré, passa dans l'antichambre pour se planter à côté d'Olivia Jane.

« Voici donc la vierge que nous allons sacrifier ! tonna une voix profonde sous le masque. Comme elle est *mignonne* !

— Plus pour longtemps. »

Beth avait bien vu les lèvres de sa belle-mère bouger, elle avait parfaitement entendu sa voix, mais elle était incapable d'en croire un seul mot. Elle vit l'homme masqué tendre un petit poignard doré à sa belle-mère. Olivia Jane l'accepta avec plaisir et baissa le regard sur sa belle-fille horrifiée, avec une expression tout simplement diabolique :

« Quinze ans à supporter tes jérémiades, cracha-t-elle. Quinze ans à te nourrir, à t'habiller, à t'éduquer, à entendre toutes tes bêtises. À présent, il est temps pour toi de me rembourser, de prouver ta valeur, et temps pour moi de prendre ma place de Grande Prêtresse. »

Elle releva les yeux sur l'homme masqué à côté d'elle et se fendit d'un sourire. Celui-ci lui pinça malicieusement les flancs :

« Vas-y. Fais-le, la pressa-t-il. L'heure des maléfices touche bientôt à sa fin. »

Comme pour confirmer ses paroles, les cloches d'une église de la ville se mirent à sonner. Beth vit alors le sourire de sa belle-mère s'effacer pour laisser la place à l'expression diabolique qui l'avait précédé. L'homme masqué insista, d'un ton plus pressant :

« Vite, Olivia Jane. Elle doit être sacrifiée avant que les cloches ne cessent de sonner. »

Beth vit alors cette femme dépenaillée, méconnaissable, se jeter sur elle en pointant son poignard doré, avec la ferme résolution de tuer sa belle-fille.

11

« Putain, mais qu'est-ce que t'as fait ? » demanda JD d'un ton rageur.

Kione lui souriait si largement qu'il découvrait ses gencives ensanglantées, ainsi que des bouts de cartilage coincés entre ses dents. Ses haillons étaient recouverts de sang et de touffes de cheveux, qu'on retrouvait également sous ses longs ongles. Il était adossé au plan de travail de la cuisine, et affichait un air de suffisance et de contentement particulièrement insupportable, tout à fait à l'opposé de son humeur au terme du combat qui l'avait opposé à JD.

« Tu aurais dû me tuer quand tu en avais l'occasion, ricana-t-il. Regarde un peu ce que ton erreur a coûté. » D'un geste, il désigna quelque chose à sa gauche, dans la cuisine. Même s'il savait que quelque chose de terrible l'attendait, JD pénétra dans la pièce et regarda dans la direction indiquée par le vampire.

Et il vomit aussitôt. Il se plia en deux et le liquide chaud sortit de sa bouche pour éclabousser le carrelage blanc.

Et Kione rit. Kione *caqueta*.

Maria, la mère de JD, gisait dans une flaque rougeâtre, un trou béant au cou, dont le sang giclait à un rythme alarmant. Elle n'était pas morte, mais elle fixait le plafond, en état de choc, s'efforçant d'inspirer quelques minces filets d'air. Son chemisier blanc était imbibé de pourpre, et sa jupe courte avait été remontée jusqu'à sa taille. Il était évident qu'elle avait été violentée, dans tous les sens possibles du terme, par l'immonde créature qui se tenait dans sa cuisine. Même si JD n'avait aucun désir d'en connaître les détails, il était clair que ce monstre lui avait fait subir des tortures physiques, sexuelles et psychiques indescriptibles : ses stigmates en étaient la preuve, ainsi que l'expression de son visage, une expression qui se grava dans l'esprit de JD et devait le hanter jusqu'à son dernier jour. Son premier réflexe fut de se précipiter vers elle. Kione s'y attendait, et, en un clin d'œil, le plaqua contre les étagères alignées sur le mur derrière lui, pour l'empêcher d'aider sa mère.

« Tu vois ce que t'as gagné ? siffla le vampire entre ses crocs. Tu me niques la gueule, *je nique ta mère*. Et quand j'en aurai fini avec toi et la pute qui t'a mis au monde, je me taperai ton putain de frère comme dessert. Qu'est-ce que tu dis de ça, l'Épouvantail ? »

Les longs doigts décharnés de la main gauche du vampire enserraient le cou de JD, empêchant l'air d'entrer dans ses poumons. Avec son autre main, il immobilisait le bras gauche du jeune homme contre le plan de travail. Frénétiquement, JD palpait de sa main droite derrière lui, cherchant un objet ressemblant plus ou moins à une arme, quelque part sur l'étagère qui lui cisaillait le dos. Ses doigts tâtonnaient à l'aveuglette, espérant tomber sur les couteaux de cuisine dont sa mère se servait si souvent pour préparer les repas. Maria prenait toujours le soin de les ranger à un endroit difficilement accessible, afin que Casper ne se blesse pas bêtement.

Kione serra plus fort, et plus fort encore, en se délectant du teint de son jeune ennemi, qui pâlissait à vue d'œil. Puis, incapable de réprimer sa faim, il se pencha afin de croquer une bouchée de la chair de JD.

Les mâchoires grandes ouvertes, s'apprêtant à étancher sa soif à l'une des veines gonflées du cou de JD, Kione fut soudain frappé d'une douleur infinie. Il avait déjà connu des douleurs insupportables par le passé, mais celle-ci était bien la pire de toute son existence. Il hurla, surpris, meurtri et déstabilisé. JD avait fini par trouver un couteau de cuisine aiguisé comme un rasoir, dissimulé derrière un vieux grille-pain rouillé. Du premier coup, JD était parvenu à enfoncer profondément la lame dans l'œil gauche de Kione. *En pleine pupille*. Le sang gicla dans tous les sens, suivi d'un « pop » répugnant : d'une pression calculée sur le manche, JD venait d'énucléer l'œil gauche du vampire. L'organe était fermement planté au bout de la lame, avec un bout de nerf optique toujours attaché.

Fou de douleur, le vampire lâcha la gorge de JD et tituba à reculons. Son visage n'était plus qu'un masque de souffrance et d'horreur. Il tenait sur ses jambes comme un girafon tentant de marcher pour la première fois, luttant pour soutenir son propre poids. Kione hurla de nouveau, tel un petit enfant auquel on arrache son jouet préféré. Il pressait l'une de ses mains sur le trou béant qui, plus tôt, avait contenu son œil, essayant en vain de juguler le flot de sang qui coulait entre ses doigts.

Sur le moment, JD ne put tirer avantage de la situation : il était en effet plié en deux et tâchait, tant bien que mal, de respirer. Après trois ou quatre inspirations étouffées, sa trachée-artère s'ouvrit suffisamment pour laisser passer une grosse bouffée d'oxygène qui gonfla aussitôt ses poumons. JD se redressa alors d'un coup, regarda Kione, puis le couteau qu'il avait toujours à la main. Le temps lui manquait pour établir un plan élaboré : l'instinct prit donc le dessus. Il arracha le globe oculaire de la pointe du couteau et le jeta à terre. Avant qu'il n'ait pu rebondir ou rouler, JD l'écrasa contre le carrelage. Puis, tenant l'arme devant lui, il se tint prêt à toute nouvelle attaque du vampire, qui, dans des cris hystériques, faisait un grabuge de tous les diables, titubant de-ci de-là, et renversant au passage tout ce qui dans la cuisine n'était pas solidement fixé ou attaché.

Du point de vue du jeune homme de seize ans à peine, cette situation n'avait absolument rien de familier. Il ne s'était jamais servi d'un couteau à des fins agressives. Il n'avait jamais poignardé personne. Il n'avait jamais sorti un œil de son orbite pour l'écraser par terre. D'un autre côté, c'était aussi la première fois qu'il affrontait dans sa propre maison un vampire qui venait tout juste de violer et de dévorer en partie sa mère.

Kione se tourna vers JD, se préparant à une nouvelle attaque, même si sa pugnacité était à présent bien écornée. C'était la deuxième fois que ce putain de gamin prenait l'ascendant, et Kione commençait à douter de lui-même. JD réagit aussitôt en imitant un lanceur de couteaux de foire. Il saisit la pointe de la lame, leva la main au-dessus de son épaule et lança l'arme. Le couteau tourna en l'air pour s'enfoncer, en bout de trajectoire, dans l'œil encore intact du vampire. De nouveau, le sang gicla, et Kione poussa un hurlement suraigu de fureur, de terreur et de désespoir, alors que son univers disparaissait dans les ténèbres. Il tomba à la renverse et sentit sa tête heurter violemment le sol. Le genou de JD s'enfonça alors dans sa poitrine, le tenant cloué au carrelage. Kione éprouva ensuite une insupportable sensation accompagnée d'un nouveau « pop » répugnant, qui indiquait que son œil droit, lui aussi, venait d'être énucléé.

Puis il reçut un terrible coup à la tête qui lui fit perdre connaissance, sensation à laquelle il devrait bientôt s'habituer.

12

Recroquevillée sur le tapis rouge du vestibule, Beth tendit les mains pour se protéger, tournant la tête et fermant les yeux. La cloche de l'église résonnait toujours au loin, par-dessus les mugissements du vent et de la pluie. Cette nuit ressemblait à un circuit de montagnes russes, et la jeune fille avait l'impression d'amorcer une énième descente. Elle hurla en sentant la lame du poignard doré s'enfoncer dans la peau délicate de sa joue droite, jusqu'à ce que la pointe lui racle les dents. L'arme déchira la chair sur quatre centimètres avant de se retirer, non loin de la commissure des lèvres. Beth rouvrit les yeux à présent noyés de larmes de douleur, incapable de voir où se trouvait le poignard. Elle secoua les mains dans tous les sens, dans l'espoir d'attraper le bras de sa belle-mère avant que celle-ci ne réitère son attaque.

Elle aperçut tout à coup l'éclat doré de la lame dirigée contre elle et, par réflexe, l'écarta du bras droit. Au même instant, et par un heureux hasard, elle parvint à saisir un pan de la robe rouge de sa belle-mère. Elle tira de toutes ses forces et fit trébucher Olivia Jane. Celle-ci tomba en avant sur sa belle-fille terrifiée, et leur lutte prit soudainement fin.

Les cloches de l'église se turent et, pendant un moment, seule la rumeur de la pluie se fit entendre. Le chef de la secte, le grand homme au masque de bouc doré, prit alors la parole au nom de tous les autres membres, qui s'étaient attroupés derrière lui dans le vestibule afin d'assister au sacrifice :

« Olivia Jane ? lança-t-il d'un ton solennel qui résonna dans le silence. Ça va ? »

Olivia Jane Lansbury glissa lentement sur le corps de sa belle-fille et s'écroula sur le tapis rouge, les yeux au plafond. Elle ne bougeait plus. Le poignard doré était logé dans le côté gauche de son cou, et son sang coulait dans ses cheveux. À côté d'elle, frappée de panique, recouverte de sang, Beth releva les yeux sur les masques des adorateurs de Satan. Un autre regard de côté, sur la dépouille de sa belle-mère, et c'en fut trop pour elle. Avec une incroyable rapidité, motivée par sa seule peur, elle se releva dans un bond et glissa dans l'entrebâillement de la porte, qui était restée à moitié ouverte durant tout ce temps. Elle s'enfuit sous la pluie, recouverte du sang de sa belle-mère et du sien, qui s'échappait encore de sa terrible blessure à la joue. Elle ne pensait plus qu'à une chose : rejoindre le bout de la jetée et trouver le réconfort dans les bras de JD, la seule personne au monde en qui elle avait confiance.

L'homme à la robe blanche qui avait remis le poignard doré à Olivia Jane s'avança et, par-delà le seuil de la maison, observa la jeune fille éperdue qui dévalait la colline en direction de l'océan. Il retira son masque et l'écrasa entre ses mains. Ses traits mûrs et anguleux reflétaient toute sa frustration. Il se tourna vers les douze membres de la secte :

« Bon. Pressez-vous de nettoyer tout ça, vous autres, déclara-t-il d'une voix autoritaire. Moi, je vais aller arrêter cette fille. »

13

Dans la cuisine souillée de sang et de vomi, JD s'accroupit à côté de sa mère, recroquevillée par terre. La quantité de sang dont elle était recouverte était proprement terrifiante, mais il tâcha d'en faire abstraction. Il la souleva un peu afin de l'asseoir, dos au mur. Puis il écarta de ses yeux ses longs cheveux noirs, que du sang coagulé avait collés à ses joues. Elle l'observa à son tour, et son regard trahit sa douleur et sa terreur. Il savait que c'était sérieux : cette plaie béante dans son cou et tout ce sang ne laissaient aucune place au doute. Mais les pupilles dilatées et le souffle court de sa mère étaient encore plus éloquents pour JD. En temps normal, sa mère dissimulait toujours sa souffrance, qu'elle soit physique ou émotionnelle. Mais cette douleur-là était impossible à cacher. Maria allait mourir et elle le savait. JD en prenait peu à peu conscience, et tâchait de l'accepter. Il était incapable de trouver quoi que ce soit d'important ou de rassurant à dire. Le temps lui manquait pour trouver les mots justes : le moment était venu pour son cerveau de se mettre en mode autopilote.

« Meurs pas, maman. Je t'en supplie, meurs pas. Qu'est-ce que je deviendrais ? Qu'est-ce que Casper deviendrait sans toi ? »

La voix de JD se brisait à chaque syllabe. C'était la dernière fois qu'il parlait à sa mère, la seule personne vraiment solide dans sa vie. Pourtant, il savait qu'il devait s'efforcer de ne pas penser à lui. Elle allait bientôt mourir, et il fallait la rassurer durant ces tout derniers instants.

Elle plongea ses yeux dans les siens, respirant toujours à grand-peine. Manifestement, elle ne distinguait plus les traits de son fils. Elle ne pouvait plus que se raccrocher à sa voix durant ses ultimes minutes de vie.

« Mon fils, haleta-t-elle. *Tue-moi.*

— Tu es en état de choc, marmonna JD en lui caressant les cheveux. Je vais appeler une ambulance.

— Il est trop tard. *Tue-moi.*

— M'man, je vais quand même pas…

— *TUE-MOI !* »

Sa voix avait brutalement changé de ton. Ce n'était plus une supplique, c'était un ordre. Et c'était la voix d'un vampire. Une créature du mal. Parce que c'était effectivement ce en quoi elle était en train de se transformer. Ses pupilles se contractèrent, et elle se jeta sur son fils qui tremblait, en révélant entre ses lèvres deux rangées de crocs immaculés.

Dans un bond, JD se recula et tomba sur les fesses.

« Putain, mais qu'est-ce que…

— *TUE-MOI !* » s'écria de nouveau sa mère. Son corps et son âme appartenaient dorénavant aux ténèbres, mais son cœur appartenait toujours à son fils. Pour un petit moment, en tout cas.

« Je peux pas te tuer. Sois pas ridicule.

— Si – tu – ne – me – tues – pas – maintenant, dit-elle d'une voix étranglée, je vais devenir l'une d'entre eux. » Elle pointa Kione, inconscient, effondré par terre, à l'autre bout de la cuisine. Sa voix se fit alors plus forte : « Une créature du mal. Je vous tuerai, toi et ton frère. Ne me pousse pas à faire ça. Je sens déjà la soif de sang s'emparer de moi. Je t'en prie, tue-moi. Vite. Avant qu'il soit trop tard. »

JD se releva en hochant la tête :

« Je peux pas. C'est complètement timbré. Je peux pas te tuer. Tu es ma mère, nom de… »

Avec une rapidité inhumaine, Maria se redressa et sauta sur son fils, tous crocs dehors. Les réflexes hors du commun de JD lui permirent d'esquiver sans même y réfléchir. De toutes ses forces, il la repoussa contre le petit placard qui se trouvait derrière lui, au-dessus du lavabo. La tête de Maria heurta l'une des poignées, et elle s'écroula à ses pieds.

« Oh ! mon Dieu, maman, je suis désolé. Je voulais pas faire ça. » Il s'accroupit et releva la tête de sa mère. « Est-ce que tu es… ? Oh ! putain. Non. NON ! »

JD prit enfin conscience que sa mère était morte. Son visage était méconnaissable. Sa peau était livide et moite, marbrée de veines bleues. Ses yeux s'étaient assombris et ses dents pointues étaient aiguisées comme des rasoirs. Saisi d'un frisson glacial, il lâcha sa tête. Il se sentit repris de nausée et plaqua sa main contre sa bouche pour s'empêcher de vomir, même si son estomac ne semblait plus avoir grand-chose à rendre.

Après quelques instants à contempler le corps de ce qui avait été sa mère, il laissa une nouvelle fois son cerveau passer en mode autopilote. *Ferme ton esprit*, se dit-il. *Ne réfléchis pas à ce que tu vas faire. Fais-le, c'est tout. Tu dois le faire, et tu le sais.*

Comme en transe, il quitta la cuisine et gravit l'escalier pour se rendre dans la chambre de sa mère, à l'étage. Elle gardait un revolver dans le tiroir de sa table de chevet, au cas où l'un de ses clients aurait eu la mauvaise idée de dépasser les limites de la décence (pourtant guère étriquées) qu'elle imposait lors de ses heures de travail. À quelques occasions, certains clients parmi les moins réguliers avaient fait preuve d'une violence extrême durant le coït, ou avaient exigé de se faire rembourser en l'absence de satisfaction (la faute leur en incombait à chaque fois). Elle avait alors brandi son revolver, mais n'avait jamais eu à s'en servir.

Dans la chambre de sa mère, JD fut accueilli par une odeur pestilentielle. Au centre de la pièce, la couverture du lit était imbibée de sang. JD imagina un bref instant sa mère agonisant entre les griffes de Kione, et il s'empressa de détourner le regard du lit pour s'avancer vers la petite table de chevet en bois. Il ouvrit le tiroir du haut et repoussa quelques dessous pour révéler le revolver argenté de Maria. Il paraissait flambant neuf. Après une profonde inspiration, JD s'en saisit et en ouvrit le barillet. Six cartouches, toutes intactes. *C'est avec ce flingue que je vais tuer ma mère.*

Cette simple pensée suffit à le secouer d'un violent haut-le-cœur, mais, de nouveau, rien ne sortit. Son estomac était vide, ses tripes serrées en un nœud inextricable. *Je peux pas faire ça.* C'est alors qu'il remarqua ce qui se dressait sur la table de chevet.

Une bouteille de bourbon.

Il referma le barillet, posa le revolver à côté de la flaque de sang qui souillait le lit et attrapa la bouteille. Elle était pleine : personne ne l'avait encore ouverte. Il fixa un regard dur sur le liquide brun doré, onctueux et translucide qu'elle contenait. Est-ce que ce truc pouvait lui rendre supportable ce qu'il s'apprêtait à faire ? Après tout, ce n'était rien que du bourbon. Un alcool avec un tout petit supplément d'âme. JD y trouverait-il des réponses ? De la force ? Un seul moyen de le savoir.

Le bouchon était solidement fixé, et JD tremblait tellement qu'il eut du mal à le dévisser. Il puisa dans les dernières forces qu'il put trouver en lui, et parvint à retirer le bouchon, qu'il laissa tomber par terre.

« Que le Seigneur me pardonne pour tout ce que je suis sur le point de faire », murmura-t-il en levant la bouteille en l'air, comme pour la présenter à Dieu. Puis il porta le goulot à ses lèvres et avala sa première gorgée.

C'était infect.

Alors il en but une autre. Il avait toujours l'estomac noué et éprouvait les plus grandes difficultés à ne pas régurgiter le liquide. *Y a qu'un seul moyen de coincer tout ça en bas*, pensa-t-il. *En avaler encore plus*. Alors il continua à boire. Chaque gorgée était moins infecte que la précédente, mais, malgré toutes celles qu'il avait déjà avalées, il ne se sentait toujours pas le cœur à attraper ce revolver et descendre au rez-de-chaussée.

Alors il but encore.

La nausée commençait à passer, et l'adrénaline se mit à revivifier son corps. Petit à petit, l'alcool le calmait. C'était comme si JD remplissait le vide qu'il sentait en lui. Son estomac se mit à brûler d'une nouvelle sensation, une rage sans borne, à mesure que JD prenait pleinement conscience de ce qui venait d'arriver, et de ce qu'il se devait d'accomplir. Le mode autopilote était à présent débranché, mais ce n'était pas pour autant JD qui était aux commandes. *C'était quelque chose d'autre. Une soif de sang.* Pas celle éprouvée par un vampire. Ça n'avait rien à voir avec la nécessité de se nourrir, ou le plaisir de se battre. C'était le pur désir de tuer pour se sentir vivant.

À sa grande surprise, il ne resta bientôt plus qu'une gorgée de bourbon au fond de la bouteille. Il la considéra longuement, prit une inspiration profonde et la fit glisser dans son gosier. La soif de sang le posséda alors complètement. Ses épaules se rejetèrent en arrière, et ses lèvres se retroussèrent en un sourire mauvais. Sa poitrine se gonfla et ses yeux se posèrent sur le flingue posé sur le lit. De nouveau, des images des atrocités commises dans cette chambre passèrent fugacement dans son esprit, tempérant légèrement l'effet de l'adrénaline. La chambre sembla vaciller et le revolver devint flou. *Faut en finir avant qu'il soit trop tard*, pensa-t-il.

De toutes ses forces, il projeta contre le mur la bouteille de bourbon, qui se brisa bruyamment dans une nuée de tessons. Le vacarme aurait pu réveiller les morts. En fait, il réveilla ceux qui ne l'étaient qu'à moitié. JD entendit l'un des deux vampires remuer à l'étage inférieur. Il inspira une dernière fois à pleins poumons, saisit le revolver et sortit de la chambre pour descendre l'escalier.

Arrivé en bas, il aperçut Kione étalé dans un coin de la cuisine. Les deux trous béants où se trouvaient jadis ses yeux étaient braqués sur JD, mais il n'avait toujours pas repris connaissance. Dans l'humidité de cette nuit, l'air qu'il expirait s'échappait de sa bouche en minces filets de vapeur. Sa dernière heure n'avait pas encore sonné.

À l'autre bout de la cuisine, dans un coin que JD ne pouvait pas voir, se tenait le vampire qui jadis avait été sa mère. Elle s'était relevée, et devait à présent assouvir son besoin de chair fraîche. Elle se dirigea vers Kione, pénétrant dans le champ visuel de son fils, et JD ne la reconnut quasiment pas. Son visage était recouvert d'une couche de sang coagulé, sous laquelle les veines bleues palpitaient. Maria avait besoin de sa première gorgée de sang humain. Se retournant face à sa seule victime potentielle, elle adressa un large sourire affamé à JD, avant de se précipiter sur lui, les yeux gorgés d'une folie sanguinaire.

En bas des marches, JD devait s'efforcer de maîtriser son ébriété malgré la rage qui brûlait en lui. Lentement, il leva le revolver qu'il tenait dans sa main droite, et le braqua vers le vampire qui chargeait. Sa main se mit à trembler et ses jambes se firent cotonneuses. Le simple fait de viser était une torture. Pourtant, au dernier moment, il réagit. À l'instant précis où le monstre allait le toucher, il ferma les yeux et appuya sur la détente.

BANG !

La déflagration résonna dans toute la maison. Le coup de feu fut mille fois plus assourdissant que ce qu'il s'était imaginé, et il lui sembla que l'écho ne devait jamais se taire. Quelques secondes passèrent et, lorsque le bruit se résorba en un simple sifflement dans ses oreilles, le jeune homme rouvrit les yeux. Le corps de sa mère gisait sur le dos, sur le seuil de la cuisine, et au point d'impact de la balle, en pleine poitrine, un trou béant fumait. Le projectile avait déchiré son cœur. Les volutes s'élevaient pour disparaître dans le néant et, avec elles, l'âme de sa mère.

La main de JD ne tremblait plus. Il tenait fermement le revolver, et sentit tout à coup les gouttes du sang de sa mère qui maculaient son visage. Elle gisait, morte, devant lui. Son âme avait maintenant complètement disparu et, avec elle, celle de son fils. Toutes deux étaient sorties par l'une des fenêtres ouvertes de la cuisine pour se volatiliser dans le ciel nocturne.

Il s'approcha du cadavre pour l'observer. Ces yeux totalement noirs dans ce visage ensanglanté étaient méconnaissables. Ce n'était plus sa mère, et lui n'était plus JD, cet innocent amoureux de la vie qui tout récemment avait craqué pour Beth. Il braqua le revolver étincelant sur le corps sans vie et, d'une main aussi ferme qu'un roc, vida le barillet dans le visage et la poitrine du cadavre, avec une précision incroyable pour un jeune homme qui avait bu autant.

Lorsqu'il eut tiré toutes les cartouches, il coinça le revolver entre son dos et son jean, puis rabattit la capuche de sa longue cape sur la tête. Grâce à Kione, il avait appris une leçon d'une valeur inestimable. Quand on avait la chance de tuer quelqu'un, il fallait toujours la saisir. Sans quoi, ce quelqu'un pouvait toujours revenir vous sucer le sang. Tuer d'abord, se poser des questions ensuite.

En contemplant le corps de sa mère brûler de lui-même et partir en cendres, il sentit sa colère reprendre de plus belle. Si les hommes qui avaient compté dans la vie de sa mère ne l'avaient pas abandonnée, alors il y avait fort à parier que rien de tout cela ne serait arrivé.

À présent, il allait devoir aller chez l'un de ces hommes et expliquer à son frère cadet qu'il ne reverrait plus jamais sa mère. Ce n'était vraiment pas juste. De mauvaises choses ne devraient jamais arriver à des gens bien. Casper et lui n'avaient pas mérité ça.

Dans le cœur de JD, la souffrance était intolérable. La seule chose qui jusque-là était parvenue à la brider, c'était ce flot d'adrénaline sécrété lorsqu'on s'acharnait sur autrui.

14

Bull était loin d'être content. Il avait toujours eu du mal à supporter son demi-frère cadet, même dans ses meilleurs jours. Casper était idiot, incapable d'avoir une conversation intéressante. Rien que des remarques puériles. Bien évidemment, Bull savait qu'il n'avait pas le cerveau tout à fait à sa place. En son for intérieur, il avait de la peine pour lui, mais, dans des moments tels que celui-ci, il ne pouvait s'empêcher de penser que c'était bien fait pour lui.

La mère et le père de Bull s'étaient brièvement séparés, plusieurs années auparavant. Son père, Russo, s'était alors installé avec une pute, seulement pour quelque temps. La pute était tombée enceinte, avec pour résultat final Casper. Un fils de pute doublé d'un débile mental. Le père de Bull avait toujours soupçonné Maria, la pute, de l'avoir pris au piège, et il l'avait quittée peu de temps après la naissance de leur enfant. Malheureusement pour lui, la loi était du côté de Maria, et, à la suite d'un test de paternité positif, il s'était vu contraint de lui verser une pension alimentaire hebdomadaire, et même, de temps à autre, d'accueillir chez lui l'erreur de la nature plus connue sous le nom de Casper.

Et c'était précisément le cas ce soir. Ni Russo ni Bull, son fils de quinze ans, n'avaient la patience de supporter Casper, son hypersensibilité et ses moments d'hyperactivité. Jusque-là, ils avaient passé la soirée au salon, en face d'un bon feu de cheminée, concentrés sur une bonne petite partie d'échecs. Ils portaient tous les deux les mêmes modèles de pyjama bleu et de robe de chambre cramoisie, et s'apprêtaient à se coucher. C'était donc le pire moment pour les importuner. Surtout si l'importun était quelqu'un d'aussi pénible que Casper.

Et pourtant, celui-ci était bien assis parmi eux, dans leur propre maison, à pépier qu'il devait rester avec eux jusqu'à ce que son frère aîné, JD, vienne le chercher. Son charabia était encore plus insensé que d'habitude, et Russo et Bull se convainquirent vite que tout était de la faute de JD, que tous deux méprisaient également. C'était un bon à rien, sans aucune discipline, qui violait fréquemment la loi et arrivait toujours à s'en sortir, et, en plus de ça, c'était un petit salopard particulièrement costaud. Il avait battu Bull au bras de fer un nombre incalculable de fois, ce qui emmerdait vraiment Bull : il était très fort pour son âge, et ne s'était jamais incliné face à personne au bras de fer. JD avait un léger avantage : il avait un an de plus que Bull. Mais un jour, cette différence ne compterait plus pour rien, et Bull le battrait à plate couture, que ce soit au bras de fer ou à quoi que ce soit d'autre. Ce jour viendrait. Obligé.

Casper était arrivé complètement trempé. Il avait marché en pleine tempête pour arriver jusqu'ici, et, en frissonnant de la tête aux pieds, il s'était mis à déblatérer une histoire ridicule de vampires, de murs rouges, d'Elvis et de prêtres armés jusqu'aux dents. Le genre de conneries que ce petit enfoiré avait l'habitude de sortir.

Au bout d'une vingtaine de minutes, Russo et Bull étaient parvenus à le calmer et à le faire asseoir sur le tapis, juste en face de la cheminée. Il s'immobilisa là, dans son pull vert et son jean imbibés de pluie, enlaçant dans ses bras ses propres genoux ramenés sur sa poitrine. Il tremblait, de froid, ou de peur. Peut-être des deux.

Russo lança un regard à Bull, qui s'était refusé tout net à aller retrouver JD chez Maria. Son fils était une belle copie de lui-même, en plus jeune, avec un peu plus de cheveux et des dents plus blanches.

« Qu'est-ce t'en penses ? demanda Russo.

— J'en pense que JD était censé garder cet abruti de gamin et qu'il a préféré l'envoyer ici pour pouvoir aller s'amuser. Le sale con.

— Et moi, j'en pense qu't'as sûrement raison. Cette salope de Maria. À coup sûr, elle est sur le dos en train de se faire un peu de fric pendant que JD est occupé à voler des bagnoles. Et nous, on est coincés ici avec ce putain de retardé mental. »

Russo était tellement en colère qu'il ne faisait plus le moindre effort pour dissimuler son manque absolu de compassion envers Casper.

Bull était totalement d'accord avec lui. « Je comprends vraiment pas pourquoi tu le jettes pas dehors. Elle dit qu'il est de toi, mais franchement, il peut être de n'importe qui. Enfin, j'veux dire, regarde ce petit enfoiré, quoi. Il te ressemble même pas de loin. Il est trop froussard pour être de… »

On frappa alors lourdement à la porte de derrière. Bull fit signe à son père de ne pas quitter son fauteuil.

« J'y vais », dit-il dans un soupir.

Il quitta le salon pour pénétrer dans la cuisine, en tirant en chemin sur son pyjama qui lui rentrait dans les fesses. Au fond de la pièce, à travers la vitre de la porte, Bull aperçut une sombre silhouette encapuchonnée.

« C'est qui ? s'écria-t-il.

— Russo est là ? répliqua une voix rauque.

— De la part de qui ?

— Laisse-moi entrer.

— JD ? C'est toi ?

— Ouvre cette putain de porte, tu veux ! »

Bull reconnaissait vaguement la voix de JD, malgré ce ton rocailleux qui n'avait rien de familier, et rien de particulièrement amical. Il déverrouilla la porte et l'ouvrit.

« Russo est là ? répéta la voix qui sourdait de sous la capuche.

— Tu viens chercher ton frère ? Il est en train de nous rendre complètement cinglés. Il arrête pas de gazouiller comme un mioche de deux ans. » Il s'interrompit et respira à fond au passage de JD. « Merde, tu as bu ou quoi ? Tu pues l'alcool, putain ! »

JD l'ignora et traversa la cuisine jusqu'au salon, où il vit son petit frère assis en face de la cheminée, en train de se sécher. Perdu dans ses pensées, Casper ne remarqua pas son arrivée. Russo était assis dans son fauteuil, en face de Casper, et il avait l'air sacrément en colère. JD s'en foutait complètement.

« Russo, il faut que tu me rendes un service », déclara-t-il.

Ça n'avait rien d'une requête. C'était un ordre.

Russo se leva de son fauteuil. Ses puissants muscles semblaient bandés, prêts à la confrontation. Pour un homme d'une quarantaine d'années, il était plutôt en forme. Seule sa légère calvitie trahissait son âge. Il s'avança vers JD, suant l'agressivité par tous les pores de sa peau. Sa démarche et son maintien en disaient plus qu'un long discours : cet homme n'était pas d'humeur à se faire marcher sur les couilles par qui que ce soit. Il ne prit pas longtemps à sentir les relents d'alcool portés par l'haleine de JD.

« C'est fini, les services, JD. Tu prends Casper et tu fous le camp d'ici. Et me refais plus jamais un coup du genre, bordel de merde. J'ai deux boulots, moi. Je peux pas m'occuper de *lui* à chaque fois que ta mère et toi en avez marre de vous faire parasiter.

— Il ne nous parasite pas.

— Bien sûr que si, qu'il parasite tout le monde, bordel ! Et tu le sais ! Je n'ai ni le temps ni la patience de m'occuper de lui. Faut bien avouer que, pendant toutes ces années, j'ai jamais hésité à me saigner aux quatre veines pour ce mioche, simplement parce que je me sentais coupable envers ta mère, mais, elle et toi, vous êtes en train de pousser le bouchon un peu trop loin, là. J'ai tout simplement plus le temps de m'occuper d'un putain de débile. Alors tu le fais sortir, et tu le renvoies plus jamais ici. Et tu peux passer le message à ta pute de mère. C'est fini. Pour de bon. T'entends ? » Il avança d'un pas menaçant vers JD et ajouta : « Tu prends ton frère avec toi, vous sortez tous les deux, et vous revenez plus jamais, bordel. Plus jamais. »

Toujours dans la cuisine, Bull écoutait attentivement, un grand sourire aux lèvres. Il était temps que son père explique deux ou trois choses à ces crevards. Malgré l'agressivité de Russo, JD répondit d'un ton calme et réfléchi.

« Tu ne comprends pas, Russo. Quelque chose est arrivé. Il va falloir que Casper vive avec vous un moment. Je ne peux rien t'expliquer pour l'instant. »

Russo poussa JD d'une bourrade dans la poitrine.

« Tu comprends vraiment rien, hein ? Pourquoi est-ce que vous nous lâchez pas, hein ? C'est quoi, votre putain de problème ? T'es un alcoolo, et ton frère est un sale débile. *Maintenant, casse-toi d'ici*. Tout de suite.

— Russo, tu ne comprends pas…

— Quel mot t'as pas compris, dans la phrase "Maintenant, casse-toi d'ici" ?

— Putain ! Est-ce que tu peux m'écouter une minute ?

— DEHORS, j'ai dit ! » Russo se tourna vers Casper. « Et toi, Casper, enfile ton putain de manteau. Tu rentres chez toi. » Le jeune garçon sembla ne pas l'avoir entendu : il fixait toujours d'un regard absent les flammes qui dansaient devant lui.

« *Casper ! Hé ! je te cause, espèce de débile !* »

Russo avait une façon très spéciale de prononcer ce mot (« DéBillle »), qui le rendait encore plus humiliant.

Dans la cuisine, Bull venait de sortir une brique de lait du frigo. Il valait mieux rester en dehors de cette discussion. Mais rien n'interdisait de s'y intéresser. Alors qu'il ouvrait la brique pour transvaser son contenu dans une pinte en verre posée sur la table, il entendit la réponse de JD. Sa voix avait un ton sinistre, un ton que Bull n'avait jamais entendu auparavant.

« Tu traites encore une fois mon frère de débile, et, Dieu m'en soit témoin, je te fume.

— De quoi ?

— Je te fume. *Pour de vrai*.

— Tu me menaces, espèce de sale petite merde ? »

Bull se sourit à lui-même. Si JD tenait vraiment à s'adresser à son père sur un ton menaçant, il aurait sûrement droit à la raclée qui lui pendait au nez depuis déjà un bon bout de temps. Ça faisait des années que Russo parlait d'inculquer deux ou trois points de discipline à JD. Il ne l'aurait pas volé. Russo était un ancien béret vert, versé dans l'art du combat au corps à corps. Si après toutes ces années il décidait de corriger le jeune homme, ce serait bref, et très douloureux.

Bull n'entendit aucune réponse de JD. *Ah !* pensa-t-il. *Doit sûrement être en train de se chier dessus, la queue entre les pattes*. Il entendit en revanche son père se répéter une dernière fois : « OK, alors tu dégages, maintenant. T'es pas le bienvenu, ici. Et pour rien te cacher, tu l'as jamais été. Ton frère non plus. »

La voix de JD retentit alors, avec le même ton rauque et sinistre :

« Casper. Mets ton manteau. On y va. » Il semblait enfin capter le message. *Il aura pas joué son gros dur très longtemps*.

Bull vida la brique de lait qu'il alla jeter dans la poubelle à couvercle pivotant qui se trouvait dans un coin de la cuisine. Il entendit son père charrier une dernière fois Casper, juste histoire d'agacer JD, lui rappeler qui était le patron :

« Allez, bordel ! Presse-toi un peu, espèce de sale débile ! »

Bull jeta avec force la brique de lait vide à la poubelle, et le bruit couvrit le craquement sonore qui retentit au même moment dans le salon. Bull souriait toujours d'un air suffisant en allant chercher son verre à l'autre bout de la cuisine. En chemin, il faillit être percuté de plein fouet par Casper qui sortit comme une tornade par la porte de derrière. Le visage du jeune garçon était figé en une expression de terreur absolue, comme s'il venait d'assister à quelque chose d'horrible. Le gamin ne prit ni la peine de refermer la porte derrière lui, ni d'attendre JD. Il disparut dans la nuit, laissant une rafale de vent et de pluie s'engouffrer à l'intérieur.

Bull but une bonne gorgée de lait. La silhouette encapuchonnée de JD traversa alors la cuisine, en le bousculant délibérément : son bras tressauta, et il renversa un peu de lait. Le visage de JD était toujours dissimulé dans les ténèbres de sa capuche. *Connard*, pensa Bull en souriant et en saluant le dos de JD :

« Salut ! lança-t-il d'un ton sardonique. À la prochaine. Reviens quand tu veux. »

JD non plus ne prit pas la peine de refermer la porte derrière lui. Très agacé, Bull reposa sa pinte de lait et s'en chargea, afin de ne plus laisser entrer la moindre goutte de pluie. Une fois la porte fermée, un silence inquiétant sembla se faire dans toute la maison. Plus aucun son ne provenait du salon. Bull s'attendait à voir son père le rejoindre pour déverser un flot d'injures sur JD. Au bout de quelques secondes, il l'appela :

« Tu veux boire quelque chose, papa ? Ils sont partis tous les deux. »

Aucune réponse.

« Papa ? »

Toujours aucune réponse. Bull se saisit de nouveau de son verre de lait. Puis il passa au salon. Et vit quelque chose de si atroce que cette image devait le hanter pour le restant de ses jours. Il n'avait que quinze ans. Il n'avait jamais vu la mort d'aussi près. Et pour le coup, c'était son propre père qui était mort. Le verre de lait lui glissa des mains, rebondit sur son pied, avant de se renverser par terre.

« *Nom de Dieu ! Papa ! Oh ! putain, non !* »

Son père était étendu sur le dos, à même le sol. La nuque brisée, la tête tordue d'un côté. Sa langue pendait, et ses yeux étaient blancs, immobiles.

Le choc de Bull à la vue du cadavre de son père laissa très vite place à la rage. La haine qu'il avait toujours éprouvée à l'encontre de JD éclata comme un volcan en éruption au fond de son estomac, submergeant tout son être. Tel un possédé, il se rua vers la porte de la cuisine et l'ouvrit brutalement. La nuit ne lui révéla rien d'autre qu'un torrent de pluie et des rafales de vent qui menaçaient presque d'arracher la maison à ses fondations. Il cria de toutes ses forces dans les ténèbres, afin que le vent porte sa voix aussi loin qu'il put :

« *Espèce d'enculé ! Je te tuerai, JD !* » Il s'efforça de refouler les larmes de tristesse et de colère qui menaçaient de noyer ses yeux. « *Un jour, quand tu penseras que tout sera oublié, je m'occuperai de toi. Espèce de salopard. T'es un cadavre en sursis, mec. Je te tuerai, putain. Mets-toi bien ça dans la tête. Le jour où Dieu te pardonnera, s'il te pardonne un jour, je serai toujours après toi ! PUTAIN D'ENCULÉ DE TA MÈRE !* »

Comme pour se défouler, Bull continua à hurler dans la tempête pendant un bon moment. Il voulait graver cet instant dans sa mémoire, il voulait s'assurer que la prochaine fois que sa route croiserait celle de JD, il agirait conformément à son serment.

En tuant ce salopard.

15

Retour vers le futur… dix-huit ans plus tard

Le capitaine Robert Swann, des forces spéciales des États-Unis, était détenu depuis presque trois ans dans une prison secrète de haute sécurité, au milieu du désert qui se trouvait au-delà des environs de Santa Mondega. Durant tout ce temps, il n'avait pas reçu la moindre visite. On pouvait en dire autant de la majorité des autres prisonniers. Il s'agissait d'hommes qu'on avait définitivement oubliés, dont les existences, pour la plupart, avaient été effacées de tous les registres. Sur les quatre cents détenus, seule une poignée aurait un jour la chance de voir le soleil se lever hors des murs de la prison. Tous ces prisonniers savaient quelque chose qu'ils n'auraient jamais dû savoir, ou avaient fait quelque chose d'atroce à quelqu'un qu'il aurait mieux valu ne jamais emmerder. Ils étaient dans le couloir de la mort, à ceci près qu'aucune exécution ne viendrait mettre un terme charitable à leur réclusion.

Le crime de Swann était particulièrement affreux. C'était un violeur en série, et il avait commis l'erreur de s'en prendre à la fille de quelqu'un de très haut placé dans le gouvernement américain. Sa victime avait été si profondément traumatisée par la brutalité et l'ignominie de l'agression que, peu de temps après, elle avait mis fin à ses propres jours. Cet élément avait paradoxalement joué en faveur de Swann : le suicide de la victime, seul témoin du crime, rendait impossible un procès en cour martiale. En outre, il avait eu la chance de ne pas être secrètement éliminé pour ce viol. Il n'avait même pas été démis de ses fonctions : sur le papier, il était toujours capitaine des forces spéciales.

Swann avait en effet un atout considérable dans la manche. C'était grâce à cet atout qu'il avait eu la chance de pouvoir purger sa peine dans cette prison secrète perdue au milieu du désert au lieu d'être exécuté. C'était en effet un vétéran copieusement décoré, un homme aux talents si rares sur le champ de bataille qu'il aurait été absolument inepte de le faire disparaître. De plus, il avait jadis sauvé la vie du directeur de la communication de la Maison-Blanche. Tout cela lui avait permis d'échapper de justesse à la peine capitale. Swann était un soldat exceptionnel qui ne connaissait pas la peur, et était prêt à sacrifier sa vie au nom de son pays. Le seul problème, c'est que son boa se sentait toujours à l'étroit derrière sa braguette. Même à trente-sept ans, il demeurait un redoutable prédateur sexuel en puissance, et ces dernières années de réclusion n'avaient fait qu'aiguiser plus encore ses appétits.

Peu après minuit, avant la dix-septième aube d'octobre, Swann fut réveillé dans sa cellule par deux gardiens armés. Il eut la présence d'esprit de ne pas résister lorsqu'ils le menottèrent brutalement, et, devant leur refus de lui expliquer ce qui se passait, il n'avait pas cherché plus loin, pour la simple et bonne raison que, dans le fond, il lui était incroyablement agréable de voir sa routine brisée de la sorte.

Les gardiens lui firent parcourir de longs couloirs, passant par une succession apparemment infinie de portes sécurisées, jusqu'au bureau du directeur de la prison. Là, on le força à s'asseoir sur une chaise, face à la table du directeur. Il n'était entré ici qu'une fois auparavant, le jour de son arrivée, pour se voir enfoncer dans le crâne les règles de vie de l'établissement par le directeur en personne, M. Gunton.

La pièce était deux fois plus grande que la cellule à la con dans laquelle Swann vivait depuis ces quelques dernières années. Ses quatre murs étaient flanqués d'étagères remplies de bouquins et de bibelots, avec, çà et là, quelques tableaux pour combler les vides. Entre les deux fenêtres derrière le bureau était accroché un imposant portrait de Gunton, les cheveux gris, le visage parcheminé et bronzé, comme pour souligner la vanité de l'individu. Sur la toile, il portait un costume gris. Rien de bien surprenant aux yeux de tous ceux qui le connaissaient. Le directeur avait dix costumes, tous identiques, tous gris, tous aussi ennuyeux les uns que les autres. Ce qui résumait parfaitement le personnage.

La seule chose qui clochait en l'occurrence, c'était que, contrairement à ce que Swann s'était imaginé, le directeur n'était pas assis à son bureau. À sa place se trouvait un autre homme. Qui, à la différence de Gunton, était loin d'être une crevette. C'était un gros enfoiré aux épaules surdimensionnées, un vrai physique de videur de boîte de nuit. Même costume gris que le directeur, mais un tout autre visage. Une tout autre aura. Ce type avait une tête pâle, totalement glabre, crâne compris, et une paire de lunettes noires dissimulait ses yeux. *Les lunettes, c'est vraiment que pour la frime*, se dit Swann. *On est au beau milieu de la nuit. À moins que ce type soit aveugle. Hmm. Peu probable.*

Les deux gardiens qui l'avaient tiré de sa cellule firent un signe à l'homme assis, et disparurent par la porte qu'ils avaient poussée plus tôt. L'homme considéra Swann derrière ses lunettes noires, sans que son visage trahisse le moindre sentiment. Le prisonnier se dit qu'il était peut-être en train d'admirer sa chevelure : en effet, s'il était rasé sur les côtés, Swann avait sur le dessus du crâne une brosse châtain relativement drue. Peut-être que ce type le jalousait ? Peut-être bien que oui, peut-être bien que non. Pendant quasiment trente secondes, ni l'un ni l'autre n'ouvrirent la bouche. Swann fut le premier à craquer :

« OK, j'abandonne. Qu'est-ce qu'il y a ? lança-t-il en regardant par la fenêtre, afin de souligner le peu d'effet produit par le regard intimidant que l'homme faisait peser sur lui.

— Vous voulez que je vous retire ces menottes ? demanda l'homme.

— Ouais, pourquoi pas.

— Mains sur la table. »

C'était un ordre, et Swann avait horreur d'obéir à quelqu'un qu'il ne connaissait pas. Pourtant, en l'occurrence, il n'était qu'un simple détenu, et le type qu'il avait devant lui pouvait fort bien être un haut responsable des services secrets ou de quelque autre organisation gouvernementale : Swann décida donc de jouer le jeu, et posa ses mains sur le bureau. Le colosse se pencha en avant et se saisit des poignets de Swann. Il avait une sacrée poigne. Retournant les mains du prisonnier dans ses entraves, dans un mouvement fugace, l'air de rien, il brisa en trois les menottes qui quittèrent les poignets de Swann pour tomber sur le bureau.

Pour le coup, Swann fut très impressionné. Pas de doute, c'était un vrai tour de pro. Mais il n'en laissa rien paraître et se contenta de s'adosser à sa chaise, sans le moindre remerciement.

« Alors. Ça vous dirait de sortir d'ici ? demanda l'homme assis à la place du directeur.

— J'm'appelle Robert Swann, juste pour info.

— Je sais qui vous êtes, merci.

— Pourtant, vous ne vous êtes pas donné la peine de vous présenter. Pas très poli, si vous voulez mon avis. »

L'homme sourit :

« Vous pouvez m'appeler Mister E.

— Mister E, mystery…, vous êtes l'Homme mystère, quoi.

— Non. Je suis Mister E.

— OK. Je me disais aussi que c'était un peu… *tiré par les cheveux*, comme jeu de mots. »

Mister E sourit de nouveau. Swann sentait que l'homme admirait son attitude. Et son intuition était juste. Swann avait exactement le profil de fils de pute arrogant et inflexible que recherchait Mister E.

« J'ai réussi à vous faire gracier, monsieur Swann.

— Sympa, merci. Je vais y aller, alors, répondit Swann en se levant de son siège.

— Non. Vous allez rester ici. Rasseyez-vous. Ce genre de petite comédie est plaisant un moment, mais n'en abusez pas. Ça devient vite lassant, et vous n'avez plus douze ans. Alors, cessez ces enfantillages. »

Swann se rassit. Mission accomplie. Il avait suffisamment fait chier son interlocuteur. Le moment était venu de voir ce qu'il avait à lui proposer.

« Alors, allez-y. Balancez-moi ce que vous avez à me balancer, déclara-t-il en se frottant les mains, impatient de savoir de quoi il retournait.

— J'ai besoin d'un type avec des couilles en acier trempé pour une mission d'infiltration. Un coup vraiment dangereux. Potentiellement mortel.

— Une infiltration ? Où ça ?

— Santa Mondega. »

La réponse de Swann fut instinctive :

« Allez vous faire mettre.

— Attendez un peu. C'est une mission vraiment très spéciale. Elle consiste à infiltrer un gang de vampires en se faisant passer pour l'un d'eux.

— Allez vous faire mettre encore une fois, espèce de grosse tête de cul. Vous me prenez pour un con ?

— Tout à fait. Mais vous ne m'écoutez pas. Cette mission n'est pas aussi terrible qu'elle le paraît. Laissez-moi terminer. »

Mister E gardait un calme olympien en dépit des insultes de Robert Swann, et plus globalement de son attitude de merde.

« Un moine d'Hubal est revenu à Santa Mondega avec l'Œil de la Lune, et je veux que vous les retrouviez tous les deux, l'homme et la pierre. »

Swann n'écoutait toujours qu'à moitié. Il fallait vraiment être un parfait abruti pour accepter une telle mission, et il était tout sauf un abruti.

« Et comment je suis censé me faire passer pour un putain de vampire, au juste ? demanda-t-il.

— Ce n'est pas ce que j'attends de vous. Tout d'abord, je veux que vous trouviez le type qui s'infiltrera dans un gang de vampires. Nous avons créé un sérum grâce auquel n'importe quel mortel peut se mêler aux créatures du mal sans qu'aucune d'entre elles se doute qu'il n'est pas de leur espèce. J'ai besoin de vos talents d'interrogateur et de votre expérience des missions d'infiltration pour briefer ce type, afin qu'il ne se fasse pas tuer dès les cinq premières minutes. »

En son for intérieur, Swann poussa un soupir de soulagement. Ce n'était pas lui qui était pressenti pour le rôle suicidaire d'agent infiltré parmi les vampires : c'était déjà ça.

« C'est qui, "nous" ? demanda-t-il, suspicieux.

— Inutile que vous le sachiez.

— Mais c'est une mission officielle ? Voulue par le Premier citoyen américain de mes deux ?

— À votre avis ? Qui est le seul à pouvoir accorder un pardon absolu pour des crimes reconnus ?

— Hmm. Le seul hic, c'est que, pour un boulot pareil, il faudrait pouvoir dégotter un sacré gros con, avec un électroencéphalogramme aussi plat que ce bureau. Et ça m'attriste de vous le dire, mais je crois que j'ai jamais croisé un gros con d'une telle catégorie.

— Vous avez entièrement raison, répliqua Mister E. Vous ne l'avez pas croisé. Pas encore. Mais cet homme existe. »

Swann hocha la tête. Il connaissait tous ceux qui, dans les forces spéciales, étaient assez talentueux et assez courageux pour bosser sur les missions les plus difficiles, et celle-ci figurait assurément au sommet du classement des missions les plus dangereuses. Ce devait être quelqu'un de nouveau. Quelqu'un qui avait très rapidement pris du galon durant ces dernières années, alors que Swann était incarcéré.

« Allez-y, lança-t-il, cette fois dans un sourire. Je donne ma langue au chat. Qui peut bien avoir les couilles d'infiltrer un gang de vampires en se faisant passer pour l'un d'entre eux, avec pour seules couvertures un sérum mystère et du fond de teint blanc ? Je meurs d'envie de le savoir. Et quand bien même ce type serait assez téméraire et assez con pour se lancer dans une mission pareille, qu'est-ce qui pourrait bien l'y pousser ? Combien est-ce que vous allez payer ce kamikaze à la con ?

— Payer ? Ah ! » Mister E se pencha de nouveau au-dessus de la table, en adressant un large sourire à Swann. « Vous n'y êtes pas du tout. Ce type travaillera gratuitement. »

Swann commençait à croire que tout cela n'était qu'une vaste farce, peut-être même à son insu. Néanmoins, il continua à faire comme si de rien n'était :

« Eh ben, c'est *vraiment* le roi des cons. Alors... comment s'appelle-t-il ? »

Mister E fit glisser une enveloppe marron sur le bureau. Le détenu s'en saisit. Elle était relativement légère, ce qui laissait supposer que les informations dont on disposait au sujet de cet individu étaient plutôt minces. Il ouvrit l'enveloppe, et en tira une photo noir et blanc, format 18 × 13, d'un type déguisé en Terminator. Il la déposa sur le bureau et sortit les autres documents, qui se limitaient à quelques feuillets où était résumé tout ce qu'on savait de ce mec. Il ne fallut pas longtemps à Swann pour se rendre compte que ce clown n'avait aucune expérience militaire, ni même policière. Il tira enfin le dernier document de l'enveloppe, un document intitulé « Détails de la mission ». Un bref coup d'œil, et Swann constata que toute cette plaisanterie n'impliquait aucun réel danger pour lui. Mister E lui avait dit la vérité : c'était ce type qui prendrait tous les risques.

« Putain, mais qu'est-ce que ça veut dire ? Qui est ce putain de Dante Vittori ? Et qu'est-ce qui fait de lui l'homme de la situation, bordel ? »

Le petit ricanement de Mister E surprit Swann. Le crâne glabre et les lunettes noires semblaient indiquer un sens de l'humour très limité.

« Cet homme est plus que qualifié pour cette mission. Déjà, il sait que Santa Mondega est infestée de vampires. Nous n'aurons donc pas à nous soucier du statut de secret-défense : ce type a vu les créatures du mal en pleine action, et de ses propres yeux.

— OK. »

Le ton de Swann indiquait clairement qu'il était tout sauf convaincu.

« Ensuite, notre enquête a permis d'établir que, en plus d'être un imbécile fini, il ne connaît pratiquement pas la peur, sans doute parce qu'il est définitivement trop con pour avoir pleinement conscience des dangers qu'il court. » Il observa une courte pause avant de poursuivre. « Et qui plus est, il aura une excellente raison d'accepter cette mission. J'ai ici une vidéo réalisée par la police de Santa Mondega. Il s'agit d'une petite reconstitution de la fusillade qui a eu lieu dans un bar, le Tapioca, lors de l'éclipse de l'année dernière. Tous les protagonistes sont incarnés par des acteurs. Le propriétaire et gérant du bar, un certain Sanchez, a décrit la scène aux autorités, et c'est à partir de ce témoignage que la police a tâché de reconstituer les faits, dans l'espoir d'y voir un peu plus clair. Sur cette vidéo, Dante Vittori, déguisé en Terminator, tire sur tout ce qui bouge, avec à ses côtés un moine déguisé en membre du Cobra Kai, et le fameux tueur en série qui se fait appeler le Bourbon Kid. Si on arrive un jour à les coincer, ces trois-là auront droit à la chaise électrique, sans le moindre doute possible. Tenez, regardez. »

Mister E se tourna de côté et pointa une télécommande en direction du combiné télé-vidéo du directeur, qui reposait sur une petite table dans un coin du bureau. L'écran bourdonna, et l'image apparut progressivement. Robert Swann comprit alors que ce qu'il était en train de regarder était assurément une reconstitution assez fidèle du massacre de l'éclipse. Mister E se mit à commenter les images en pointant l'écran. La scène avait été filmée dans un bar. Le sol était recouvert de mannequins en plastique, qui représentaient le nombre colossal de cadavres qu'on avait retrouvés une fois l'éclipse passée.

« Vous remarquerez au bas de l'écran, ici », et Mister E pointa la zone incriminée, « qu'à la fin de l'éclipse, Dante Vittori, déguisé en Terminator, se rue hors des toilettes et prend part à l'action. » Mister E appuya sur la touche « Pause ». « Et vous remarquerez également, *là*, un jeune moine d'Hubal en train de braquer son arme sur le Bourbon Kid, ainsi qu'une jeune femme effondrée à terre, ici, au chapitre de la mort. »

Swann était proprement fasciné. Le simple fait de voir ces quelques images vidéo était à ses yeux un immense privilège. Depuis qu'il était en prison, il n'avait quasiment pas regardé la télé, et le peu qu'il avait vu se résumait à des programmes familiaux. Mister E appuya sur le bouton « Lecture » et poursuivit son commentaire : « À présent, vous pouvez voir qu'au lieu de braquer son fusil à canon scié sur le Bourbon Kid, qui vient de tuer une bonne centaine de personnes, notre cher Dante Vittori le pointe sur la nuque du moine. C'est la première preuve de sa stupidité. Le moine parle avec notre homme d'on ne sait quoi, avant de disparaître par l'issue de secours. Et voici la deuxième preuve permettant d'établir que Dante est un abruti fini. Au lieu de tuer le Bourbon Kid, il braque son arme sur la jeune mourante qui gît par terre. Le Kid lui prête main-forte, et tous deux la réduisent littéralement en petits morceaux. »

Les deux hommes regardèrent en silence la vidéo un instant, avant que Mister E ne reprenne de nouveau le cours de son commentaire : « Après cela, ça devient un peu n'importe quoi. Sanchez, le barman, qui est censé être ce type, *là*, déguisé en Batman, saute par-dessus le bar, met une raclée au Bourbon Kid qui, vaincu, s'enfuit comme le dernier des lâches.

— Sans déconner…

— Personne n'y croit une seconde. C'est la version de Sanchez, qui menaçait de ne pas coopérer si cette scène n'était pas retenue au montage.

— Quel pauvre con.

— Effectivement.

— Et qu'est-il arrivé à ce Dante après la fusillade ?

— Eh bien, il a tout simplement mis les bouts, et, à l'heure qu'il est, il croit sûrement que personne n'est au courant de son implication dans le massacre. Mais il se trouvait bel et bien dans ce bar durant l'éclipse, en compagnie de cette fille. » Mister E fit glisser en direction de Swann un cliché format 15 × 10 d'une jeune femme brune, extrêmement séduisante. « Elle s'appelle Kacy Fellangi, et notre cher Dante est prêt à tout pour elle. Alors tout ce que nous avons à faire, c'est de retrouver Dante, retrouver sa petite amie, et bingo : nous aurons notre agent infiltré chez les vampires. »

Swann n'était toujours pas convaincu. Et quelque chose lui disait qu'il ne le serait jamais : « Ouais, ouais. Mais si ce type est un tel abruti, les vampires risquent de griller sa couverture dès le début, non ?

— Soit. C'est même fort probable, mais je tiens à tenter le coup. Contentez-vous de retrouver Dante Vittori et Kacy Fellangi. Une fois que nous lui aurons fait une offre qu'il ne pourra pas refuser, sa copine risquant de beaucoup souffrir s'il ne fait pas ce qu'on lui demande de faire, il s'empressera de coopérer.

— OK. Une idée du coin où je pourrais commencer mes recherches ?

— Il se trouve que oui, justement. Cela fait déjà un certain temps que j'ai lancé une équipe sur sa piste. Une poignée d'hommes, à l'affût du moindre indice, vingt-quatre heures sur vingt-quatre, sept jours sur sept. » Il observa une courte pause, puis poursuivit : « Vous voulez savoir à quel point ce type est abruti ? »

Swann avait l'impression que Mister E insistait plus que nécessaire sur le fait que Dante était un abruti. Ce point avait été fort bien établi, à quoi bon y revenir ? Swann en avait un peu marre.

« Dites-moi tout », répliqua-t-il, intrigué malgré tout par ce que son futur nouvel employeur avait à lui dire.

« Nous savons que Kacy et Dante ont quitté Santa Mondega tout de suite après l'éclipse. Et nous pensons qu'ils se sont installés en Floride, ce qui est un choix des plus sensés lorsqu'on sait que Santa Mondega grouille de créatures du mal, vous en conviendrez. Mais devinez quoi ? Il y a deux jours de ça, Dante a appelé l'Hôtel international de Santa Mondega pour réserver la suite nuptiale, une semaine entière, à la fin du mois.

— Vous plaisantez ?

— Pas du tout. Il se trouve qu'il a prévu d'épouser sa Kacy, et, en guise de cadeau de mariage, de l'embarquer dans une lune de miel surprise à Santa Mondega. »

Swann hocha la tête.

« Quel putain de blaireau.

— La même remarque m'a effleuré l'esprit. »

Les deux hommes échangèrent enfin un sourire. Après tout, ils finissaient par se comprendre. Mister E savait que Swann était assez futé pour savoir ce qu'on attendait à présent de lui. En bonne intelligence, il lui dévoila une dernière information, cruciale s'il en était :

« Dans le dossier se trouve ce que nous croyons être l'adresse actuelle où résident Vittori et Fellangi. Nous avons remonté leur piste grâce aux données de la carte de crédit de Vittori. À présent, je veux que vous alliez les chercher, tous les deux. Dès que vous les aurez interceptés, vous informerez ce type de sa mission. »

Au lieu de se concentrer sur le document intitulé « Détails de la mission » qu'il avait tiré de l'enveloppe marron, Swann saisit la photo de Kacy pour la regarder plus attentivement.

« Alors, c'est elle, la fille ? demanda-t-il, sachant parfaitement que c'était elle.

— Oui. »

Il releva les yeux sur Mister E. « Et vous voulez vous débarrasser des deux une fois la mission accomplie, c'est ça ?

— Je ne me souviens pas d'avoir dit ça.

— Mais c'est bien le cas, non ?

— Oui. Oui, c'est bien le cas.

— Dommage, commenta Swann, l'air dépité. Ça m'aurait bien plu de la défoncer. »

Mister E quitta son fauteuil et présenta son dos à Swann, préférant regarder le portrait du directeur de la prison, accroché entre les deux fenêtres.

« Alors baisez-la avant de la tuer, dit-il d'un ton impassible. Ou tuez-la, et baisez-la après. Comme vous voulez. Je m'en contrefous. Assurez-vous simplement que les deux soient éliminés à la fin de la mission. Que celle-ci soit un succès ou non. » Il tira une petite enveloppe blanche de la poche intérieure de sa veste grise et la tendit à Swann. « Votre grâce. Datée d'aujourd'hui, signée par le Président. Ne la perdez pas. Ce genre de petite chose n'est pas très aisée à se procurer. »

Swann prit le document qu'il rangea dans l'enveloppe marron, avec la photo de la fille, les détails de la mission et les informations concernant Vittori. Puis il se leva pour partir.

« Reçu cinq sur cinq, boss. Je m'occupe de tout… » Il se permit un sourire mauvais : « … *sans exception*. »

16

Ce n'était un secret pour personne : Dante n'aimait pas les diseuses de bonne aventure. Et pourtant, une fois de plus, il était assis à une table ronde, en face d'une vieille bique complètement folle, en compagnie de sa superbe copine, Kacy.

Cette fois-ci, les lieux n'avaient vraiment rien d'exceptionnel. Ils se trouvaient dans une tente, assez spacieuse au demeurant, mais qui était sans doute l'attraction médiumnique la plus pourrie qu'ils aient jamais visitée. « Madame Sangria » était le nom de la voyante en question. C'était une vieille dame vêtue d'une robe noire informe, les cheveux ceints d'un bandana rouge, les oreilles lestées d'énormes boucles d'or très tape-à-l'œil et au moins cinq colliers de perles en plastique multicolores autour du cou, reposant sur sa poitrine.

C'était le cinquième « anniversaire » de Dante et de Kacy, et Dante avait promis à sa petite amie une grosse surprise pour l'occasion. Kacy savait parfaitement qu'il ne s'agirait pas d'un dîner hors de prix dans un restaurant chic. Si cela avait été le cas, Dante aurait certainement insisté pour qu'elle enfile quelque chose de plus distingué que le jean bleu et le pull gris un peu trop large qu'elle avait décidé de porter pour cette journée. Lui aussi aurait sans doute fait un effort, plutôt que de se rabattre comme il l'avait fait sur un jean déchiré et un T-shirt blanc plus très propre, à l'effigie de Charlie le coq, le personnage des *Looney Tunes*.

Connaissant Dante comme personne, Kacy s'attendait à ce que la grosse surprise soit une super grosse connerie. *En tout cas, ça en prend rudement bien le chemin*, pensa-t-elle. Ils avaient consulté un grand nombre de voyantes auparavant parce que c'était quelque chose qu'elle appréciait particulièrement, mais ça ne signifiait pas pour autant qu'elle voulait en voir une énième en guise de cadeau exceptionnel pour le cinquième anniversaire de leur relation. Sa seule consolation était de savoir que Dante avait dû se creuser la tête pendant des semaines avant d'avoir cette idée. Le simple fait qu'il ait longuement réfléchi à cette surprise suffisait à la rendre heureuse. Plus ou moins. Après tout, Dante n'était peut-être pas spécialement intelligent, mais il avait un cœur en or, et même si ce qu'il considérait comme un véritable coup de génie créatif (l'emmener consulter une médium de plus) n'était en vérité qu'une idée franchement naze, ça n'avait pas grande importance. L'important, c'était qu'il l'aimait assez pour faire un tel effort.

Dante avait donné 20 dollars à Madame Sangria pour qu'elle tire les tarots à Kacy. La vieille femme avait battu le jeu, dont elle avait tiré six lames pour les poser sur la table ronde. C'était une toute petite table, recouverte d'une nappe à carreaux rouges et blancs plutôt sale. Après avoir aligné les lames muettes, elle les retourna une à une. Afin de ménager un certain suspense, elle procéda sans dire un mot, laissant les lames parler d'elles-mêmes.

Lame 1 – L'Amoureux
Lame 2 – Le Mat
Lame 3 – L'As de coupe
Lame 4 – Le Diable
Lame 5 – La Mort
Et lame 6…

Lorsque Kacy aperçut la sixième lame, son cœur fit un bond dans sa poitrine. Ce n'était pas une lame de tarot normale. Elle était très spéciale. Il n'en existait pas de semblable dans aucun des jeux de tarot du monde entier. Il n'y figurait aucune image, rien que ces mots :

Kacy, je t'aime de tout mon cœur. Veux-tu m'épouser ?

Elle tourna la tête vers Dante et prit sa main dans la sienne, par peur de tomber à la renverse. Elle en avait le souffle littéralement coupé. L'homme qu'elle aimait, cet abruti connu et reconnu pour n'avoir que moitié de neurones dans le crâne, l'avait complètement prise par surprise. Elle lui appartenait corps et âme.

« Oui, bafouilla-t-elle en guise de réponse, les yeux pleins de larmes. Moi aussi, je t'aime, gros couillon.

— Cool, dit Dante en se penchant pour l'embrasser. Maintenant, cassons-nous d'ici et allons nous bourrer la gueule.

— Carrément. »

Dante décocha un clin d'œil à la diseuse de bonne aventure, murmura un « merci », et laissa Kacy sortir la première. Une fois dehors, il la prit dans ses bras, et ils s'embrassèrent plus passionnément que jamais. Kacy aurait voulu ne jamais quitter ses bras. Elle était si heureuse qu'elle avait l'impression que son cœur finirait par exploser de bonheur.

« Je vais te rendre tellement heureux, chuchota-t-elle à son fiancé.

— C'est déjà fait, répondit-il dans un murmure. Tu m'as dit "oui". »

Une troisième voix, celle d'un homme, les interrompit :

« Dante Vittori, vous êtes en état d'arrestation. »

Plus sûrement qu'aucune autre phrase, celle-ci les fit immédiatement revenir sur terre. Dante répliqua pour eux deux :

« Putain, c'est pas vrai ! »

Devant eux se tenaient deux gros costauds à costume noir, cravate grise et lunettes de soleil parfaitement opaques. Dante s'écarta de Kacy pour leur faire face.

« Et qu'est-ce que j'ai fait, cette fois ? »

Derrière les deux hommes, toute une foule de familles et de gens déguisés défilait, sans s'inquiéter le moins du monde des soucis de Dante. Il leur restait encore des centaines d'attractions à découvrir, des jeux de massacre, des manèges. Deux hommes en costard qui s'adressaient à un jeune couple débraillé, voilà bien qui figurait tout en bas de leur liste de choses à voir et à faire.

Le colosse qui s'était adressé à Dante, une vraie masse, avec une moustache intimidante et un air vaguement arabe, brandit un portefeuille qu'il ouvrit, révélant fugacement une carte qui portait sa photo. Il ne laissa pas le temps à Dante et à Kacy de lire ce qui y était écrit : le portefeuille se referma presque aussitôt et disparut dans la poche intérieure de sa veste.

« Je suis l'agent spécial Baez, et voici l'agent spécial Johnson, dit-il en désignant l'autre homme. Vous êtes recherché dans le cadre d'une enquête portant sur une série de meurtres perpétrés à Santa Mondega. Il est dans votre intérêt de nous suivre sans opposer de résistance. Si vous optez pour la violence, nous serons dans l'obligation de vous maîtriser en faisant usage de la force qui s'avérera nécessaire. Et sur ce point précis, je vous conseille de ne pas me chercher. »

Madame Sangria sortit la tête de sa tente pour voir ce qui se passait.

Dante lui jeta un regard glacial :

« Tu parles d'une putain de voyante, pesta-t-il. Rends-moi mes 20 dollars, espèce de vieille sorcière inutile. »

La médium lui sourit :

« Il faut croire que "le Mat", c'était vous, alors ?

— Pas nécessairement, répliqua Dante en se retournant vers la silhouette tirée à quatre épingles de l'agent Baez. Oh ! regardez un peu ! dit-il en désignant un point dans le ciel, dans le dos de l'agent.

— Désolé, mais je ne tomberai pas dans le panneau, soupira Baez dans un hochement de tête.

— Tu viens de le faire », lança Dante.

L'agent spécial Baez parut interloqué pendant peut-être un dixième de seconde, ce qui suffit largement à Dante pour se propulser en avant et lui décocher un coup de boule. Le nez de Baez se brisa dans un craquement sonore, suivi de l'impact sourd du pied de Dante dans les testicules de l'agent spécial. Celui-ci se plia en deux de douleur, le nez dégoulinant de sang, et Dante en profita pour lui attraper la nuque et lui asséner un coup de genou en pleine figure. Baez s'effondra en un tas et se mit à vomir copieusement, tout en appuyant comme il le pouvait sur son ventre, de haut en bas, dans l'espoir de faire redescendre ses couilles du coin où elles s'étaient logées.

Dante se retourna en un éclair, prêt à s'occuper de l'autre type. Mais le second agent avait déjà pris de l'avance. À peine Dante s'était-il attaqué à son collègue, que Johnson avait tiré son pistolet de sous sa veste et l'avait braqué sur la tête de Kacy.

« Un seul pas de danse de plus, l'ami, et ta petite copine aura un sacré mal de tête », avertit-il.

Dante recula aussitôt. Il était obligé de s'avouer vaincu. « Va te faire foutre, tête de nœud », dit-il d'un ton amer.

Un troisième homme apparut soudain derrière Dante. Avant que Kacy n'ait pu l'alerter, le nouvel arrivant (qui n'était autre que l'agent spécial Robert Swann) avait déjà assommé le jeune fiancé d'un coup puissant et précis à la nuque.

« Pas de doute, c'est bien notre homme », lâcha Swann en considérant Dante, étendu au sol, inconscient. Puis il posa son regard sur Kacy et lui sourit de toutes ses dents. « Bonjour, ma petite demoiselle ! Eh bien, là encore, pas de doute : vous êtes *vraiment* un joli petit lot. »

17

Dante et Kacy passèrent une soirée extrêmement désagréable à l'arrière d'une camionnette banalisée. Tous deux avaient été menottés dans le dos et, comble de l'infamie, on leur avait passé des cagoules noires fermement attachées au cou. Lorsque la camionnette s'était enfin arrêtée, on avait fait sortir les jeunes amants pour les séparer. Dante n'avait aucune idée de l'endroit où Kacy avait été emmenée, et se trouvait incapable de penser à autre chose qu'à elle. Après une marche interminable, guidée par au moins un agent, on lui retira enfin sa cagoule noire.

Il regarda autour de lui et découvrit qu'il était assis dans un petit bureau de forme ovale. La pièce était totalement dépourvue de fenêtres, mais l'épaisse moquette bleu roi, les murs d'un blanc immaculé et le mobilier d'acajou très distingué donnaient l'impression qu'il s'agissait du bureau ou de la salle de réunion de quelqu'un qui gagnait énormément d'argent. Selon toute probabilité, ce quelqu'un était le type assis en face de Dante, derrière son beau bureau, avec son crâne glabre, son costume impeccable et ses lunettes noires : Mister E en personne.

« On est à la Maison-Blanche ? demanda Dante.

— Tout à fait, répondit Mister E, le visage impassible. Et je suis le *vrai* Président des États-Unis. Ce type que vous voyez de temps en temps à la télé, ce n'est qu'un acteur. »

Dante n'était pas tout à fait convaincu.

« C'est vrai, ça ? demanda-t-il, méfiant.

— Non. » Mister E hocha la tête. Ce Dante Vittori était à la hauteur de sa réputation. Il ferait un parfait homme de paille. « Avez-vous la moindre idée de la raison de votre présence en ces lieux ? »

Dante haussa les épaules :

« Ça a quelque chose à voir avec des ventes de DVD pirates ? »

Mister E se frotta le front de la main gauche. Il avait déjà envisagé la possibilité qu'une entrevue avec Dante s'avère très laborieuse. En vérité, le simple fait d'être assis en face d'un individu d'une intelligence aussi médiocre commençait déjà à l'irriter. Mister E se piquait d'être d'une intelligence rare. Et il ne désirait pas la voir ainsi souillée.

Derrière l'épaule gauche de Dante se tenait Robert Swann. Mister E lui fit un signe de la main droite. Swann tourna immédiatement la tête de Dante vers la gauche afin qu'il puisse voir un gigantesque écran plasma accroché au mur. Puis il appuya sur un bouton de la télécommande qu'il tenait à la main, et aboya :

« Regarde ça. Ça devrait répondre à la question qui certainement te turlupine, à savoir : “À quel point je suis dans la merde ?” »

Dante regarda la reconstitution des événements qui s'étaient déroulés au Tapioca au moment de l'éclipse. L'acteur qui l'incarnait ne lui ressemblait absolument pas, mais le fait de se souvenir de cet épisode de sa vie en le voyant ainsi se dérouler sous ses yeux le poussa à sourire plusieurs fois, ainsi qu'à acquiescer fermement pour approuver la façon dont son double se servait de son fusil à canon scié. L'acteur trouait Jessica, la reine des vampires, avec beaucoup de conviction et de justesse.

« Plutôt cool, hein ? lança Dante à la fin de la vidéo, dans un sourire pas peu fier.

— Pas vraiment, répondit Mister E en hochant de nouveau la tête. Ça peut vous valoir la chaise électrique, très cher. On a là une centaine de cadavres au total. Jusqu'à présent, aucun responsable n'a été poursuivi, et encore moins condamné pour ces meurtres. »

Voyant là une opportunité d'être désagréable, Dante s'empressa de la saisir à deux mains : « Perso, ça m'a pas vraiment l'air d'être des cadavres. Ça ressemble plus à des mannequins. C'est pas un crime, de tuer des mannequins, non ? »

Mister E prit la pique au premier degré et poussa un soupir, à bout de patience :

« C'est une reconstitution, espèce d'imbécile. Les mannequins représentent les corps des victimes. On n'allait quand même pas utiliser des vrais cadavres, non ?

— Y en a un qui ressemble à Kim Cattrall.

— Mais c'est pas vrai, nom de Dieu ! Il le fait exprès ou quoi ? lança Mister E, recherchant l'appui de Swann.

— Il est en train de jouer au con, répondit celui-ci, toujours derrière Dante. Personnellement, je crois qu'il veut finir sur la chaise électrique. Le fait de balancer des blagues pourries comme il le fait, c'est la preuve de sa culpabilité, si vous voulez mon avis. J'ai bien l'impression qu'il a tué toutes ces personnes, pas uniquement la jeune mourante. Ce serait un jeu d'enfant de lui mettre tous les crimes sur le dos. »

Dante comprit que le temps n'était plus aux plaisanteries :

« Il se trouve que c'est pas moi qui ai tué tout le monde. C'est l'autre putain de malade mental avec sa capuche. Il a dû tirer deux cents balles en l'espace de deux minutes. Moi ? J'ai juste buté cette saloperie de vampire étendu par terre. C'est pas un crime de buter quelqu'un qui est déjà mort. Et tout le monde sait que les vampires sont déjà morts. »

Swann tapota l'épaule de Dante :

« T'as sûrement raison, gamin, mais rien ne permet d'établir avec certitude que tu n'as pas tué quelques-unes des autres victimes, pas vrai ? Et nous n'avons pas encore exclu la possibilité que tu aies agi en tant que complice du Bourbon Kid.

— Ah ! dit Dante en écartant la main de Swann d'un haussement d'épaules avant de se retourner pour le regarder droit dans les yeux. Pourtant, il me semble que votre vidéo montre bien que j'étais aux toilettes avec le chandelier et le professeur Violet. Alors si c'est tout ce que vous avez contre moi, je crois que je vais vous laisser, merci bien. »

Mister E et Swann échangèrent un bref regard qui passa inaperçu aux yeux de Dante. Un regard qui disait, de part et d'autre : *Hé ! c'est vraiment l'homme qu'il nous faut. Il a une sacrée paire de couilles.*

« Dante, dit Mister E en lui souriant le plus chaleureusement possible. Ça vous dirait de travailler pour le gouvernement américain sur une mission d'infiltration que vous seul êtes à même de mener à bien ? »

Dante cessa d'affronter Swann du regard et se retourna vers Mister E. Il observa un silence, en faisant semblant de réfléchir à la proposition.

« Non merci, je dois rentrer à la maison.

— Désolé. Vous n'allez pas rentrer chez vous. Pas avant un moment, en tout cas. Vous devez choisir entre d'un côté, la prison, puis la chaise électrique, et de l'autre, cette mission qui, si elle réussit, vous vaudra le pardon du Président.

— Pardon ?

— Tout à fait, une grâce présidentielle.

— Non, je voulais dire : "Pardon, j'ai rien entendu." Je suis sourd de l'oreille droite.

— Oh ! veuillez m'excuser. » Mister E avait l'air vraiment confus. « Je vous disais que…

— Je sais très bien ce que vous avez dit. Je suis pas sourd, espèce d'abruti. »

Le genre d'humour pratiqué par Dante n'avait selon toute vraisemblance aucune prise sur Mister E.

« Écoutez, jeune homme, quelle est votre réponse ? Oui ou non ?

— Ma réponse à quelle question ?

— Acceptez-vous cette mission pour le compte du gouvernement ?

— Quelle mission ? Celle de vous trouver une nouvelle moumoute ? »

Mister E soupira de nouveau, incapable de dissimuler son mécontentement, qui était moins dû à la remarque de Dante en soi qu'à l'attitude puérile qui la sous-tendait. Il reprit néanmoins la parole, très lentement, en articulant exagérément chacun de ses mots :

« Nous voulons que vous infiltriez un gang de vampires de Santa Mondega en vous faisant passer pour un de leurs semblables. Nous pensons qu'ils sont en possession de l'Œil de la Lune. Nous avons de bonnes raisons de croire que le jeune moine d'Hubal du nom de Peto, qui se trouvait également au Tapioca durant l'éclipse, est revenu à Santa Mondega avec l'Œil, et se sert des pouvoirs de la pierre pour se cacher parmi les vampires.

— Putain, mais qu'est-ce qui pourrait le pousser à faire ça ?

— Il est à la recherche du Bourbon Kid. L'année dernière, le Kid a exterminé la totalité des moines d'Hubal, à l'exception de Peto Solomon, le jeune moine dont vous avez fait la connaissance. Celui-ci s'est enfui avec l'Œil de la Lune. Nous le soupçonnons d'avoir appris à se servir des pouvoirs de la pierre, et d'être sur le point de se venger du Bourbon Kid. Et même si ce projet nous paraît plutôt positif, nous devons à tout prix retrouver cette pierre, parce que selon toutes probabilités, si Peto et le Kid s'affrontent, le Kid mettra la main sur l'Œil. Et nous ne pouvons permettre qu'une telle chose arrive.

— Pourquoi pas ?

— Ce serait trop compliqué à expliquer à quelqu'un comme vous, monsieur Vittori. Contentez-vous de vous infiltrer chez les vampires, trouvez Peto, trouvez la pierre et rapportez-la-nous. J'ai dans l'idée que si Peto se fait effectivement passer pour un vampire et qu'il vous voit frayer dans les mêmes eaux, il vous abordera. Pour le dire franchement, vous êtes à ses yeux ce qui se rapproche le plus d'un ami dans cette ville maudite. Une fois que vous nous aurez livré le moine et la pierre (ou simplement la pierre), votre petite amie et vous serez libres de faire ce que bon vous semble. »

Dante éclata de rire, avant de comprendre à l'expression de Mister E que celui-ci était on ne peut plus sérieux.

« Vous devez me prendre pour, je sais pas, genre le plus gros abruti à la surface de la planète », lança-t-il dans un large sourire. Mister E et Swann échangèrent un nouveau regard fugace. Dante s'adossa à son siège et croisa les jambes. « Putain, pas moyen, conclut-il. Trouvez-vous un autre couillon.

— Désolé, c'est impossible, répliqua Swann. Tu acceptes la mission ou alors, tu peux me croire sur parole, je veillerai personnellement à ce que ta petite amie et toi souffriez autant que possible. Imagine la pire chose qui pourrait jamais t'arriver, et je peux te jurer que ça n'est même pas un centième de ce que je te réserve.

— Tu sais, j'ai une sacrée imagination pour ce genre de trucs, répondit nonchalamment Dante.

— Exemple ?

— Une fois, je me suis tapé trois films avec Nicolas Cage dans la même journée. Un vrai cauchemar.

— Petit rigolo. Ce sera encore pire que tout ce que tu peux imaginer. »

Dante écarquilla des yeux horrifiés :

« Trois films d'affilée avec Chris Tucker ? »

Swann était à bout de patience :

« Imagine ta copine entre les mains de mon équipe, et je peux t'assurer que tu es encore loin de ce qui va se passer. Encore un seul petit commentaire, et c'est bel et bien ce qui lui arrivera, même si tu finis par accepter la mission.

— OK, OK, c'est bon, j'ai compris. J'accepte. Putain, mec, t'as vraiment aucun sens de l'humour. »

Swann reposa sa main sur l'épaule de Dante, qu'il serra juste assez pour que ce contact soit désagréable, sans être douloureux. « Peut-être qu'après tout ce type n'est pas aussi idiot que ça », dit-il en haussant les sourcils.

Mister E acquiesça :

« Emmenez-le et injectez-lui le sérum. Il vaudrait mieux qu'il passe quelques jours à s'habituer à ses effets, avant de partir au front. »

18

Dans son vaste bureau, au cœur du musée de Santa Mondega, le professeur Bertram Cromwell ne laissa sonner qu'une fois le téléphone avant de décrocher. Il attendait cet appel et avait hâte d'y répondre. Un voyant sur le téléphone indiquait qu'il provenait de l'accueil, et comme Cromwell connaissait le fonctionnement du musée jusque dans ses moindres détails, il savait que c'était Susan Fraser qui se trouverait à l'autre bout de la ligne.

« Bonjour, Susan.

— Bonjour, monsieur Cromwell. Il y a ici quelqu'un qui demande à vous voir. Un certain M. Solomon.

— Splendide. Merci, Susan. Je l'attendais justement. Pourriez-vous faire en sorte que quelqu'un l'accompagne jusque dans mon bureau, je vous prie ?

— Certainement, monsieur. Je vous l'envoie.

— Merci encore. À bientôt. »

Cela faisait bien longtemps qu'un rendez-vous n'avait pas mis Cromwell dans un tel état d'excitation. Le dernier moine d'Hubal encore en vie s'apprêtait à entrer dans son bureau. La veille, celui-ci l'avait appelé sans crier gare pour lui demander quelques minutes de son temps précieux. Cromwell s'était empressé d'accepter. Il apprendrait certainement beaucoup de cette personne, et lui-même disposait d'informations susceptibles de l'intéresser.

Au bout de quelques minutes, on frappa à la porte du bureau.

« Entrez », répondit Cromwell, se demandant ce que lui réserverait cette conversation.

Un vigile ouvrit et laissa entrer un jeune homme assez peu imposant, avant de refermer la porte. Le moine d'Hubal regarda tout autour de lui, s'émerveillant à la vue des deux murs latéraux, recouverts du sol au plafond d'une impressionnante bibliothèque. Son regard finit par se fixer sur le professeur Cromwell, qui s'était levé de son gigantesque fauteuil tapissé de cuir noir.

« Monsieur Solomon, dit-il d'un ton très courtois. Ou devrais-je plutôt vous appeler Peto ? Prenez un siège, je vous prie. »

Il désigna poliment l'un des deux plus petits fauteuils, également tapissés de cuir noir, qui se trouvaient devant son bureau.

Comme à son habitude, Cromwell portait un costume taillé sur mesure d'un raffinement infini et d'un prix exorbitant, en l'occurrence, un trois-pièces gris sombre, ainsi qu'une chemise blanche impeccablement repassée, et une cravate de soie rouge tendre, si discrète qu'elle ne pouvait être que l'œuvre d'un artisan, et devait valoir à elle seule une petite fortune. Par-dessus les demi-lunes de ses lunettes, Cromwell considéra le moine, moins bien vêtu que lui, et de loin.

Peto portait un pantalon de treillis noir et une veste de karaté sans manches de la même couleur, avec une fine doublure jaune. À l'exception des trois premiers centimètres au-dessus du front, sa chevelure à présent longue et noire était entièrement dissimulée par un bandana rouge qu'il s'était noué autour de la tête à la mode des pirates. Il remercia Cromwell d'un léger acquiescement respectueux, et s'avança vers le fauteuil qu'il lui désignait, ses sandales claquant sur les lattes du plancher. Ce n'est qu'arrivé à hauteur du bureau du savant aux cheveux argentés qu'il prit la parole :

« Je vous remercie encore de m'accorder un peu de votre temps, professeur Cromwell. C'est très aimable de votre part.

— Bien au contraire, répondit le directeur du musée en tendant sa main par-dessus son bureau, tout le plaisir est pour moi ! C'est un vrai privilège de faire votre connaissance. »

Peto lui serra la main, et les deux hommes s'assirent.

« Vous savez ce qui m'amène ici ? commença par demander le moine.

— Sans vouloir trop m'avancer, je subodore que cela concerne la dépouille momifiée de Ramsès Gaius.

— En plein dans le mille. » Le moine sourit brièvement. « J'ai entendu dire que la momie avait été dérobée ici même l'année dernière, à peu près au même moment où tous mes frères d'Hubal se sont fait massacrer par le Bourbon Kid.

— Exactement. C'est la nuit durant laquelle le Bourbon Kid a accosté sur votre île pour assassiner Ishmael Taos et l'ensemble des moines d'Hubal, que la momie a disparu. Néanmoins, vous vous trompez sur un point. Je ne pense pas qu'elle ait été volée. Je crois qu'elle s'est enfuie. »

Il y eut un silence durant lequel chacun attendit la réaction de l'autre. Cromwell attendait de voir si le moine le croyait. Peto, quant à lui, attendait de voir si le professeur se moquait de lui. Tous deux finirent par se dire que toute méfiance était hors de propos. Ce fut Peto qui reprit la parole en premier.

« C'est bien ce dont je me doutais. Ainsi, vous êtes au courant, pour la malédiction de la momie.

— Naturellement, répondit Cromwell en poussant en son for intérieur un soupir de soulagement. Cependant, vous devez être l'une des seules personnes au monde à y croire. Si j'en parlais à quelqu'un d'autre, on me ferait très certainement interner dans une institution spécialisée. Je dois vous avouer que le fait d'y croire moi-même me trouble grandement. Je n'ai pas peur d'admettre que, à plusieurs reprises, je me suis questionné quant à ma santé mentale.

— Ouais, ouais, répondit le moine d'un ton compatissant. Je comprends parfaitement ce que vous voulez dire. Mais la dernière fois que je suis venu dans cette ville, j'ai vu tout un tas de conneries vraiment bizarres. À l'heure qu'il est, il y a peu de choses auxquelles je ne crois pas.

— Vous étiez ici durant l'éclipse, n'est-ce pas ?

— Ouais.

— Hmm. Un jour avant cette éclipse, un de mes anciens employés était passé me voir ici même avec l'Œil de la Lune. »

Cromwell se remémora le moment où Dante Vittori avait pris place sur le fauteuil où Peto était assis à présent. Au cours de cet entretien, le professeur avait planté son couteau dans le bras de Dante, dans le but de tester les pouvoirs curatifs de l'Œil. Les résultats de l'expérience s'étaient avérés assez peu probants, et le principal souvenir que le professeur en conservait était de s'être fait traiter de « vieil enculé » pour la première fois depuis la fin de sa scolarité.

Peto écarta l'un des pans de sa veste de karaté, dévoilant la pierre bleue qui pendait à son cou.

« Vous voulez parler de *ça* ? demanda-t-il tout en rabattant aussitôt le pan de sa veste.

— Dieu tout-puissant ! s'exclama Cromwell en se redressant sur son fauteuil de cuir dans un grincement de bois. Alors le Bourbon Kid n'est pas parvenu à mettre la main dessus ?

— Nan. Je l'ai pris et j'ai détalé. J'avais le sentiment qu'il allait essayer de s'en emparer. J'ai appris ensuite certaines choses au sujet d'Ishmael Taos, et ma foi en ses enseignements a quelque peu vacillé. J'ai alors décidé de passer quelque temps loin de l'île. Niveau *timing*, j'ai eu une putain de chance de cocu. Tous mes frères d'Hubal, y compris Taos, ont été massacrés la nuit même de mon départ.

— La nuit même où la malédiction de Ramsès Gaius a pris fin.

— Exactement. Ce qui explique ma présence ici. J'aimerais savoir si vous avez quelques informations supplémentaires à me donner à propos de la momie. À ce que j'ai entendu dire, vous êtes un homme très savant, qui connaît une chiée de trucs sur chacun des objets exposés dans ce merveilleux musée.

— Vous me flattez, sourit Cromwell. Mais vous n'avez pas tort. Je vous emmènerai voir ce qu'il reste de la momie, même si, autant vous prévenir, ça ne se limite qu'à un sarcophage. D'ailleurs, j'aimerais moi aussi vous poser une question. Vous venez de dire que vous aviez vu de bien étranges choses durant votre séjour en ces lieux. Pourriez-vous préciser ce dont il s'agissait ? Des vampires, des adorateurs de Satan ? Quelque chose d'autre, peut-être ? Je serais très curieux de l'apprendre. »

Peto inspira profondément.

« Eh bien, je ne pensais pas rencontrer un jour quelqu'un qui croirait à tous ces trucs. En gros, tout a commencé quand Kyle, mon frère d'Hubal, et moi avons regardé ce putain de film, *Week-end chez Bernie*. Au début, on a pensé que c'était une comédie franchement tirée par les cheveux, mais les choses qu'on a vues par la suite me poussent à croire aujourd'hui qu'il s'agit d'un documentaire. Nous avons été attaqués par des vampires, et nous avons vu une louve-garou se faire désintégrer par un chasseur de primes qui se piquait de travailler pour Dieu. Puis le Bourbon Kid est arrivé et, au moment de l'éclipse, il a tué à peu près tout le monde, avec un petit coup de main de la part d'un type nommé Dante.

— Dante Vittori. L'ancien employé dont je vous parlais, celui qui est passé me voir avec l'Œil, l'année dernière.

— Ah ouais ? Plutôt sympa, ce mec… enfin je crois.

— Oh ! c'est un jeune homme adorable, assura le professeur. Un peu brut, peut-être, mais fort heureusement, sa charmante petite amie veille à ce qu'il ne dépasse jamais les bornes. »

Peto acquiesça :

« Ouais. Une vraie bombe, cette fille. »

Cromwell quitta son siège pour s'approcher du mur recouvert de livres sur sa gauche.

« Cela fait un certain temps que je suspecte la présence de créatures du mal à Santa Mondega », dit-il en piochant un épais ouvrage sur une étagère, à hauteur de sa tête. Il jeta un coup d'œil à la couverture, épousseta la poussière qui la recouvrait, et revint s'asseoir avec le livre.

« Oh ! il y en a vraiment partout, ici, répliqua le moine d'un ton détaché. J'ai infiltré un gang de vampires assez récemment afin de découvrir où peut bien se cacher le Bourbon Kid.

— C'est vrai ? Comment y êtes-vous parvenu ? C'est une entreprise pour le moins dangereuse, non ? »

Peto tapota sa poitrine.

« Cette pierre bleue possède des pouvoirs incroyables, que j'ignore encore pour la plupart. Mais l'un de ceux que je maîtrise me permet de côtoyer les créatures du mal sans me faire détecter.

— Fascinant, commenta Cromwell en secouant la tête, visiblement très impressionné. Mais à quoi bon vous mettre sur la piste du Bourbon Kid ? Pour vous venger ? Parce que, à en croire ce que j'ai entendu à son sujet, mieux vaut l'éviter autant que possible.

— Je veux le guérir. »

Cromwell n'en crut pas ses oreilles :

« Le guérir ? De quoi ? De sa propension à tuer tout le monde ? Le remède absolu pour ce genre de maladie, je crois bien que ça s'appelle la chaise électrique !

— Croyez-le ou pas, dit le moine, soudain incapable de soutenir le regard du professeur, mais j'ai une certaine sympathie pour ce mec. Il n'a pas eu une enfance facile, à ce que j'ai appris. Je pense pouvoir le guérir de cette maladie qui le pousse à tuer sans raison.

Et plus que tout, je veux le regarder droit dans les yeux et m'assurer que, au fond de lui, il regrette ce qu'il a fait. Le sang d'Ishmael Taos coule dans ses veines : il ne peut pas être complètement mauvais. Je crois que, sous toute cette haine et toute cette colère, un cœur bon bat encore. »

Cromwell haussa fugacement les sourcils.

« Eh bien, bonne chance, dit-il en passant au moine le livre qu'il venait de prendre dans la bibliothèque. Tenez, vous devriez lire ceci. Cet ouvrage explique de façon très détaillée la malédiction de la momie qui s'est enfuie d'ici l'année dernière.

— Ramsès Gaius ?

— Lui-même.

— Dans ce bouquin ?

— Mais très certainement. Ramsès Gaius fut un souverain d'Égypte extrêmement puissant, principalement grâce aux choses qu'il apprit en se servant de la pierre bleue que vous portez au cou.

— C'est donc vrai ? Il est le premier à avoir porté l'Œil de la Lune ?

— Non. Il semblerait que c'eût été Noé.

— Putain, vous vous foutez de ma gueule, là ? »

Le professeur soupira.

« Pourquoi cette pierre inocule-t-elle la maladie de Tourette à toute personne qui la porte ?

— Putain de merde, si je le savais, répondit Peto dans un haussement d'épaules. Mais plus sérieusement… Noé, vous dites ?

— En tout cas, si l'on en croit ce livre, poursuivit le professeur. Gardez-le, et lisez-le. Puisque, vous l'avez dit vous-même, vous considérez *Week-end chez Bernie* plus comme un documentaire que comme une fiction, vous ne devriez pas avoir beaucoup de mal à croire la moitié des choses que vous lirez dans cet ouvrage. » Cromwell s'absorba un instant dans ses pensées, avant de reprendre. « À présent, suivez-moi. Je vais vous montrer le sarcophage d'où s'est enfui Gaius. La nuit de sa disparition, deux de mes vigiles ont été assassinés. L'un d'eux m'a téléphoné au beau milieu de la nuit pour m'informer qu'il avait vu quelque chose de curieux. Fort malheureusement, et à plus d'un titre, avant qu'il ait pu me dire ce qu'il avait vu, je l'ai entendu se faire tuer.

— Sans déconner ? Par la momie ?

— Pour tout vous dire, tous mes soupçons me portent à croire qu'il a été assassiné par Beethoven. »

Peto fronça les sourcils :

« Beethoven ? Le saint-bernard ? »

Cromwell avait l'habitude d'avoir affaire à des abrutis, mais là, on dépassait les limites du tolérable. Bien que Peto semblât plutôt intelligent, il regardait manifestement trop de films de merde, et semblait calquer sa vie loin de l'île d'Hubal sur les enseignements qu'il en tirait.

« Non, espèce d'idiot, répondit sèchement Cromwell. Beethoven le *compositeur*. »

Peto se tapa le front de la paume de la main.

« Bien sûr. Logique. Comment est-ce que j'ai pu soupçonner un chien, alors que le responsable est bien évidemment un compositeur mort au début du XIXe siècle ? »

Cromwell ne répondit pas. Vu comme ça, il avait peut-être été un peu prompt à juger le moine. Il convenait de se faire pardonner d'une façon ou d'une autre. Il se leva de son fauteuil et dit :

« Peut-être pourrais-je vous offrir un café en chemin, ou quelque chose à manger ?

— Merci, répondit Peto en calant l'ouvrage sous son bras et en quittant son siège. Mais vous pourriez cependant me rendre un autre service.

— Tout ce que vous voudrez, dit Cromwell dans un sourire, en se dirigeant vers la porte de son bureau.

— Vous savez où je pourrais trouver *Week-end chez Bernie 2* ? »

19

Le fait de manger un petit déjeuner préparé par autrui était l'une des rares choses que Sanchez adorait dans la vie. Le Olé Au Lait était réputé pour servir le petit déjeuner le plus correct de tout Santa Mondega. Mieux encore, c'était Flake, la jeune et délicieuse serveuse, qui vous l'apportait à votre table. Aujourd'hui, elle avait même eu la gentillesse de poser un journal à côté de l'assiette de Sanchez. Celui-ci savait néanmoins qu'elle le traitait aussi royalement parce que, à cette heure-ci (8 heures du matin), il était le seul et unique client du restaurant. Le reste des habitants de Santa Mondega étaient sans doute en train de cuver leur cuite de la veille. En fait, Sanchez était l'un des rares lève-tôt de la région.

« Je te laisserai un bon pourboire, tout à l'heure », déclara Sanchez en décochant un clin d'œil à Flake. La jeune et jolie brune le lui rendit sans rien dire et retourna derrière le comptoir. Sanchez était à peu près certain que, en s'éloignant de sa table, elle avait délibérément roulé des fesses à sa seule intention. Aussi s'était-il fait un point d'honneur à se rincer l'œil, uniquement afin que les efforts de cette brave fille n'aient pas servi à rien.

Une fois cette contemplation achevée, il avait baissé le regard sur ce qui se trouvait sur sa table. Une tasse de café presque tiède posée dix minutes avant que le reste de sa commande n'arrive, un journal et maintenant une assiette gigantesque remplie de bacon, de saucisses, d'œufs au plat, d'énormes champignons, de gruau de maïs et de frites maison. Par quoi commencer ?

Sanchez but d'abord une gorgée de café, puis, se saisissant de sa fourchette et de son couteau, s'attaqua à la saucisse la plus proche, dont il croqua une énorme bouchée. *Hmm, délicieux*, se dit-il.

La une du journal faisait la part belle à un article assez ennuyeux concernant un prêtre de Santa Mondega, impliqué dans une sombre affaire de sodomie d'enfants de chœur. Un scandale on ne peut plus banal, et qui n'éveillait nullement l'intérêt de Sanchez et de ses semblables. Comme beaucoup de journaux à ragots, celui-ci offrait à son lectorat la photographie d'une jeune femme particulièrement sexy à la page 3 de chaque numéro. Sanchez tourna donc la première page, prêt à s'en mettre plein les yeux.

Il faillit alors s'étouffer avec sa saucisse. Il ouvrit grand la bouche, et les morceaux à moitié mâchés tombèrent sur la table, à côté de son assiette. Sur la page 3 du *Bulletin de Santa Mondega* (ou « BDSM », comme les gens du coin préféraient l'appeler), Jessica plantait son regard droit dans celui de Sanchez. Elle n'était pas dénudée, notez bien, mais c'était bien elle. En regardant l'image de plus près, Sanchez se rendit compte qu'il ne s'agissait pas d'une photo d'elle, mais de la photo d'un portrait, avec en légende :

Portée disparue. Récompense de 500 $ pour toute information permettant de la retrouver.

Abasourdi, le barman fit courir un regard suspicieux tout autour de lui. Aucun autre client n'étant entré dans le Olé Au Lait, il semblait logique que personne n'ait vu ses bouts de saucisse lui tomber de la bouche. Personne, à part Rick, le chef cuistot, qui se tenait derrière le comptoir.

« Tout va bien, Sanchez ? » lança-t-il. Sa grosse toque de chef lui tombait sur les yeux, mais il n'avait pas besoin de ça pour ressembler étrangement au chef suédois du *Muppet Show*. Il avait de gros sourcils broussailleux, de minuscules yeux de fouine quasiment invisibles, et une épaisse moustache châtain.

« Un problème avec ta saucisse ?

— Nan, répondit Sanchez en hochant la tête. J'ai eu l'impression que j'allais éternuer, c'est tout. On dirait que c'est passé.

— OK. »

Rick acquiesça brièvement et reporta son attention sur le journal qu'il avait ouvert sur le comptoir.

Sanchez revint lui aussi à son quotidien. Sur la photo, Jessica portait une tenue entièrement noire, qui, aussi loin que pût se souvenir le barman, était le seul vêtement qu'elle possédait. La légende imprimée en dessous appelait simplement toute personne l'ayant vue à contacter le journal. Il n'était fait aucune mention de l'identité de la personne qui avait fait publier cette annonce, pas plus que de mention du nom de la personne qui offrait cette récompense. D'un côté, Sanchez n'aurait pas répugné à empocher les 500 dollars proposés, mais d'un autre, il préférait rester vivant, et de loin. Si l'on venait à apprendre qu'il gardait Jessica, plongée dans un coma profond, à l'abri dans une pièce du premier étage du Tapioca, il y aurait fort à parier que le Bourbon Kid ne tarderait pas à lui rendre une petite visite. Et Sanchez n'avait aucune envie de se mettre dans une merde pareille. Peut-être était-ce le Kid qui avait fait publier cet avis de recherche. Une chose était certaine : Sanchez se devait de savoir qui recherchait Jessica, et pour quelle raison. Mais il ne pouvait pas prendre le risque d'appeler lui-même le *BDSM* : tout le monde aurait été au courant de l'intérêt qu'il portait à l'affaire. L'esprit ailleurs, il ramassa ses morceaux de saucisse, et se remit à les mâcher. Après les avoir avalés et avoir rincé le tout d'une rasade de café, il appela le chef :

« Hé, Rick ! Ça te dirait de gagner une bouteille d'alcool fort gratos contre un service ? »

Rick fronça les sourcils :

« Si c'est contre un service, c'est pas gratos.

— Tu la veux, cette putain de bouteille d'alcool, oui ou non ?

— Carrément. Qu'est-ce qu'il faut que je fasse ?

— Est-ce que tu peux appeler le *BDSM* à ma place, et leur demander qui a fait publier cet avis de recherche ? »

Sanchez tendit la page 3 du journal en direction du chef afin que celui-ci y jette un œil.

Rick fit lentement le tour du comptoir, s'approcha de Sanchez et saisit le journal afin d'examiner l'annonce.

« Ils te diront pas qui l'a fait publier. C'est un appel à témoins confidentiel, conclut-il dans un haussement d'épaules.

— Il y a forcément un moyen de découvrir qui est derrière tout ça.

— Peut-être bien. J'ai un ami qui a un ami qui bosse au *BDSM*. Je peux toujours lui demander d'essayer de dégotter cette info, si c'est si important pour toi.

— Ça l'est. Et si tu fais ça pour moi, ça te vaudra une de mes meilleures bouteilles d'alcool fort.

— Un whiskey du Tennessee ? demanda le chef, plein d'espoir.

— Tout ce que tu voudras », répondit Sanchez, royal. Il suffisait de connaître un tant soit peu Sanchez pour savoir que s'il était prêt à céder quelque chose qu'il avait payé cash, l'affaire était vraiment importante.

« Marché conclu. Ça lui prendra peut-être un jour ou deux pour trouver l'information, mais dès que j'ai du neuf là-dessus, je t'appelle.

— Merci, Rick, tu me tires une sacrée épine du pied », répondit Sanchez. À en juger par son ton, c'était sincère.

« Remplis-moi cette tasse de café, tu veux. »

Le cuistot fronça de nouveau ses épais sourcils : « Et pourquoi est-ce que tu peux pas appeler toi-même le *BDSM* ? demanda-t-il.

— J'ai pas envie qu'on sache que cette fille m'intéresse, c'est tout. D'ailleurs, ce serait aussi bien que ça reste entre nous, hein ?

— Pas de problème », répliqua Rick. Puis dans un large sourire, il ajouta : « Tu sais où se trouve la cafetière. T'as qu'à aller te resservir toi-même, gros tas de saindoux. »

20

C'était de loin la mission la plus excitante dont Stephanie Rogers avait été chargée au cours de sa carrière dans la police. Soit, au premier abord, cela avait semblé une vraie punition. Lire un bouquin, faire une présentation des éléments qu'on pouvait en tirer, et soumettre des suggestions aux brillants inspecteurs quant aux pistes à suivre. Mais en réalité, ce n'était pas un livre comme les autres, et ce n'était pas un commissariat comme les autres, dans une ville qui, en soi, était loin d'être normale.

Le bouquin que Rogers avait lu était un livre sans nom écrit par un auteur anonyme. Celui-là même dont tous les lecteurs sans exception étaient morts. Assassinés. Pas un seul survivant. Le succès de sa mission dépendait de ce qu'elle découvrirait dans ses pages. On espérait qu'elle y trouverait les raisons de ces meurtres. Elle en était finalement venue à bout. Cela avait été un projet solo, et top secret de surcroît, dont elle ne devait parler qu'aux trois policiers qui lui avaient assigné cette mission.

Et à cet instant précis, elle s'apprêtait justement à présenter ses découvertes à ces trois policiers, les trois membres de la police de Santa Mondega chargés de résoudre le mystère du *Livre sans nom*, de déterminer ses liens avec les homicides et, bien entendu, avec le Bourbon Kid, de sinistre mémoire.

Dès le premier jour, on avait martelé à Stephanie qu'il lui faudrait dévoiler l'ensemble des éléments qu'elle découvrirait, quand bien même ils lui paraîtraient complètement anodins ou ridicules. Et rétrospectivement, c'était un vrai soulagement, parce que, très franchement, ce qu'elle avait découvert était absolument absurde et complètement incroyable.

Le capitaine de La Cruz et les inspecteurs Benson et Hunter étaient assis dans la salle de briefing, chacun à une table différente. Cette pièce avait tout d'une salle de classe. Un seul de ses murs était percé de fenêtres, toutes dissimulées par des stores noirs fermés. Dans le mur d'en face, on ne voyait qu'un seul carreau de verre, celui qui perçait le haut de la porte d'entrée, à gauche de l'estrade. Face à cette estrade, douze tables étaient alignées, trois par trois.

Michael de La Cruz était assis sur la petite chaise en plastique du premier rang qui se trouvait le plus près de la fenêtre. C'était un bel homme d'origine sud-américaine, toujours très soigné de sa personne, et d'un goût vestimentaire très sûr. Il était sans doute le policier le plus vaniteux de tout le commissariat, mais l'attention qu'il portait à son apparence illustrait parfaitement la méticulosité dont il faisait preuve dans la vie en général. Les détails les plus infimes avaient une importance considérable aux yeux de cet homme.

En tout cas, il était évident qu'ils importaient beaucoup plus à ses yeux qu'à ceux de son collègue, Randy Benson, un individu très négligé qui paraissait ne jamais prendre de douche et qui, en l'occurrence, était assis au troisième rang. Il vivait encore chez sa mère, et on racontait qu'il n'avait jamais eu de petite amie. Stephanie croyait ces rumeurs : ce raté, avec ses airs débraillés et ses cheveux grisonnants, était connu pour s'énerver pour un rien, sans doute un signe de frustration sexuelle majeure. C'était un homme repoussant à peu près à tous les égards. Par-dessus le marché, il était extrêmement velu. Stephanie était quasiment certaine que, sous sa chemise sans manches, une véritable forêt de poils recouvrait sa poitrine, et elle espérait ne jamais être confrontée à un tel spectacle.

Le troisième policier, Dick Hunter, était assis à la table du milieu, tout au fond de la salle. Stephanie ne le connaissait pas vraiment. Cela faisait à peine huit mois qu'il avait rejoint les forces de police de Santa Mondega : il faisait partie des nombreuses nouvelles recrues venues d'ailleurs pour étoffer les effectifs, considérablement réduits par le massacre de l'année précédente. D'origine sud-africaine, il avait les cheveux châtain clair, légèrement clairsemés, et semblait être à première vue quelqu'un de bien éduqué et de courtois. Peut-être un peu trop timide, pensait Stephanie.

Durant trente minutes, tous trois écoutèrent les éléments qu'elle leur soumit, sans l'interrompre une seule fois, ni même exprimer d'une façon ou d'une autre ce qu'ils pensaient de ses découvertes. Stephanie ne parvenait pas à déterminer si les trois trentenaires la prenaient au sérieux : arrivée à sa synthèse, elle se sentait mal à l'aise, au point de regretter cette mission.

« Donc, pour résumer », commença-t-elle, suscitant enfin un relatif intérêt chez Michael de La Cruz. Elle espérait beaucoup l'impressionner, en grande partie parce qu'elle avait eu avec lui une aventure aussi brève que torride, six mois auparavant, et qu'elle aurait aimé remettre le couvert. Ce type était un tyrannosaure du sexe. Un vrai monstre au pieu.

À ces quelques mots introduisant la conclusion, de La Cruz se redressa sur sa chaise, comme s'il n'avait pas prêté la moindre attention à ce qu'elle avait dit jusque-là. Stephanie tenta de son mieux de faire semblant de ne pas l'avoir remarqué, mais cela brisa un instant sa concentration. Elle observa une courte pause afin de ne pas bafouiller d'entrée de jeu. Elle avait spécialement choisi pour cette présentation son tailleur le plus distingué et le plus sexy, une veste grise très élégante avec une jupe qui tombait juste au-dessus du genou, un chemisier blanc qui dévoilait juste ce qu'il fallait de poitrine, et pourtant *aucun* de ces trois blaireaux ne l'avait complimentée. Tout ce à quoi elle avait eu droit, ç'avait été un bref regard concupiscent de Benson, mais ça ne comptait pas. Ce type aurait reluqué n'importe quelle femme, même vêtue de sacs-poubelle.

Préférant pour des raisons diverses ne croiser le regard d'aucun des policiers, Stephanie débuta son résumé en fixant l'écran d'ordinateur sur le petit bureau qui se trouvait à côté de l'estrade.

« Le *Livre sans nom* est, en gros, un pot-pourri d'histoires et de faits supposés condensés en un seul ouvrage. En grande partie, tout cela ne rime absolument à rien. La grammaire et l'orthographe sont proprement consternantes, et l'auteur est manifestement un imbécile, ce qui explique sans doute pourquoi il a préféré ne pas faire figurer son nom sur le livre. » De La Cruz poussa un petit rire poli qui la calma quelque peu. Elle se fendit d'un bref sourire avant de poursuivre : « À moins que, en réalité, cet ouvrage n'ait été écrit par plusieurs auteurs. Mais voyons plutôt les points les plus importants. » Elle pointa le tableau blanc derrière elle, sur lequel apparut la première image de la présentation qu'elle avait préparée sur son ordinateur : il s'agissait d'une photographie d'Archie Somers. « L'inspecteur Archibald Somers, policier très respecté au sein de la police de Santa Mondega avant sa mystérieuse disparition, était en réalité le Seigneur des Ténèbres, Armand Xavier. »

L'énormité de ce qu'elle venait de dire serra un nœud de plus dans ses entrailles, aussi fermement que si elle avait été victime d'une intoxication alimentaire. Les trois policiers s'échangèrent quelques regards. Ils s'entêtaient à garder leur avis pour eux-mêmes, mais il aurait été bien inutile de l'exprimer haut et fort : Stephanie était sûre et certaine qu'ils la prenaient pour une imbécile finie. *Puisqu'on y est, autant aller jusqu'au bout*, se dit-elle en passant à la deuxième image.

« Cette femme, connue sous le nom de Jessica Xavier, était son épouse : c'est elle qui fit de lui une créature du mal, quelque temps après qu'il eut découvert le Saint-Graal et bu le sang du Christ, ce qui le rendit immortel… ça tombe évidemment sous le sens. »

De toutes ses forces, Stephanie tâchait de donner l'impression qu'elle ne croyait pas un seul mot de ce qu'elle racontait, au cas où, tout d'un coup, les trois hommes se décideraient à éclater de rire. Pourtant, une fois de plus, il n'y eut aucune réaction au sein de son auditoire.

Image trois. Un homme au visage dissimulé dans l'ombre de sa capuche.

« On suspecte cet homme, le Bourbon Kid, d'avoir assassiné Archibald Somers (ou Armand Xavier, comme vous préférez) ainsi que son épouse Jessica l'année dernière, au cours de l'éclipse. En ce qui concerne leurs trois fils… » Elle passa alors à la quatrième image, une photo d'El Santino, Carlito et Miguel, trois gangsters de Santa Mondega décédés, abattus au Tapioca Bar. « Selon toute probabilité, eux aussi ont été assassinés par le Kid, mais, contrairement à leurs parents, leurs corps ont bien été retrouvés et identifiés. »

Image cinq : une représentation du *Livre sans nom*, sans doute une gravure ancienne.

« Ce livre, celui-là même que j'ai lu et analysé, est censé avoir été fabriqué à partir de la croix sur laquelle Jésus-Christ a été crucifié. Ce qui implique qu'aucune créature du mal ne peut le toucher, sous peine de mourir instantanément. Un peu comme Superman et la kryptonite, si on veut. » De nouveau, aucune réaction. *Merde.* « Le livre indique explicitement qu'Archibald Somers est bien Armand Xavier, ce qui explique pourquoi il tuait toutes celles et tous ceux qui le lisaient. Il ne pouvait bien évidemment pas le détruire, car le simple fait de le toucher aurait provoqué sa propre mort. »

Image six. Un instantané tiré d'*Indiana Jones et la dernière croisade*, où l'on voyait Harrison Ford portant une coupe en bois.

« Le Saint-Graal. Le livre ne révèle rien quant à son emplacement : il mentionne simplement le fait que les dernières personnes à l'avoir vu furent Armand Xavier et son ami Ishmael Taos, un moine qui, apparemment, serait le père du Bourbon Kid. »

Image sept. La photo d'un moine, censée représenter Ishmael Taos, mais qui était en réalité une photo de Chow Yun-fat dans le film *Bulletproof Monk*.

« Selon le *Livre sans nom*, qui boit dans la coupe du Christ (ou Saint-Graal, si vous préférez) devient immortel. » Elle observa une pause. « Enfin, pas tout à fait. » Les trois policiers parurent un peu plus intéressés, comme cela avait été le cas lorsqu'elle avait abordé ce point, en début de présentation. « On devient immortel en buvant le sang du Christ, et c'est précisément ce qu'ont fait Xavier et Taos il y a de cela plusieurs siècles, sans laisser la moindre goutte derrière eux. Si l'on boit le sang de Xavier ou de Taos ou de leurs descendants, on devient immortel, mais dans une moindre mesure. Si l'on boit le sang d'un vampire dans le Saint-Graal, le résultat est le même, à ceci près qu'on devient également un vampire. Je crois que ce que dit le livre à ce sujet, en substance, c'est qu'on acquiert le pouvoir de la personne dont on boit le sang dans la coupe du Christ. J'imagine que par exemple, si on boit le sang d'Einstein dans cette coupe, on devient un génie, ou un truc comme ça. Mais le livre suggère également autre chose qui, je crois, n'a jamais été essayé jusqu'ici : si l'on buvait une combinaison de sang des descendants de ceux qui ont bu le sang du Christ, de sang de vampire et de sang de mortel, on aurait toutes les chances de devenir non seulement immortel, mais tout-puissant. Pas uniquement le Seigneur des Ténèbres, mais le Seigneur d'Absolument Tout. Plus puissant que Somers, Jessica, le Bourbon

Kid ou Ishmael Taos. En fait, sans doute plus puissants qu'eux tous réunis. L'arme fatale, si vous voulez. »

Sa présentation s'achevait techniquement sur ces mots. Stephanie attendit une réaction des trois hommes, une réaction qu'elle espérait positive. À son plus grand soulagement, de La Cruz se mit à applaudir.

« Stephie, vous vous êtes surpassée. C'est un boulot vraiment fantastique.

— Vraiment ?

— Eh comment ! C'était exactement ce genre de choses que nous espérions entendre.

— Alors dans ce cas, je dois vous préciser qu'il y a une dernière chose que je n'ai pas incluse dans ma présentation. La cerise sur le gâteau, en fait. »

Benson et Hunter se redressèrent sur leur chaise. Se pouvait-il que Stephanie Rogers ait vraiment trouvé quelque chose, quelque information plus cruciale que toutes celles qu'elle venait de leur soumettre ?

De La Cruz se leva de son siège et parla en leur nom à tous.

« Je vous en prie. Dites-nous », demanda-t-il en allant la rejoindre à côté de l'ordinateur. Elle inspira à pleins poumons. « J'ai découvert ce qui était arrivé à Ishmael Taos », dit-elle enfin en souriant.

Au fond de la pièce, Hunter éleva la voix :

« Voilà qui est intéressant. Racontez-nous ce que vous avez trouvé.

— Ishmael Taos a été assassiné peu après l'éclipse. Il s'est fait décapiter dans sa cellule monastique.

— Aïe ! glapit de La Cruz, en grimaçant et en se frottant le cou.

— Je soupçonne le Bourbon Kid (qui, comme je l'ai dit précédemment, n'est autre que son fils) de l'avoir tué. Le Kid l'a assassiné, ainsi qu'à peu près tous les autres moines de l'île d'Hubal, avant de disparaître avec un objet on ne peut plus précieux, la pierre bleue plus connue sous le nom d'Œil de la Lune. »

Les trois policiers se regardèrent. Sans trop savoir pourquoi, Stephanie eut soudain le sentiment que les trois hommes étaient au courant. Ils faisaient semblant d'être surpris, sans doute pour lui faire plaisir. Le moment était venu de les surprendre pour de bon.

« Vous saviez déjà tout cela ? demanda-t-elle.

— Nous le soupçonnions », répondit Benson en se levant, frottant son entrejambe pour remettre ses génitoires en place. Hunter s'empressa de se lever également. Il attrapa son attaché-case qu'il avait déposé au pied de sa table, et s'apprêta à partir. Cependant, le capitaine de La Cruz, qui était le plus haut gradé, fit signe à ses deux collègues d'attendre encore un peu. Il connaissait assez Stephanie pour savoir qu'il lui restait quelque chose à dire, quelque chose d'important.

Et Stephanie avait bel et bien quelque chose d'autre à leur révéler. Elle essaya de prendre un air désinvolte, mais sa voix trahissait l'orgueil qu'elle éprouvait.

« En revanche, l'un d'entre vous sait-il comment s'appelle le Bourbon Kid ? demanda-t-elle d'un ton où filtrait un brin de suffisance. Ou même l'adresse à laquelle il réside ?

— Non. » De La Cruz hocha la tête. « Personne ne sait rien de tout cela. Et je doute fort que qui que ce soit l'apprenne un jour. »

Stephanie sourit. Son instant de gloire était enfin arrivé.

« Moi, je crois savoir », déclara-t-elle.

[illegible]

[illegible]

[illegible]

[illegible]

[illegible]

[illegible]

[illegible]

21

La chambre qu'avait choisie Dante pour sa lune de miel surprise avec Kacy s'avéra être un QG idéal pour sa mission d'infiltration. Après que Robert Swann eut payé un supplément en liquide, ils purent s'installer dans l'impressionnante suite du deuxième étage. Les deux jeunes amoureux disposaient d'une chambre double rien que pour eux, et, en plus d'un vaste salon, il y avait une autre chambre pour Swann et sa collègue, tous deux « baby-sitters » du couple.

Dante était assis sur l'énorme lit de la chambre qu'il partageait avec Kacy. La pièce était d'une taille respectable, avec le lit en plein milieu, recouvert d'une couette orange impeccable. Dans quelques minutes, il essaierait pour la première fois de se faire passer pour un vampire.

Swann pénétra dans la chambre en se dirigeant droit vers le jeune homme dont il avait la charge, une seringue pleine de sérum à la main.

« Prêt pour l'injection ? demanda-t-il en s'asseyant sur le bord du lit.

— Plante-la vite, espèce de misérable tas de merde », grogna Dante en retour.

Il avait retroussé la manche gauche de sa chemise bordeaux afin que Swann puisse lui injecter le sérum censé garantir sa survie. Kacy, vêtue d'un jean bleu et d'un T-shirt rose, était assise à côté de lui. Elle lui tenait la main, profitant de chaque seconde qui lui restait à partager avec lui, avant que ces gros lâches des services secrets ne l'envoient faire leur sale boulot à leur place. De tout son cœur, elle espérait qu'il passerait incognito grâce au sérum, et survivrait à cette première nuit parmi les vampires. On leur avait expliqué que les composants chimiques du sérum feraient baisser la température du sang de Dante, juste assez pour qu'il puisse se mêler aux créatures du mal sans qu'aucune d'entre elles le considère comme un repas potentiel.

L'agent Swann semblait prendre un plaisir particulièrement pervers à vider le contenu translucide de la seringue dans le bras de Dante. Le jeune homme ne tiqua pourtant pas plus lorsque l'aiguille se planta dans sa veine, que durant les quinze secondes pendant lesquelles elle y resta, délai bien plus long que nécessaire. Sadique par nature, Swann éprouvait en outre une antipathie considérable à son endroit (comme à peu près toute personne représentant une autorité quelconque) : le fait de prolonger toute douleur ressentie par Dante était donc pour lui un vrai plaisir.

Dans la chambre se trouvait également la toute nouvelle collègue de Swann, l'agent spécial Roxanne Valdez. C'était une grande femme, à la peau noire, aux cheveux ornés de perles, plaqués en arrière. Elle portait un pull blanc et moulant qui révélait des courbes sensuelles, ainsi qu'une courte jupe marron. Ils avaient choisi leurs vêtements afin de passer aux yeux du personnel de l'hôtel pour deux couples d'amis en vacances. Swann s'était déguisé en touriste, avec une chemise hawaïenne bleue et un long short en cotonnade. *Question discrétion, il repassera*, pensa Dante en endurant l'injection que lui faisait subir l'agent spécial. *Il aurait écrit « infiltré » sur le front que ça changerait pas grand-chose. Sale connard.*

Ce fut l'agent Valdez qui mit un terme à cette injection qui traînait inutilement en longueur. Elle avait parfaitement remarqué que son collègue tirait bien trop de plaisir à faire son boulot.

« Allez, ça suffit, lança-t-elle sèchement. Vous vous conduisez comme une merde, là. *Arrêtez ça.* »

Swann lui lança un bref regard, plein de mépris, et retira l'aiguille du bras de Dante.

« J'ai insisté un poil, uniquement pour être sûr d'avoir injecté la bonne dose de sérum, dit-il d'un ton peu convaincant. Mieux vaut en mettre un peu trop que pas assez. »

Il vérifia que la seringue était complètement vide, puis se leva pour aller la nettoyer. Il traversa le vaste salon, meublé d'un sofa, de deux profonds fauteuils, d'un minibar, d'une table basse et d'une télévision, et disparut à l'autre bout de la pièce, par la porte d'une des deux salles de bains de la suite. Roxanne Valdez s'avança alors vers le côté du lit où Swann s'était assis. Elle prit place à côté de Dante dont elle saisit le bras afin de vérifier que l'aiguille n'avait causé aucune contusion, même infime. À la façon dont Valdez saisit le biceps de Dante, Kacy fut convaincue que son désir véritable avait été de tâter le muscle de son chéri, plutôt que de traquer un quelconque hématome. De plus, en s'asseyant, l'agent avait sournoisement posé une main sur la cuisse de Dante, comme pour s'y appuyer. Et, cerise sur le gâteau, elle sembla tenir son bras à peine une seconde de trop, comme pour confirmer que son examen ne relevait pas strictement de l'ordre professionnel.

« Parfait, tout va bien, déclara Valdez en souriant à Dante. Comment vous sentez-vous ? Prêt à conquérir l'outre-monde ? »

Dante la regarda droit dans les yeux en lui décochant un sourire horriblement faux : « Allez vous faire mettre », lâcha-t-il d'un ton sec.

Kacy fut soulagée de constater que le sourire mielleux et l'effleurage de biceps, limite déplacé, n'avaient pas suffi à faire tomber son homme sous le charme de l'agent.

« Hé ! ne faites pas votre mauvaise tête, dit Roxanne sans se défaire de son sourire charmeur, et en caressant de nouveau son bras. Dites-moi, est-ce que vous vous sentez prêt à porter un mouchard dès ce soir ? Ou vous préférez remettre ça à plus tard ?

— *Porter un mouchard ?* Vous me prenez pour le roi des cons ?

— Non, répondit calmement Roxanne. Personne ici n'est le roi des cons.

— Ah ! je suis pas d'accord, répliqua Dante en pointant l'agent Swann qui traversait le salon dans leur direction. Regardez. Le roi des cons. »

Swann pénétra dans la chambre : « J'ai tout entendu. Ça suffit, ces conneries. Chacun suit les ordres, pas vrai ? Ce n'est pas moi qui ai mis cette mission sur pied ni moi qui t'ai embarqué à bord. Je suis juste le type qu'on a chargé de te chaperonner. Et si tu crois que ça me fait plaisir de rester assis sur mon cul jour et nuit dans cette putain de chambre d'hôtel à surveiller ta chialeuse de petite copine, tu te plantes. Alors, arrête avec tes commentaires à la con.

— Putain, qu'est-ce que j'ai peur, se moqua Dante. Juste un truc : tu traites encore Kacy de chialeuse, et je vais te donner moi une vraie raison de chialer.

— Ah ouais ? répliqua Swann par-dessus son épaule, alors qu'il se dirigeait de nouveau vers le salon. Essaie, pour voir. »

Bien décidée à mettre fin à cet échange viril, qui selon elle atteignait des sommets de puérilité dignes de la maternelle, Roxanne interrompit le dialogue. Elle caressa une fois encore le bras de Dante, puis rabaissa sa manche afin de dissimuler le point d'injection.

« Écoutez, Dante, dit-elle posément, on laisse tomber le mouchard pour cette nuit. Essayez simplement de vous faire accepter par l'un des clans de vampires. Et tâchez de voir au sein duquel votre copain le moine est le plus susceptible de se cacher. Il se pourrait qu'il soit déjà mort : si c'est le cas, essayez de glaner autant d'informations que possible au sujet de l'Œil de la Lune, notamment le nom du clan qui serait parvenu à mettre la main sur la pierre.

— Elle a tout dit, mon pote, lança Swann du salon, appuyé contre une table de chêne massif à côté de la porte de la salle de bains. Comme on te l'a dit tout à l'heure, ta meilleure option est d'aller au Nightjar. C'est le bar de prédilection des vampires. Essaie d'entrer, use de ton charme si personnel pour faire ami-ami avec l'un des vampires qui boira seul, et, après ça, arrange-toi pour qu'il te présente des amis à lui. Avant même de t'en rendre compte, tu te retrouveras à vider des putains de verres avec le comte

Dracula. Simple comme papa maman. Tout va bien se passer.

— Putain, si c'est aussi facile que ça, pourquoi tu t'y colles pas, espèce de gros dur ? rétorqua Dante.

— Ce serait bien volontiers, si seulement je savais à quoi ressemblait ton pote Peto le moine. Ducon ! »

Swann accompagna sa remarque d'un hochement de tête méprisant, comme agacé par la stupidité de Dante. La vérité, c'était qu'il n'aurait pas échangé sa place contre la sienne pour tout l'or du monde. Il se dirigea une nouvelle fois vers la chambre, mais s'arrêta devant le minibar du salon pour y piocher un rafraîchissement. Alors qu'il se courbait pour ouvrir la porte du frigo, Kacy pressa le bras de Dante pour attirer son attention. Son amoureux détourna les yeux de Swann pour la regarder.

« Ne pose aucune question qui pourrait t'attirer des ennuis, dit-elle sans parvenir à masquer l'inquiétude qui ne quittait à présent plus son visage. Si tu crains qu'une de tes remarques grille ta couverture ou te fasse remarquer, ne dis rien. Surtout, pour l'instant, ne fais rien qui serait susceptible d'attirer l'attention. Ces deux-là, leurs ordres, ils peuvent toujours se les foutre au cul. C'est ta première nuit en infiltration. Prends ton temps. Ne dis rien de stupide. Contente-toi de laisser traîner une oreille partout où tu le pourras, des fois que quelqu'un dirait quelque chose d'intéressant. »

Dante se pencha et l'embrassa sur les lèvres afin de la rassurer, retirant son bras de l'étreinte de Roxanne Valdez pour caresser les longs cheveux noirs de Kacy, en espérant que ça suffirait à la calmer.

« Fais-moi confiance, ma puce. Je sais ce que je fais. Quand il le faut, je sais plutôt bien me fondre dans la foule. T'inquiète pas pour moi, je serai de retour avant le lever du soleil.

— Jure-moi seulement que tu seras prudent.

— Juré, ma puce. »

Dante lui décocha un clin d'œil avant de se lever.

« Bon. Il serait temps de s'y mettre. »

Swann apparut dans l'encadrement de la porte, pointant Dante de l'index : « Suis bien les conseils de ta petite copine, mon pote. Ne fais rien de stupide, et tâche de trouver des réponses à tout ce dont on a parlé. Et je veux en savoir plus sur l'ensemble des clans. Essaie d'apprendre qui en sont les chefs. Ça impressionnera le boss, et peut-être que ça te vaudra une récompense quand tout ça sera terminé.

— Comme si j'en avais quelque chose à foutre d'impressionner ton boss, marmonna Dante en lui passant devant pour traverser le salon. Si ta putain de tête de nœud de patron a tant envie de savoir qui sont les chefs des clans, il a qu'à chercher tout seul. »

Dante entra dans la salle de bains, se dérobant à la vue de tous au détour de la porte. La pièce était petite (la salle de bains attenante à la chambre de Kacy et de Dante était bien plus grande), avec un lavabo en émail blanc sur la gauche et une douche de la même couleur en face, ainsi qu'une cuvette de W-C dans un coin de la pièce. Dante se pencha au-dessus du lavabo et contempla son reflet dans le miroir. *Tu peux le faire*, se chuchota-t-il à lui-même. *T'as des nerfs d'acier. Ça va le faire. Les doigts dans le nez.*

Il serra les poings et afficha une mine de gros dur à l'intention du miroir. Il ne voulait pas que Kacy le voie ainsi, nerveux au point de devoir se motiver lui-même. Il ne voulait lui présenter que cette version de lui, cool et inflexible, qui s'était fait injecter le sérum dans la chambre sans sourciller. Inutile de l'inquiéter outre mesure. La tâche lui serait encore plus difficile si jamais Kacy comprenait que, pour la première fois de toute sa vie, il était absolument pétrifié de peur.

Après un petit concours de regards menaçants avec son reflet, il tourna le robinet d'eau chaude du lavabo, et, des deux mains, s'aspergea le visage. Le sérum commençait à présent à faire effet : Dante ressentait les premiers frissons qui accompagnaient la chute de sa température corporelle. L'eau chaude l'aidait à supporter le choc thermique initial.

Le visage de Roxanne apparut dans l'entrebâillement de la porte.

« Tout va bien ? demanda-t-elle. Vous avez l'air un peu nerveux. Peut-être vaudrait-il mieux que vous preniez un petit remontant avant de sortir.

— Nan, ça ira, répondit Dante. Ces saloperies de vampires boivent sûrement comme des trous : à mon avis, c'est pas plus mal si je m'abstiens de picoler avant de partir. Il y a pas mal de chances pour que je finisse la nuit défoncé à la bière et à la tequila, et, faut voir les choses en face, plus je serais soûl, plus les risques de me mettre dedans augmenteront. »

Roxanne pénétra dans la salle de bains en refermant la porte derrière elle. Elle se campa à côté de Dante et se mit à lui caresser le dos.

« Vous savez, Dante, en vérité, vous êtes bien plus intelligent que la plupart des gens le croient, dit-elle en lui adressant un sourire réconfortant.

— C'est gentil. »

Il lui rendit un sourire poli alors qu'elle passait sa main sur son bras, comme pour le rassurer. Après tout, peut-être qu'elle n'était pas aussi salope que ça. En fait, jusqu'ici, elle avait tout fait pour l'aider à garder son calme. Dante était bien forcé de lui en être un tant soit peu reconnaissant.

« Je ferais mieux d'y aller », dit-il en tapotant amicalement l'épaule de Roxanne. Il se glissa dans le petit espace compris entre la douche et le lavabo, et rouvrit la porte. Il lui sourit une dernière fois et sortit de la salle de bains, prêt à affronter les créatures du mal pour la première fois depuis son départ de Santa Mondega, un an auparavant.

Fort malheureusement, et malgré sa grande clairvoyance, Dante n'avait pas été assez malin pour remarquer un détail aussi important que dérangeant lorsque Roxanne, tout à côté de lui, lui avait caressé le dos.

Au-dessus du lavabo, le miroir n'avait alors reflété que *lui*.

22

L'accès au vestiaire du sous-sol du commissariat était tacitement interdit depuis des années déjà. Des policiers s'y rendaient parfois, lors d'occasions exceptionnelles, pour discuter de certaines choses en toute intimité, mais on y faisait référence qu'avec force froncements de sourcils, et, selon la tradition de la police de Santa Mondega, tout agent surpris en ces lieux était en droit de s'attendre à un sacré savon.

Pourtant, c'était bel et bien dans ce vestiaire que se trouvait à présent Stephanie, en compagnie de De La Cruz, Benson et Hunter.

« Qu'est-ce qu'on est venus chercher ici, au juste ? » demanda-t-elle d'un ton nerveux. Très pointilleuse sur les règles de conduite, elle n'appréciait pas du tout de se retrouver dans un lieu officiellement interdit.

« Nous ne cherchons rien, répondit de La Cruz. Nous avons *trouvé* quelque chose, et je crois qu'il serait bon que vous le voyiez. »

C'était de La Cruz qui ouvrait la marche parmi les casiers de ce vestiaire humide et miteux, en direction des douches laissées à l'abandon, tout au fond. Stephanie avait toute confiance en de La Cruz, mais le fait d'être dans un vestiaire souterrain en compagnie de trois hommes (même s'il s'agissait de policiers) avait quelque chose d'un peu intimidant. Elle s'efforçait pourtant de dissimuler la nervosité qu'elle éprouvait. Elle marchait derrière de La Cruz, tandis que Benson et Hunter suivaient à un mètre ou deux dans son dos, comme pour ne pas se faire entendre. Et effectivement, ils étaient bel et bien en train d'échanger des murmures.

Lorsqu'ils arrivèrent dans le coin des douches qu'aucune cloison ne séparait les unes des autres, de La Cruz se tourna vers Stephanie : « Prête à découvrir pour quelle raison précise ce vestiaire a toujours été interdit ? » lui demanda-t-il.

Stephanie haussa les sourcils :

« Si vous voulez. »

De La Cruz appuya sur l'interrupteur des douches le plus éloigné de l'entrée du vestiaire. Il y eut un vrombissement soudain, suivi d'un long raclement assourdissant : le mur du fond des douches peint en bleu clair coulissait sur la gauche. De La Cruz venait d'ouvrir un passage secret, qui donnait sur certaines choses dont il aurait sans doute mieux valu ne jamais s'approcher. Stephanie se sentait encore plus mal à l'aise qu'auparavant. Que comptait-il lui révéler, au juste ? Intriguée malgré elle par la nature de ce qu'on voulait lui montrer, Stephanie se laissa porter par sa curiosité et jeta un coup d'œil au fond du passage secret pour voir ce qui y avait été si savamment dissimulé. À première vue, ce n'était rien d'important. Dans la semi-obscurité de la petite salle qu'avait révélée le mur coulissant, Stephanie ne distingua qu'une vieille table de bois sur laquelle reposaient un livre et un calice doré. Elle se retourna pour lancer un regard interrogateur à de La Cruz.

« Ceci, ma chère Stephanie, dit-il d'une voix suave, est le Saint-Graal dont il est question dans le *Livre sans nom* que vous avez si brillamment étudié. Il était tout simplement caché là, sous notre nez, au sein même du commissariat. »

Ne sachant trop comment réagir à une déclaration aussi bizarre, Stephanie se contenta d'afficher un sourire blasé. *De La Cruz est forcément en train de se foutre de moi*, pensa-t-elle.

« Vous plaisantez, n'est-ce pas ? » demanda-t-elle en observant les réactions de Benson et d'Hunter, toujours derrière elle. Tous deux avaient un air terriblement sérieux.

« C'est bien ça, hein ? »

De La Cruz hocha la tête : « Vous voyez ce livre sur la table ? demanda-t-il.

— Oui.

— Nous pensons qu'il a été écrit par Archibald Somers. C'est une sorte de journal intime, ou plutôt une série de mémos personnels. Son contenu confirme en grande partie les conclusions que vous avez tirées de votre étude du *Livre sans nom*, et que vous nous avez soumises.

— C'est vrai ? Alors pourquoi m'avoir assigné cette tâche ? » Stephanie ne comprenait plus rien. Et elle était passablement en colère. Si le bouquin de Somers leur en avait tant appris que ça, à quoi bon lui avoir demandé de lire dans les grandes largeurs ce putain de *Livre sans nom* ?

« En fait, il apparaît clairement que Somers a écrit sa propre version des faits, répondit de La Cruz. Dans cette espèce de journal, il relate l'ensemble de ses méfaits dans le plus grand détail, et réécrit l'histoire du *Livre sans nom* selon son point de vue personnel. Étant lui-même une créature du mal, il ne pouvait se permettre de toucher l'ouvrage fait à partir de la croix du Christ. Comme nous l'avons déjà dit, ce simple geste aurait suffi à le tuer. C'est sans doute ce qui l'a poussé à écrire son propre témoignage, une sorte de journal intime qui comporte tout un tas de nouveaux chapitres absents du *Livre sans nom*.

— Bon, et à quoi ça rime, tout ça ? » demanda Stephanie. Toute cette affaire la rendait de plus en plus nerveuse à chaque minute qui s'écoulait.

De La Cruz passa un doigt derrière le col de sa chemise blanche afin de le desserrer un peu. « Vous voulez savoir pourquoi le livre de Somers est caché ici ?

— Est-ce que, par un pur hasard, lui aussi provoque la mort de tous ceux qui le lisent ? »

Elle entendit Benson pousser un petit rire derrière elle. Elle le regarda par-dessus son épaule, mais son visage était de nouveau sérieux et sévère.

« S'il est caché *ici*…, reprit de La Cruz en s'approchant de la table pour ouvrir le livre relié de cuir noir… c'est parce que *je* l'ai caché ici. »

Le malaise de Stephanie s'intensifia encore. Où est-ce que de La Cruz voulait en venir ?

« Je ne comprends pas ce que vous essayez de me dire », bafouilla-t-elle.

De La Cruz soupira, puis reprit d'un ton patient : « Ce livre révélait l'emplacement de la cachette du Saint-Graal. Nous sommes venus ici, avec Benson et Hunter, pour mettre la main sur celui-ci. Le seul problème, comme vous l'avez vous-même exposé, c'est qu'il ne reste plus la moindre goutte de sang du Christ dans cette coupe. » Il réfléchit un instant à ce qu'il s'apprêtait à dire, puis poursuivit : « De ce fait, un individu désireux d'acquérir l'immortalité ultime (c'est-à-dire de devenir un dieu) devrait boire le sang non seulement d'un simple mortel, mais également d'un vampire, et, pour faire bonne mesure, d'un descendant d'Ishmael Taos ou d'Armand Xavier. Le tout dans cette coupe que voici. » Il se saisit du calice doré et le tint à hauteur de ses yeux, émerveillé par sa beauté. La coupe ne devait guère mesurer plus de 20 centimètres de haut, et ressemblait assez à un verre à cognac en métal, avec un pied légèrement plus long.

« Et qu'est-ce que vous comptez en faire ? Vous allez prévenir le FBI ? demanda Stephanie, ne saisissant pas vraiment où le capitaine voulait en venir avec ses explications obscures.

— Oh ! non, ma chère, répondit de La Cruz, reposant la coupe et s'appuyant contre la table. Vous nous avez dit où se trouvait selon vous le Bourbon Kid, le fils de Taos. Ce qui signifie qu'il ne nous reste plus qu'à boire son sang, celui d'un vampire et celui d'un simple mortel pour accéder à l'immortalité. Et vous, très chère Stephanie, êtes bel et bien une simple mortelle. »

Stephanie se tourna en direction de Benson et d'Hunter pour voir s'ils étaient aussi désorientés qu'elle.

Les deux hommes la dévisagèrent. La faim les avait submergés : ils ouvrirent grand leurs bouches pour révéler des crocs acérés, assoiffés de sang. Glacée d'horreur, Stephanie se retourna juste à temps pour voir de La Cruz se ruer sur elle. Il tenait à la main une dague argentée d'une quinzaine de centimètres, et, à l'instar de ses collègues, arborait deux rangées de crocs immondes. La chair de son visage s'était comme asséchée, et sa peau révélait à présent des veines bleutées, prêtes à se gorger de son sang.

À l'aide de sa dague, l'élégant capitaine trancha le cou de Stephanie, en un seul et ample geste. Les yeux écarquillés par une soif féroce, il observa son sang couler dans la coupe qu'il pressait contre la poitrine de la jeune femme.

23

Il faisait déjà sombre lorsque Dante arriva au Nightjar. Même s'il paraissait serein, les questions fusaient dans son esprit. Est-ce que la potion qu'on lui avait donnée allait vraiment faire effet ? Allait-on découvrir immédiatement la supercherie ? Combien de vampires se trouveraient à l'intérieur du bar ? Et puis comment allait-il s'y prendre pour distinguer les vampires des gens normaux ? Et ce n'était là qu'un simple échantillon des doutes qui se bousculaient dans sa tête. Non sans un certain sens de la fatalité, Dante se dit que seul le temps répondrait à toutes ses questions. Pour lors, il lui fallait juste se pousser au cul pour entrer dans le bar.

Le Nightjar avait subi d'importants changements au cours de l'année qui s'était écoulée depuis le dernier passage de Dante à Santa Mondega. En tout premier lieu, il y avait une nouvelle direction. L'ancien patron, Berkley, avait été abattu par le Bourbon Kid durant la nuit qui avait précédé la dernière éclipse. Un Européen du nom de Dino avait repris l'affaire et s'était lancé dans de gros travaux de rénovation. Né de parents italiens, Dino était d'une classe indéniable, toujours impeccablement vêtu à la dernière mode, contrairement à la majorité de sa clientèle. Contrairement à la *totalité* de sa clientèle, pour être honnête. Afin de faire de son bar (entièrement réagencé, redécoré et rénové par ses soins) un lieu un peu plus sélect, il avait même décidé de se payer du personnel de sécurité. Ce soir-là, deux videurs se tenaient devant l'entrée du bar. C'était là la première épreuve que Dante allait devoir surmonter avant de pouvoir faire connaissance avec un quelconque vampire.

Arrivé à leur hauteur, il ne s'arrêta pas, marchant d'un pas aussi décontracté que possible au vu des circonstances, dans l'espoir d'entrer sans avoir à montrer patte blanche. L'un des videurs, un homme qu'on appelait « Oncle Les », tendit le bras à hauteur de la poitrine de Dante pour lui bloquer le passage avant qu'il n'ait pu pousser la porte. Les était grand et massif, comme on pouvait s'y attendre étant donné sa profession. Par-dessus un T-shirt noir, il portait un gilet de cuir laissant visible la galerie de tatouages qui recouvrait ses bras. Ses longs cheveux gris étaient attachés en une queue-de-cheval, et son visage strié de rides ainsi que sa barbe de trois jours grisonnante laissaient à penser qu'il avait bien la cinquantaine. Malgré son âge, ce n'était pas le genre de type qu'on avait envie d'importuner : tout en lui signifiait qu'il était loin d'être manchot dans une baston de bar.

« Comment tu t'appelles, garçon ? demanda-t-il avec un fort accent du sud des États-Unis.

— Dante.

— D'où est-ce que tu viens ?

— Je suis du coin.

— Je t'ai jamais vu par ici.

— C'est parce que je suis pas revenu ici depuis que Berkley s'est fait tuer.

— Je vois, répliqua Oncle Les en se retournant vers son collègue pour le consulter. Qu'est-ce que t'en dis, Jéricho ? On le laisse entrer ? »

En tirant sur le long et fin cigare qui pendait à la commissure de ses lèvres, Jéricho toisa longuement Dante. Il était assez difficile de savoir ce qu'il pensait car son visage affichait constamment la même grimace, comme s'il était toujours sur le point de cracher par terre. Il portait une chemise en jean noir dont le haut, déboutonné, révélait une petite touffe de poils sur sa poitrine bronzée. Il portait aussi un jean noir, avec, à la jambe droite, une attelle en fer qui courait de sa cheville jusqu'en haut de sa cuisse, à laquelle elle était solidement fixée par une sangle en cuir marron. Un moine lui avait tiré dans la jambe près d'un an auparavant, et Jéricho avait à présent besoin de cette attelle pour éviter que, à la moindre pression excessive, son genou ne soit réduit en bouillie. L'attelle était en partie responsable de la sempiternelle grimace qu'il arborait. Il suffisait de le regarder pour comprendre qu'il n'était vraiment pas d'humeur à se faire emmerder par qui que ce soit. Jéricho finit enfin de considérer Dante de la tête aux pieds.

« C'est quoi ta chanson préférée, gamin ?

— Putain, mais c'est quoi cette question ?

— Réponds.

— Merde… hmm… hmm… hmm… hmm… murmura Dante, en tâchant à la fois de dissimuler son impatience et de trouver la réponse adéquate.

— Attends voir », dit Jéricho en levant la main gauche pour le faire taire. De son autre main, il entrouvrit l'un des battants de la porte en chêne massif, puis il jeta un coup d'œil à l'intérieur du bar. Malgré le bruit qui y régnait, on parvenait à distinguer un groupe en train de jouer les toutes premières mesures de *Mmm Mmm Mmm Mmm* des Crash Test Dummies.

« Les Psychics t'ont à la bonne, déclara Jéricho d'un ton bourru. On dirait que tu peux entrer.

— Hein ? Les Psychics ? C'est qui, ça ?

— Le groupe du bar. S'ils jouent ton morceau préféré, ça veut dire que tu peux entrer. Et comme ils sont en train de jouer ta chanson, tu ferais bien de mettre ton petit cul au chaud avant que je revienne sur ma putain de décision. »

Dante obéit aussitôt et pénétra dans le bar, sans trop savoir au juste ce qui venait de se passer. Derrière lui, un autre type tenta sa chance. Dante eut tout juste le temps d'entendre Oncle Les lui poser la même question : « Morceau préféré ?

— N'importe quelle chanson de Michael Bolton.

— Dégage. Et vite. »

L'intérieur du Nightjar ne ressemblait en rien aux souvenirs que Dante en avait gardé. Les lieux paraissaient deux fois plus grands, mais sacrément plus sombres. *Et vachement plus bondés*, pensa-t-il. De plus, tout le monde ici ressemblait à un vampire. En fait, ce devait déjà être le cas un an auparavant, mais Dante ignorait à cette époque que les vampires existaient : rien de plus logique à ce qu'il ne l'ait pas remarqué alors.

Au moins deux cents clients étaient entassés dans le bar, buvant et, pour la plus grande partie, s'amusant. Dante avait le souvenir que la plupart des bars de Santa Mondega étaient des lieux assez peu recommandables, voire carrément dangereux, et pourtant, le Nightjar nouvelle version avait toutes les apparences d'un coin où on pouvait passer un bon moment. Sur une scène à gauche, un groupe de filles jouait son « morceau préféré ». Elles portaient des combinaisons de cuir très sexy qui dévoilaient pas mal de chair. Et, en plus de ça, elles jouaient bien. En fait, elles jouaient *vraiment* bien. La chanteuse, dont les longs cheveux roux tombaient au-dessus de ses reins, était une vraie bombe atomique. Les autres jouaient de tout un arsenal d'instruments, de la guitare à la flûte en passant par la batterie et le violon. Huit jeunes nanas au total, et un mec franchement grassouillet qui jouait du tuba. Lui ne semblait pas trop à sa place, probablement parce qu'il était le seul homme du groupe, le seul à être en surpoids, le seul à souffrir de calvitie (dissimulée sous une longue frange de cheveux) et le seul cuivre du groupe. La seule chose qu'il avait en commun avec les autres musiciennes, c'était sa combinaison noire et moulante. Et sur lui, ça n'était pas du meilleur goût.

Après les avoir observés un moment, Dante joua des coudes dans la foule jusqu'au comptoir. La plupart des clients n'étant pas franchement enclins à lui ouvrir le passage, il finit inévitablement par heurter le dos d'un homme très robuste. Il entendit l'homme lancer un juron en renversant son verre. Sans surprise, l'homme se retourna pour voir qui l'avait bousculé.

« T'es nouveau, toi, non ? » dit-il avec ce qui était probablement un accent britannique.

Dans un sourire confus, Dante releva les yeux sur le type qui barrait son chemin. Comme à peu près tout le monde ici, il portait un gilet en cuir noir et un jean bleu. Il avait une barbe de trois jours, et son visage tout en longueur, encadré par de longs cheveux fins et noirs, était particulièrement émacié. Il avait en outre, lui aussi, une profusion de tatouages. Ses yeux étaient dissimulés derrière des lunettes noires enveloppantes, *plutôt cool*, trouva Dante. Il tenait un verre de bière à moitié plein, dont l'autre moitié finissait de dégouliner de sa main.

« Euh, ouais. Comment t'as deviné ? » Dante prenait bien soin de garder son sourire maladroit, qui semblait vouloir dire « soyons amis ».

« Tu ne portes pas d'emblème, et tu es tout seul.

— Un emblème ?

— Oui. Le signe de ton appartenance à un clan. Tu ne vas pas me dire que tu ne sais pas ça ? T'es bien un vampire, non ?

— Bien sûr que j'en suis un. Carrément.

— J'aime mieux ça. Parce que, tu sais, depuis quelque temps, on a droit à la visite de flics en civil qui essaient de s'infiltrer. Et à chaque fois, le premier truc qui les trahit, c'est qu'ils ne portent pas d'emblème.

— Ah ! merde. » D'entrée de jeu, il était déjà en difficulté. Et le fait d'avoir dit « Ah ! merde » tout haut n'arrangeait pas les choses. « Et tu pourrais m'aider à me trouver un emblème ?

— Alors c'est vrai, tu ne fais partie d'aucun clan ? insista l'homme.

— Nan. Je viens tout juste d'arriver en ville ce matin. Je peux me joindre à ton clan ?... *S'il te plaît !* »

Au milieu du vacarme ambiant, il y eut une pause assez désagréable. Dante avait conscience que sa requête avait quelque chose de désespéré, comme celle d'un mioche cherchant à tout prix à se faire des amis dans sa nouvelle école. Après avoir toisé Dante pendant ce qui parut une éternité, l'homme dont il avait renversé la moitié du verre finit par répondre. « Bien sûr, dit-il en se fendant soudain d'un sourire. Tiens, mets ça. » Il tira d'une poche de son gilet de cuir une paire de lunettes noires identiques aux siennes, et la tendit à Dante, qui, en marmonnant un merci, s'empressa de les enfiler.

À sa grande surprise, le faux vampire voyait toujours tout clairement, comme si les verres n'étaient pas teintés. Ce fut pour lui un réel soulagement, car le Nightjar n'était pas tout à fait éclatant de luminosité. Il pouvait à présent dévisager les autres clients sans se sentir trop gêné, car il était difficile de savoir dans quelle direction il regardait. Et puisque le type qui lui avait refilé cette paire de lunettes en portait également, Dante se dit que, selon toute probabilité, il devait à présent se fondre un peu plus dans le décor. Les ordres suppliants de Kacy ne cessaient de lui revenir en tête. *Ne fais rien de stupide* et *n'attire pas l'attention*.

« Merci, mec. Sympa de ta part. » Dante tendit sa main. « Au fait, je m'appelle Dante. Et toi, c'est quoi ton nom ?

— Obéissance. » L'homme lui serra rapidement la main.

« De quoi ?

— Obéissance.

— Excuse-moi. J'ai pas entendu. J'ai cru que tu m'avais dit "Obéissance".

— C'est ça. C'est bien ce que je t'ai dit. On m'appelle "Obéissance" parce que j'ai l'habitude de faire tout ce qu'on me demande de faire. J'aime bien faire plaisir, tu vois.

— Ah ouais ?

— Ouais.

— Génial, dit Dante, déjà impatient de tester les limites de sa nouvelle connaissance. Alors offre-moi une bière et présente-moi des amis à toi.

— Pas de problème », répondit Obéissance en souriant.

L'aimable vampire le guida jusqu'au bar où il commanda deux bières. Tout le monde avait un petit air de vampire, même si personne n'avait encore pris son apparence de créature de la nuit. *Et c'est pas plus mal comme ça*, conclut Dante en attendant qu'Obéissance et lui soient servis.

Les consommations arrivèrent, et le nouvel ami de Dante lui tendit une bouteille de Shitting Monkey (Singe qui Chie), avant de l'inviter à traverser la foule, constituée en grande partie de types à l'apparence franchement bizarre. Certains étaient déguisés en clowns, d'autres en drag-queens, d'autres ressemblaient à des guerriers maoris, et il y avait même un groupe très important de ce qui semblait être des « rastas blancs », arborant des T-shirts en batik. Ignorant toute cette faune, Obéissance se dirigea droit vers un coin sombre où trois hommes écoutaient le groupe.

« Au fait, excellent choix de chanson, dit Obéissance alors qu'ils approchaient des trois hommes.

— Merci, répondit Dante. C'est le premier truc qui m'est passé par la tête.

— Ouais, c'est souvent ce qui arrive. »

Ils arrivèrent enfin à la hauteur des trois hommes, tous vêtus de la même façon qu'Obéissance. Tous portaient également le même modèle de lunettes noires. Obéissance saisit le bras de celui qui se trouvait le plus près de lui. Sa tignasse blonde était impeccablement coiffée, avec une raie sur le côté particulièrement moche, et il portait une grosse moustache jaune qui lui mangeait la lèvre supérieure. En prime, il avait des rouflaquettes peu épaisses, plutôt efféminées (dans la mesure où on peut qualifier des rouflaquettes « d'efféminées »), et son teint était très pâle. *Même pour un putain de vampire*, pensa Dante.

« Fritz, je te présente Dante », dit Obéissance en désignant son nouvel ami. Fritz tendit la main et Dante s'empressa de la lui serrer.

« C'EST EIN PLAIZIR DE FAIRE TA KONNAISSANCE, DANTE. CHE M'APPELLE FRITZ ! hurla le blond avec un très fort accent allemand.

— Ouais, ravi aussi, euh… Fritz, c'est ça ? » répondit Dante, beaucoup moins bruyamment. Même si le groupe jouait relativement fort, il était complètement inutile de gueuler autant.

« Il faut que tu excuses Fritz, dit Obéissance. Il ne peut pas parler autrement qu'en criant.

— MON LARYNX A ÉTÉ ENDOMMACHÉ LORSKE CH'AI ÉTÉ MORDU PAR MON KRÉATEUR !

— Ah ! d'accord, OK », dit Dante d'un ton évasif, espérant qu'il n'aurait pas à parler souvent avec l'homme le plus bruyant de Santa Mondega. Passer inaperçu avec ce malade, ça relevait de l'exploit.

« Et lui, c'est qui ? demanda Dante en pointant l'un des deux autres hommes qui se tenaient à gauche de Fritz.

— SILENCE ! cria Fritz.

— OK, OK, du calme, putain. C'était juste une question.

— NON ! NON ! TU KOMPRENDS PAS ! aboya agressivement l'Allemand. IL S'APPELLE SILENCE ! » Il tapota alors le dos du type qui se trouvait à côté de lui. Celui-ci portait une brosse brune sur le dessus de la tête, et était rasé à blanc sur les côtés. À ceci près, il ressemblait assez à l'image que Dante se faisait des vampires. Il était d'une pâleur morbide, avec des dents de travers et des yeux sombres perdus au fond de leurs orbites, le tout agrémenté d'une barbe de trois jours.

« Pourquoi est-ce qu'on t'appelle "Silence" ? » demanda Dante. En l'absence de réponse, il se retourna vers Obéissance.

« Pourquoi vous l'appelez "Silence" ?

— Parce qu'il parle à peine.

— Ah ! oui, forcément. Et comment ça se fait ?

— Son créateur a endommagé son larynx en le mordant. Le fait de parler lui est très douloureux, alors il parle aussi peu que possible. »

Dante sourit à Silence, qui lui offrit en échange une moitié de sourire. *Une foutue paire, ces deux-là. L'Allemand qui crie et son pote silencieux.*

« En fait, vous êtes un peu les Jay et Silent Bob de l'outre-monde, pas vrai ? » plaisanta Dante.

Mais personne ne rit. Un désagréable silence s'installa même. *Putain*, pensa Dante. « Et ce type-là, c'est qui ? » enchaîna-t-il en pointant du doigt le troisième homme, en espérant faire oublier sa gaffe.

« C'est Déjà-Vu », répondit Obéissance.

Déjà-Vu fumait une cigarette. Il tira une ample taffe pour recracher une sorte de rond de fumée, ou plutôt, pour être tout à fait exact, un serpent qui s'étirait de tout son long. Le ruban flotta au-dessus de ses cheveux gras qui lui tombaient aux épaules, avant de disparaître au plafond.

Il adressa un mouvement de la tête à Dante : « On se connaît ?

— Je crois pas, non, répondit Dante, sans trop savoir si c'était une blague ou pas.

— Ne t'inquiète pas, dit Obéissance à Dante. Déjà-Vu a très souvent ce genre d'impression.

— Tu répètes ça à longueur de soirée », répliqua Déjà-Vu d'un ton dénué de toute ironie.

Durant les deux heures qui suivirent, Dante but des bières et échangea des histoires avec Obéissance et ses trois amis. Ils étaient tous assez sympathiques, à l'exception de Silence, qui ne décrocha pas un mot de toute la nuit. Obéissance alla chercher toutes les consommations, Fritz passa son temps à crier plus fort que les morceaux joués par les Psychics, et Déjà-Vu, eh bien Déjà-Vu parut un peu confus durant le plus clair de la nuit, et semblait réprimer un geste ou une parole à chaque fois qu'il voyait quelqu'un approcher de leur groupe.

Dans la catégorie nouveaux amis, ces types se défendaient plutôt bien. Ils avaient accepté Dante dans leur clan, et Obéissance lui avait même promis de lui trouver un gilet en cuir semblable à ceux qu'ils portaient, dont le dos était estampillé du logo du groupe, en l'espèce, « The Shades » (c'est-à-dire « Les Ombres », ou « Les Lunettes noires ») brodé au fil d'or. Jusque-là, la mission d'infiltration de Dante parmi les vampires se déroulait à merveille. Il s'était fait quatre amis et avait rejoint les rangs de leur clan, ou de leur club, franchement, peu importait le nom à la con qu'ils lui donnaient. Toutes les appréhensions qu'il avait nourries s'évaporaient un peu plus à chaque nouveau verre. Dante se sentait d'ores et déjà intégré au groupe. Seul le temps dirait si c'était une bonne chose.

Il n'en demeurait pas moins qu'un détail capital échappa à Dante : plus d'un client présent ce soir-là au Nightjar sut dès son arrivée qu'il n'était pas un vampire.

24

Peto se retrouva dans son appartement, après une nuit de plus passée au Nightjar en compagnie des créatures du mal. Il n'avait toujours pas trouvé la moindre information concernant le Bourbon Kid, mais, assez bizarrement, il avait vu ce soir ce jeune type, Dante Vittori, qu'il avait rencontré un an auparavant. Lors du dernier passage de Peto à Santa Mondega, Dante s'était proposé de les aider, lui et son frère d'Hubal, Kyle, à retrouver l'Œil de la Lune. Techniquement parlant, il avait honoré sa part du marché, mais, à la dernière minute, il s'était retourné contre Peto en pointant son arme sur son crâne au moment où le moine s'apprêtait à ouvrir le feu sur le Bourbon Kid. Si Peto avait réussi à tuer le Kid, il aurait alors sauvé sans le savoir les vies de tous ses frères d'Hubal, brutalement assassinés peu de temps après.

Malgré cela, Peto avait le sentiment que Dante était un type bien. Cromwell le lui avait confirmé, et l'opinion de ce dernier semblait avoir quelque poids dans cette région du globe. Peto se souvenait comment, tout de suite après l'éclipse de l'an dernier, Dante l'avait fait sortir du Tapioca avec l'Œil de la Lune en lui promettant de s'occuper lui-même du Bourbon Kid.

D'après ce que le moine avait appris depuis, Dante n'avait absolument rien fait de tel. À la place, il s'était joint au Kid pour truffer de centaines de balles le corps inerte de la jeune femme déguisée en Catwoman.

Les bons sentiments qu'il nourrissait à l'égard de Dante avaient été sauvés par l'ouvrage que Bertram Cromwell lui avait prêté, et dans lequel il venait de voir le portrait d'une femme ressemblant à s'y méprendre à Jessica, *alias* Catwoman. Le livre, intitulé *Mythologie égyptienne*, comportait une reproduction en pleine page d'un portrait de cette femme, qui, à en croire la légende, s'appelait Jessica Gaius.

Ayant enfin trouvé dans ce bouquin quelque chose qui méritait d'être lu, Peto se servit une tasse de café et s'installa sur le lit une place, dans un coin de son studio miteux et non chauffé. Ne portant sur lui rien d'autre que l'Œil de la Lune autour du cou, il se glissa sous son drap de coton et cala son crâne contre la tête du lit. Il aurait été idiot de se séparer de la précieuse amulette, ne fût-ce qu'une seconde. N'importe quel intrus surgissant du fond de la nuit pour le tuer ou le blesser durant son sommeil était voué à l'échec tant qu'il porterait cette pierre sur lui. Ses pouvoirs de guérison étaient tout bonnement phénoménaux. (En outre, et c'était loin d'être négligeable, elle permettait à celui qui la portait de se réveiller d'une nuit de beuverie sans gueule de bois.)

La douce lueur qui émanait de l'Œil suffisait à la lecture, raison pour laquelle Peto avait éteint sa lampe de chevet. Ainsi donc, allongé dans son lit avec une tasse de café qui refroidissait et le précieux Œil, il continua à s'informer sur Jessica. Ce qu'il apprit était extrêmement intéressant. Et tout aussi déstabilisant.

À en croire ce livre, dont le ton aride avait un je-ne-sais-quoi d'universitaire, Jessica était la fille de Ramsès Gaius, le chef égyptien dont les restes momifiés avaient disparu, seuls ou accompagnés, du musée d'Art et d'Histoire de Santa Mondega. Comme Cromwell lui avait déjà expliqué, non seulement Gaius avait été en possession de l'Œil de la Lune, mais, en outre, il avait appris à exploiter tous ses pouvoirs. Complètement absorbé par sa lecture, Peto apprit que Gaius avait été grand prêtre d'un temple égyptien durant le premier siècle qui suivit la mort du Christ. Le pouvoir considérable que cette fonction lui conférait lui permettait de tout contrôler, jusqu'à la nomination du pharaon. Le peuple l'avait surnommé « La Lune », car il n'apparaissait que la nuit.

Dans sa jeunesse, Gaius avait perdu un œil dans un combat. Quelques années plus tard, il avait trouvé, cachée dans l'une des grandes pyramides, une pierre bleue qui, à en croire la légende, avait jadis appartenu à Noé. Plusieurs siècles auparavant, le patriarche de l'Ancien Testament s'était servi de cette pierre pour contrôler, entre autres choses, les flots du Déluge. Lorsque Gaius prit conscience du pouvoir de cette pierre, il cessa de la porter autour du cou, comme beaucoup avant et après lui, pour la loger dans son orbite vide : ce fut à partir de cette époque qu'on appela la pierre « L'Œil de la Lune ».

Grâce à cet Œil, Gaius apprit à maîtriser de nombreuses choses. Son pouvoir le plus impressionnant était sa faculté de prendre le contrôle d'objets inanimés par la seule force de son esprit – *comme par exemple un mannequin représentant Beethoven*, se dit posément Peto. Et ce n'était pas tout : en se servant de l'Œil à des fins nécromanciennes, il avait également créé sa propre version du *Livre des morts* égyptien. S'inspirant de ce dernier, qui visait à répertorier les rites nécessaires au passage du monde des vivants à celui des défunts, il avait façonné le *Livre de la mort*, qui était de loin son arme la plus puissante. Lorsqu'il soupçonnait quelque trahison au sein de son conseil, il lui suffisait d'inscrire sur une des pages du livre le nom du suspect ainsi qu'une date. Le destin se chargeait ensuite des circonstances, et la vie de la personne en question s'achevait précisément à la date indiquée. Les victimes mouraient toutes de façon différente. Certaines étaient assassinées, d'autres, emportées par une crise cardiaque, d'autres encore trépassaient paisiblement dans leur sommeil. L'existence du *Livre de la mort* excluait toute contestation de son statut de véritable chef de l'Égypte, quelle que fût l'identité du pharaon en place (dont la nomination dépendait de toute façon du bon vouloir de Gaius). Il faisait garder cet ouvrage par un de ses plus loyaux sujets, qui l'enfermait à clé en un lieu inconnu de tous.

À en croire l'ouvrage du professeur Cromwell, la chute de Gaius fut similaire à celle de nombreux tyrans. À l'instar de beaucoup d'autres, il fut gagné par la paranoïa et se mit à se méfier de tous ceux qui l'entouraient. Il s'était brouillé avec sa fille Jessica après qu'elle eut compris, et qu'il lui eut confirmé avec vigueur, qu'elle ne dirigerait jamais l'Égypte, pour la simple raison que le fait de porter constamment l'Œil de la Lune rendait Gaius virtuellement immortel. Jamais il ne mourrait, jamais personne ne lui succéderait, et jamais le désir de Jessica d'accéder au trône d'Égypte ne se réaliserait. Furieuse, celle-ci avait fui le royaume, et, durant plusieurs années, n'avait plus donné le moindre signe de vie.

Durant son absence, deux des premiers acolytes de Gaius, Armand Xavier et Ishmael Taos, partis à la recherche du Graal, revinrent en Égypte. Ils déclarèrent avoir bu le sang du Christ, et avoir acquis de la sorte une immortalité similaire à celle dont jouissait Gaius grâce à l'Œil. Ces nouvelles furent d'autant plus mal accueillies par le grand prêtre que ses deux acolytes exigeaient de lui qu'il leur cède une partie de son pouvoir.

Afin de se débarrasser d'eux, Gaius décida d'inscrire leurs noms dans son livre. Xavier et Taos avaient cependant prévu cette réaction et une nuit, avant qu'il ne s'endorme, ils s'infiltrèrent dans ses quartiers où, tandis que l'un l'immobilisait, l'autre retira le précieux Œil de son orbite. Tous deux l'emmaillotèrent ensuite et l'enterrèrent sous son propre temple, en plaçant dans son orbite oculaire vide une pierre verte sans valeur, afin que son humiliation soit totale.

Gaius finit par mourir d'inanition dans le tombeau où ses deux anciens disciples l'avaient enfermé. Cependant, le grand prêtre égyptien avait toujours su qu'un jour quelqu'un parviendrait à le renverser : en conséquence, il avait souscrit à une police d'assurance toute particulière. En se servant d'un des nombreux pouvoirs de l'Œil de la Lune, il avait mis au point un sortilège, connu par quelques-uns sous le nom de « Malédiction de la Momie ». Ainsi, si on le tuait pour lui dérober le précieux Œil, il reviendrait à la vie grâce à ce sortilège, au moment précis où son ou ses assassins mourraient.

Peto avala sa dernière gorgée de café. *Hmm. Et c'est précisément ce qui s'est passé*, se dit-il. Armand Xavier et Ishmael Taos avaient tous deux été assassinés par le Bourbon Kid, peu après la dernière éclipse. Comme prévu, la momie du musée était revenue à la vie et s'était échappée. *Et ce n'est pas tout à fait une bonne nouvelle*, pensa le moine. *À l'heure qu'il est, cette satanée momie doit être à la recherche de l'Œil de la Lune. Ce qui signifie qu'elle doit être sur mes traces.*

D'après ce que Peto avait tiré d'une étude approfondie des films hollywoodiens durant tout le temps qu'il avait passé loin de la paisible île d'Hubal, la momie pouvait être considérée comme le père des morts-vivants. Le genre de personnage qu'on n'avait aucune envie de croiser, et encore moins d'avoir à ses trousses.

Au tout début, la prose enflée et la structure tortueuse de *Mythologie égyptienne* avaient failli assommer Peto. Il avait pourtant poursuivi sa lecture, l'histoire de l'Œil de la Lune avait fini par l'accrocher, et il était à présent tout à fait éveillé. Il lut encore quelques minutes avant de se décider à prendre quelque repos. Il n'y avait apparemment rien d'autre à tirer de ce bouquin, et Peto regrettait de ne pas en savoir plus sur ce qui était arrivé à Taos et à Xavier après qu'ils eurent enterré Gaius vivant.

Après toutes ces révélations, Peto ne dormit pas très bien. Son esprit était en proie à une grande confusion. Qu'était-il advenu de Jessica ? Était-elle morte à cette heure ? Et si c'était le cas, Ramsès Gaius, son père à présent libre et vivant, avait-il l'intention de la ressusciter ? Le moine était certain d'une chose : père et fille devaient être en ce moment même à la recherche de l'Œil de la Lune.

Une autre chose était du reste tout aussi sûre dans l'esprit de Peto : une fois qu'il aurait accompli sa mission, qui consistait à retrouver le Bourbon Kid et à se servir de l'Œil pour le guérir de ses démons, il ne resterait pas une putain de minute de plus dans ce bled.

25

C'était une vraie journée de merde pour Sanchez. Et c'était loin d'être la première. Cela faisait maintenant près de trois mois qu'il dormait à peine la nuit, et son teint commençait à être encore plus pâle que celui des vampires qu'il refusait si souvent à l'entrée de son bar. Le Tapioca était toujours le seul endroit en ville à ne pas accepter les suceurs de sang.

En règle générale, Sanchez n'avait pas son pareil à Santa Mondega pour renifler un vampire. Pourtant, dans la chambre qui se trouvait à l'étage du Tapioca, il accueillait le plus dangereux vampire qui existait à la surface de la Terre, Jessica, la *reine* des vampires. Et Sanchez ignorait complètement qu'elle était une suceuse de sang. Pas le moindre putain de soupçon. Il la trouvait tout simplement super mignonne, et il désespérait de la voir sortir de son dernier coma en date pour le récompenser de tous ses efforts. La dernière fois, après qu'il eut passé cinq ans à la cacher dans un lieu sûr, avec l'aide de feu son frère Thomas et de feu l'épouse de son frère Audrey, Jessica avait fini par reprendre connaissance et s'était montrée aussi ingrate que désagréable, pour finalement se retrouver sous les draps d'un chasseur de primes notoire du nom de Jefe.

Jefe étant à présent mort, Sanchez pouvait tenter de s'attirer les faveurs de la belle sans avoir à se soucier d'un quelconque concurrent. Ce coup-ci, il avait une longueur d'avance, et il comptait bien en profiter.

Jessica s'était retrouvée dans le coma après que, une fois de plus, ce salopard de Bourbon Kid l'eut réduite en miettes. Le Kid s'était fait aider par le Terminator, enfin, un type qui s'était amené déguisé en T-800. Sanchez aurait bien aimé les voir crever, mais le simple fait de ne plus jamais avoir à les revoir lui convenait amplement. D'autant qu'il ne connaissait plus personne capable d'éliminer des individus aussi dangereux que le Bourbon Kid ou Terminator. Il se serait volontiers adressé à Elvis ou à Rodeo Rex, mais tous deux avaient été sauvagement assassinés. Nul ne savait au juste par qui.

Sanchez avait donc été contraint de vivre une existence paisible depuis le dernier massacre qui avait eu lieu dans son bar, près d'un an auparavant. Il dormait assez mal et, sans le savoir, il abritait une reine des vampires en convalescence. Mais, à part ça, tout était nickel.

Jusqu'à il y a quelques minutes.

Les choses venaient en effet juste de prendre le pire des tours. À l'instant précis où ils avaient mis un pied dans son bar, Sanchez avait su que leur passage allait entraîner toutes sortes de catastrophes. Les membres d'un clan de vampires du nom évocateur de « Sales Porcs » venaient d'entrer au Tapioca. Ils étaient trois, pour être tout à fait précis. Tous habillés assez normalement. Leur supérieur, le capitaine Michael de La Cruz, était élégamment vêtu d'un pantalon noir, d'une chemise d'un blanc éclatant, et d'une veste en cuir marron à la mode, un peu ample. Sa coupe était impeccable, plaquée en arrière avec de savants épis ici et là, et un peu plus longue derrière. *Génial*, pensa Sanchez. *Encore un de ces trous de balle fashion avec trois coupes de cheveux en une.*

Remarquez bien que de La Cruz était bien plus supportable que le deuxième homme qui l'accompagnait, un salopard particulièrement répugnant que Sanchez connaissait sous le titre et le nom d'inspecteur Randy Benson. Ce type-là était vraiment un cauchemar ambulant. Il portait une chemise à manches courtes bleu fluo et un short jaune fluo qui lui tombait aux genoux. Et il aurait été bien inspiré d'emprunter à de La Cruz l'une de ses coupes de cheveux, parce qu'il semblait n'en avoir aucune. « Une coupe de savant fou », c'était vraiment la seule façon de décrire sa tignasse grisonnante de gros loser.

Le troisième type, que Sanchez n'avait encore jamais croisé, n'était autre que l'inspecteur Dick Hunter. Il apparut aux yeux du barman comme un individu aussi pitoyable que louche, avec un air un peu tapette, et un T-shirt blanc moulant sous lequel, de façon très inconvenante, pointaient deux mamelons. C'était plus qu'assez pour que Sanchez le prenne en grippe. Après tout, c'était un inconnu : et il n'en fallait pas plus pour que Sanchez déteste d'emblée cet enfoiré.

De La Cruz s'avança nonchalamment jusqu'au comptoir, flanqué de ses deux collègues. Il savait que le barman pouvait se montrer excessivement peu coopératif, aussi ne mâcha-t-il pas ses mots : « Sanchez, espèce de pauvre enfant de putain, on va faire un tour à l'étage, gronda-t-il d'un ton féroce. Et sers-nous trois whiskies avant qu'on monte. C'est toi qui régales. »

Sanchez était en train d'essuyer le bord d'un verre avec son sweat blanc et sale, tout en faisant semblant de ne prêter aucun intérêt à son interlocuteur, ce en quoi il excellait.

« Pas possible que vous montiez sans mandat », déclara-t-il du ton mal luné que tous lui connaissaient.

De La Cruz riposta aussitôt. Sa réplique était déjà programmée, tout comme celle de Sanchez. « Joue pas au con avec moi, Sanchez. Si je dois revenir ici avec un mandat, ce sera pour me torcher le cul avec. Et t'en frotter la gueule après.

— Ça sera pas la première fois que je me ferai emmerder dans mon bar », rétorqua Sanchez avec un sourire sarcastique.

Le capitaine se pencha légèrement au-dessus du comptoir, juste assez pour que Sanchez se fasse une petite idée de la puanteur de son haleine, et qu'il ait un petit aperçu de ses crocs protubérants. « Alors je te déchirerai la gorge avec les dents. Maintenant, amène-nous à l'étage, espèce de petit porcelet à la con. »

Sanchez poussa un soupir en posant le verre à moitié nettoyé sur l'étagère qui se trouvait juste en dessous du comptoir. Il se fichait de se faire des ennemis chez les vampires et chez les flics, mais chez les vampires flics, c'était une autre affaire. Ces types pouvaient réellement faire de sa vie un enfer. Ils pouvaient le harceler tous les jours si ça leur chantait, et le ruiner en moins de temps qu'il n'en fallait pour le dire. Il se faisait du souci pour Jessica, mais, face à l'échec, Sanchez ne se voilait jamais la face.

« Laissez-moi vous servir d'abord ces whiskies, dit-il.

— Le brave homme. Je savais qu'on pouvait compter sur toi pour aider un fonctionnaire de police dans l'exercice de ses fonctions. »

De La Cruz lui adressa un clin d'œil et lui tapota la joue d'un air paternaliste, avant de s'asseoir sur un tabouret de bar. Ses deux collègues restaient plantés derrière lui, de part et d'autre, tandis que Sanchez attrapait une bouteille au fond du bar et remplissait trois petits verres parmi les plus propres.

« Ce sera un double pour moi… *gros lard* », grogna Benson. Il avait senti la soudaine perte de confiance de Sanchez, et ses instincts sadiques l'avaient poussé à exiger un double whisky même s'il n'en avait pas particulièrement envie. À l'instar de De La Cruz, il avait également souligné une évidence : Sanchez avait pris du poids, et, en dépit de tous ses efforts pour le cacher, ça sautait aux yeux. Les deux grosses rouflaquettes qu'il s'était laissé pousser ne dissimulaient en rien les plis de chair où son menton se perdait dans son cou.

Ignorant l'insulte de son mieux, Sanchez posa les trois verres en face des policiers vampires. Puis il essuya le comptoir autour des consommations à l'aide d'un chiffon sale. La matinée avait été exceptionnellement chaude et ensoleillée : à chaque fois que Sanchez renversait quelque chose sur le comptoir, la surface de celui-ci devenait de plus en plus collante à mesure que le liquide s'évaporait. Le plafonnier de la salle ventilait de toutes ses forces afin que les lieux conservent un minimum de fraîcheur, sans grand succès.

« Vous allez me dire ce que vous espérez trouver à l'étage ? demanda Sanchez d'un ton détaché en tapotant son chiffon sur le comptoir.

— Mais avec plaisir », repondit de La Cruz en saisissant son verre de whisky pour le faire tinter contre ceux de ses collègues, qui l'imitèrent. Il y eut une pause de deux secondes avant que le barman ne reprenne la parole. Tout naturellement, ce fut pour reformuler sa question.

« Qu'est-ce que vous espérez trouver à l'étage ?

— Une jolie demoiselle dans le coma. Mais pas d'inquiétude, Sanchez. Nous n'allons pas la ramener avec nous, tu peux rester tranquille. Elle demeurera tout à toi. »

Les trois hommes vidèrent leurs verres cul sec. De La Cruz et Benson furent immédiatement saisis de haut-le-cœur et recrachèrent le liquide par terre. Hunter sembla en revanche le savourer, mais dès qu'il vit la réaction de ses collègues, il s'empressa de les imiter, en prenant également une mine dégoûtée.

« *Putain*, qu'est-ce que c'est ? demanda de La Cruz en tâchant de cracher jusqu'à la dernière goutte qui subsistait dans sa bouche.

— C'est mon meilleur whisky, répondit Sanchez dans un haussement d'épaules. J'avoue qu'il faut un peu de temps pour s'habituer à son goût.

— Sans déconner, lança Benson, toujours secoué par les spasmes de son diaphragme, on dirait de la pisse.

— Ouais, c'est ce que beaucoup de gens disent, répliqua Sanchez dans un sourire.

— Je comprends pourquoi, fit remarquer Hunter en considérant son verre vide d'un air écœuré. C'est quoi le nom de ce truc ? Juste pour que j'évite d'en boire à l'avenir, tu comprends.

— C'est une cuvée maison.

— Il t'en reste ? »

De La Cruz et Benson envoyèrent tous deux des regards interrogatifs en direction d'Hunter. Il était sérieux ? Il voulait vraiment boire de nouveau de cette saloperie ? Hunter remarqua leur incrédulité et trouva vite fait une justification.

« On ferait bien de te le confisquer. Histoire de faire examiner ça par les services sanitaires. » Voyant que les autres n'avaient toujours pas l'air convaincus, il se retourna vers Sanchez. « Tu en as beaucoup en stock, de ce machin ? »

Sanchez afficha un sourire rayonnant. « Bien sûr. En quantité virtuellement illimitée. Si tu veux, je t'offre le reste de la bouteille. Tiens, c'est pour toi. » Il tendit la bouteille en direction de l'inspecteur, qui ne se fit pas prier pour la prendre.

« OK. Ça suffit comme ça, interrompit de La Cruz. Montre-nous où se trouve la fille, Sanchez.

— C'est par là », répondit le barman en désignant la petite pièce derrière le bar, au fond de laquelle se trouvait un escalier.

Les trois flics vampires contournèrent le comptoir et traversèrent la salle jusqu'au pied du modeste escalier. Deux d'entre eux s'en allaient en crachotant les derniers vestiges du sale goût de la « cuvée maison ». Le troisième, Hunter pour ne pas le nommer, avala une rasade de la bouteille que Sanchez lui avait passée, et la fit tourner en bouche afin d'en savourer tous les arômes alors qu'il passait justement devant le barman.

Sanchez ne les suivit pas à l'étage. Plus grande serait la distance qui le séparait de ces trois-là, mieux il se porterait. En outre, il avait quatre clients assis à l'une des tables d'un coin du bar, susceptibles de requérir ses légendaires talents de barman dans les deux ou trois heures qui suivraient.

Les trois policiers arrivèrent en haut des marches pour se voir confrontés à une solide porte en bois. De La Cruz sortit aussitôt d'une poche intérieure de sa veste en cuir le calice sacré.

« J'espère vraiment que cette salope est toujours dans le coma, sans quoi l'opération risque d'être assez virile, dit-il en tournant la poignée de la porte.

— Elle aussi, elle doit être pas mal virile, enfin je veux dire, poilue, quoi », fit remarquer Benson. En remarquant l'air interdit de ses collègues, il tâcha de s'expliquer : « Vous voyez ce que je veux dire ? Elle doit avoir les membres recouverts de poils. Si ça se trouve, elle a peut-être même de la moustache. Ça fait quand même un an qu'elle est dans le coma, hein ?

— Ferme-la, espèce de pervers », coupa Hunter en le poussant devant lui.

Tous trois pénétrèrent dans la chambre qui se trouvait en haut de l'escalier, de La Cruz ouvrant la marche, suivi de Benson, puis d'Hunter, qui ne cessait d'avaler des lampées de la « cuvée maison » de Sanchez. Et, immanquable, au beau milieu de la pièce se trouvait un lit où Jessica reposait, profondément endormie, apparemment en paix, si ce n'est complètement morte au monde. C'était un petit lit d'une place, avec un épais matelas marron, et rien qu'un drap blanc pour recouvrir le corps de la jeune femme. Il faisait assez chaud, ce qui rendait inutile l'usage de tout autre drap ou couverture pour la protéger durant ce sommeil sans fin.

De La Cruz s'approcha du lit avec une discrétion quelque peu exagérée. Il posa un doigt sur ses lèvres afin de signaler aux autres de rester silencieux, s'agenouilla au chevet de Jessica, écarta légèrement un pan du drap et saisit son bras droit. Puis, au mépris de la discrétion qu'ils avaient observée jusque-là, il sortit de sa manche sa dague argentée de quinze centimètres et trancha une veine de l'avant-bras de Jessica, juste avant le poignet. Très bizarrement, cela ne la réveilla pas. De La Cruz positionna le calice sous l'incision qu'il venait de faire. Le sang coulait de la plaie, et le capitaine tenta d'en recueillir autant qu'il put dans la coupe.

« Tu penses qu'elle a senti quelque chose ? demanda Benson dans un chuchotement.

— Peu importe », murmura de La Cruz, manipulant la coupe avec nervosité afin de ne pas perdre une seule goutte du sang qui giclait de la veine. Quelques-unes éclaboussèrent ses doigts, qu'il lécha aussitôt. Ses deux collègues fixaient un regard envieux sur cette mini-orgie. « Elle guérira en un rien de temps. Elle ne se rappellera même plus notre visite. »

Lorsque la coupe lui parut suffisamment remplie, de La Cruz en avala une gorgée avant de la passer à Benson. Puis il tira un bandage blanc de sa poche et banda la blessure de Jessica. Ce faisant, et alors que Benson buvait sa part de sang à même la coupe, de La Cruz sentit soudain un incroyable flot d'adrénaline parcourir tout son corps. Chacun de ses os, chacun de ses muscles, chacune de ses cellules semblèrent tout d'un coup incontrôlables. Chaque parcelle de son corps était parcourue de picotements. Une sensation de puissance irradiait tout son être. *Une puissance incroyable*. Voilà ce que ressentait un roi vampire, un pur-sang, un vampire diurne, un dieu. Dans les trente secondes qui suivirent, Benson et Hunter, qui avaient eux aussi avalé leur ration de sang, éprouvèrent la même sensation. Et celle-ci était autrement plus intense que celle qu'ils avaient ressentie après avoir bu le sang de Stephanie Rogers, la veille au soir.

« Oh !... pu... tain, souffla de La Cruz en se redressant de toute sa taille, les épaules bien dégagées en arrière. C'est excellent !

— C'est même mieux que ça », renchérit Hunter en faisant passer le goût du sang d'une rasade de cuvée maison.

Benson semblait les ignorer complètement. L'expérience était bien trop merveilleuse pour qu'il s'abaisse à gaspiller sa salive à seule fin d'en parler avec ses collègues. Au bout de quelques moments durant lesquels chacun s'efforça de se remettre de cette deuxième illumination physique et spirituelle en moins de vingt-quatre heures, de La Cruz parvint à recouvrer ses esprits, s'extirpant enfin de ce qui s'apparentait à une transe euphorique.

« Prochaine étape, l'hôpital psychiatrique du docteur Moland, déclara-t-il dans un large sourire. On va se pencher sur le cas de ce malade qui supporte si mal le bourbon. Plus personne ne peut nous faire de l'ombre à présent, et, une fois qu'on aura vidé de son sang ce sale enfant de putain, on sera les maîtres du monde. »

Hunter battait frénétiquement des paupières, abasourdi par ce tout nouveau sentiment de supériorité qui le possédait. Il finit malgré tout par s'arracher à cette transe nombriliste : « Tu sais quoi, de La Cruz ? J'ai bien envie de faire la fête quarante-huit heures d'affilée. Dès maintenant. »

De La Cruz acquiesça : « Bien sûr que t'en as envie. On en a tous envie. Mais allons chasser d'abord. Et demain, on s'occupera du Bourbon Kid.

— Ça, c'est clair, il me faut du sang jeune et frais ce soir, rétorqua Hunter dans un large sourire. Et j'ai envie de me taper autant de bonnasses que possible. Allez, foutons le camp d'ici. Je suis pas sûr de pouvoir me contrôler. Pas longtemps, en tout cas.

— Je suis à fond d'accord avec toi, mon pote », dit de La Cruz en passant sa langue sur ses lèvres, dans l'espoir de lécher les infimes traces du sang de Jessica qui y auraient subsisté.

« Cassons-nous d'ici et allons tout droit dans un bordel. La fête d'hier fera pâle figure comparée à celle de ce soir. »

Hunter ouvrit la marche en finissant la bouteille de whisky : il comptait bien en soutirer une autre à Sanchez en sortant. De La Cruz était sur ses talons. Une faim et une concupiscence toutes nouvelles s'étaient emparées d'eux. Une pulsion absolument incontrôlable. Benson l'éprouvait également.

« M'attendez pas, les gars, je vous rattraperai, cria-t-il à ses deux collègues. Je vais juste lui refaire son pansement. J'ai l'impression qu'il n'est pas assez serré.

— Comme tu veux », répondit de La Cruz en donnant de la voix, juste avant de disparaître au bas des marches.

Benson regarda tout autour de lui. Personne en vue. C'était le moment rêvé. Il était seul dans la même chambre que la reine, complètement inconsciente. Des occasions comme ça, ça ne se présentait pas tous les jours. Son cœur battait à tout rompre tandis qu'il détachait la ceinture de son short jaune fluo. Coma ou pas, Jessica allait être le meilleur coup de toute sa vie. Il baissa les yeux sur son visage pâle et harmonieux. Ces lèvres sensuelles, cette peau parfaite et ces magnifiques cheveux longs et noirs. Sans oublier les seins, les jambes et tout ce qui l'attendait, à l'abri sous le léger drap blanc.

Le souffle court, il baissa son short jaune et son slip d'une blancheur plus que douteuse jusqu'à ses chevilles, et saisit le drap. Lentement, il le tira à lui, afin de savourer chaque instant. En dessous, Jessica était totalement nue : en posant son regard sur cette chair blanche et soyeuse, Benson fut incapable de contenir son excitation. Il avança une main tremblante vers son sein droit, l'eau à la bouche, prêt au premier pelotage.

C'est alors qu'elle ouvrit les yeux.

« Approche encore cette queue d'un centimètre, et tu peux lui dire adieu, siffla-t-elle. Maintenant, casse-toi ! »

Assommé de surprise, Benson eut un mouvement de recul. Il parvint à jeter un dernier regard au corps nu de Jessica, avant de prendre sagement ses jambes à son cou en direction de la sortie. Son slip et son short aux chevilles, il se déplaçait dans un dandinement de pingouin terrorisé. Après avoir trébuché une première fois et remonté frénétiquement son short, Benson parvint en haut des marches et jeta un coup d'œil par-dessus son épaule. Jessica avait refermé les yeux. Peut-être ment vides. Il n'y avait pas d'autre véhicule à vingt mètres à la ronde.

— Pas de plaque, fit remarquer Cannon. On dirait que cette nana prend beaucoup de précautions. T'es sûr que c'est une pute, Jack ? Déjà que je la remets pas trop… Sans compter que les trois quarts des filles ont des chauffeurs. Surtout celles qui bossent dans la catégorie cinq cents dollars du coup.

Karch garda le silence. Il regardait l'écran avec une attention soutenue. La fille ouvrit la portière côté chauffeur avec une clé, chargea ses sacs dans le van et monta. Les phares s'allumèrent dès que le moteur démarra. Avant d'enclencher la vitesse, elle se retourna et cogna sur la paroi qui séparait la cabine de l'arrière du véhicule. Karch vit ses lèvres bouger tandis qu'elle disait quelque chose. Il était clair qu'il y avait quelqu'un à l'arrière.

— Don, tu me repasses ça, s'il te plaît ?

— Pas de problème.

Cannon remonta en arrière et repassa l'image de la fille en train de frapper à la cloison. Il l'arrêta et entra quelques commandes dans son ordinateur afin de la rendre plus nette. Puis il passa à la bille de roller et remit au ralenti.

— Elle a dit quelque chose, reprit-il. Je ne… On dirait un truc du genre : « Comment ça va ? » ou « Comment vas-tu ? » Quelque chose comme ça.

— Comment ça va là-bas derrière ? dit Karch.

— Putain, Jack, je crois que t'as raison ! T'es bon, mec. Tu serais pas de trop ici.

— Je deviendrais fou en moins d'une semaine ! Tu vas pouvoir nous faire un gros plan sur l'arrière du camion ?

— Dès qu'elle sortira du parking.

Cannon revint à l'écran maître – où il n'y avait maintenant plus que des images en provenance des caméras du garage –, et suivit la descente du camion jusqu'au moment où celui-ci arriva devant la sortie de Koval Street. À l'instant où il la franchissait, l'arrière du véhicule fut photographié par une caméra placée au ras du sol, dont l'objectif était calé sur la hauteur moyenne d'une plaque d'immatriculation.

La plaque arrière manquait elle aussi.

— Putain ! s'écria Karch, tout surpris de son propre éclat.

— Attends une seconde, dit Cannon.

Il remonta en arrière et repassa la scène au ralenti. Puis il arrêta l'image du camion et l'agrandit. Karch le regarda, puis repassa à l'écran et comprit enfin ce qu'il était en train de faire. Les plaques d'immatriculation du véhicule avaient disparu, mais il y avait une vignette d'autorisation de stationnement sur le côté gauche du pare-chocs. Cannon fit habilement le point dessus et grossit l'image. Les lettres et les chiffres les plus grands devinrent presque clairs. Karch reconnut le chiffre de l'année et tentait de déchiffrer les lettres lorsque Cannon poussa un sifflement.

— Quoi ? demanda Karch.

— J'ai l'impression que c'est HLS.

— Moi aussi. C'est quoi ?

— Hooten's Lighting & Supplies. C'est leur logo. Tu sais bien… la société qui fabrique toutes ces merdes, dit-il en lui montrant la console.

— Bien, bien, dit Karch.

Il ne savait pas quoi ajouter. Cette découverte rendait l'histoire qu'il avait racontée à Cannon de plus en plus tirée par les cheveux. Pour la première fois de la soirée, il sentit à quel point il faisait froid dans la salle. Il se croisa les bras sur la poitrine.

— Je pige pas, reprit Cannon. Une pute qui conduit un van de chez Hooten's ? T'es sûr que ton client t'a pas raconté des salades ?

Il regarda Karch qui décida qu'il valait mieux sortir tout de suite de ce faux pas.

— Pas trop, non, dit-il. Et je ne fais rien de plus avant d'en avoir le cœur net. Si ce type m'a menti, c'est moi qui prends. Merci pour le coup de main, Don. Je ferais mieux de retourner au Desert Inn pour lui causer, à ce mec.

— Moi, je sais pas, dit Cannon, ça me paraît bizarre. Tu veux jeter un coup d'œil au dossier putes ? Y'a de sacrées beautés dans ce fichier, tu sais ?

Karch fronça les sourcils et secoua la tête.

— Non, peut-être plus tard. Laisse-moi d'abord causer à ce mec, et après on voit. Oh, et… on se revoit pour que je te règle le solde de la piste vidéo.

Karch lui montra la console d'un signe de la tête.

— Laisse tomber, Karch. Et d'ailleurs, on dirait bien que je t'ai mis plus de trous dans ton histoire que je n'en ai bouché. Non, tout ce que je veux, c'est que tu me fasses un tour de magie. T'as quelque chose à me montrer ?

Karch lui fit le grand jeu, comme si sa demande le prenait vraiment au dépourvu.

— Ben, c'est-à-dire que…

Il tâta ses poches.

— T'as de la monnaie ? Un *quarter* ou autre ?

Cannon se renversa dans son fauteuil de façon à pouvoir glisser sa main dans sa poche et finit par en ressortir une pleine poignée de pièces. Karch remonta les manches de sa veste jusqu'à mi-hauteur de ses avant-bras, choisit un *quarter* fraîchement fabriqué et tout brillant, et le prit avec la main droite. Puis il lui fit une variante du célèbre tombé français avec une disparition en jeté conçue par J. B. Bobo. C'était un tour qu'il faisait depuis l'âge de douze ans. Il aurait pu l'exécuter les yeux fermés. Il s'en acquitta avec une belle fluidité de mouvements et une aisance étudiée.

En levant la paume de la main droite à hauteur de poitrine, il tint le *quarter* par les bords entre le pouce et quatre doigts et l'inclina légèrement en avant de façon à ce que Cannon en voie le côté face. Puis il posa la main gauche par-dessus la pièce, comme s'il voulait s'en emparer. Au moment même où sa main se refermait sur la pièce, il laissa tomber celle-ci dans sa paume droite, achevant ainsi la partie fausse prise du tour.

Il ferma ensuite le poing gauche et le tendit vers Cannon en commençant à faire jouer ses muscles et à serrer de plus en plus fort le poing comme s'il voulait pulvériser la pièce que prétendument il y tenait. Dans le même temps, il fit tourner sa main droite au-dessus de son poing gauche toujours fermé. Tout cela sans lâcher son poing gauche des yeux une seule seconde.

— Et que ça tourne et que ça tourne, chantonna-t-il en reprenant la comptine, tant et tant qu'à la fin on ne sait où elle est.

De la main droite il agrandit alors de plus en plus son cercle et soudain fit claquer ses doigts et ouvrit les deux mains, paumes en l'air. La pièce avait disparu. Cannon regarda vite dans une main, puis dans l'autre, et partit d'un grand sourire. C'était la réaction habituelle. Le tour jouait sur deux impressions fausses. Le spectateur sceptique croit que la pièce n'a jamais quitté la main gauche et se retrouve tout bête lorsque la pièce a disparu entièrement.

— Fantastique ! s'écria Cannon. Où elle est passée ?

Karch secoua la tête.

— C'est ça l'ennui avec ce tour-là, dit-il. On ne sait jamais trop où elle va refaire surface. Et ça, tu vois, je ne suis jamais arrivé à maîtriser vraiment. Bah… faudra que t'ajoutes ton *quarter* à ce que je te dois.

Cannon rit très fort.

— T'es cool, Jack. Comment tu l'as appris, celui-là ? Ton père ?

— Oui.

— Il vit encore ?

— Non, il est mort. Il y a longtemps.

— Et il bossait dans le Strip, n'est-ce pas ?

— Ouais, à droite et à gauche. Une fois, il a fait le lever de rideau pour Joe Bishop qui faisait le lever de rideau pour Frank Sinatra au Sands[1]. J'ai des photos des trois ensemble.

— Génial. Les Rats ! La belle époque, pas vrai ?

— Ouais, y'avait des jours avec.

Karch revit son père revenant de l'hôpital après l'incident du Circus, Circus. Les deux mains bandées. On aurait dit qu'il y tenait deux balles de base-ball. Et ses yeux semblaient regarder très très loin et fixement.

Karch comprit qu'il avait cessé de sourire et regarda Cannon.

— Bon, bref, vaudrait mieux que j'y aille et que je m'occupe de cette histoire. Merci de ton aide, Don.

Il lui tendit la main, Cannon la lui serra.

— Quand tu veux, Jack, dit-il.

— Pas la peine de me raccompagner.

1. Soit le « Casino des sables ».

Il se tourna vers les marches et commença à s'éloigner. Puis brusquement il s'arrêta et s'appuya à la rambarde.

— Mais qu'est-ce que ?…

Il souleva le pied gauche et ôta sa chaussure. Sans même jeter un coup d'œil à Cannon, mais en sachant que celui-ci l'observait, il regarda à l'intérieur de sa chaussure et la secoua. Il y avait quelque chose qui faisait du bruit à l'intérieur. Il la retourna et laissa tomber le *quarter* qu'il s'était glissé dans l'autre main un peu plus tôt. Il le ramassa et regarda Cannon. Le grand costaud abattit son poing sur la console et commença à rire en secouant la tête.

— Je t'avais bien dit que c'était une vraie saloperie, ce tour ! On ne sait jamais où elle va refaire surface, cette pièce.

Et il la lança à Cannon qui la rattrapa dans son gros poing.

— Celle-là, je la garde, Jack ! s'écria-t-il. C'est de la magie, bordel, de la magie !

Karch le salua, descendit les marches et quitta la salle des écrans. Il attendit d'être sorti du Flamingo et hors de portée des caméras de Cannon pour plonger la main dans sa pochette de costume et en ressortir le mouchoir et le *quarter* qu'il y avait laissé tomber en faisant ses ronds avec sa main droite.

La *dime*, il la ressortirait de sa chaussure un peu plus tard, dès qu'il aurait un moment pour s'asseoir.

23

Quatre-vingt-dix minutes plus tard, Karch se tenait, un téléphone cellulaire à la main, devant le parking employés de la Hooten's Lighting & Supplies Company. Rangé de l'autre côté du grillage se trouvait le van bleu qu'on avait filmé en train de quitter le garage du Flamingo quelque six heures plus tôt. Sauf que maintenant il y avait une plaque d'immatriculation à l'arrière. Karch faisait les cent pas, attendant impatiemment qu'on le rappelle. Les premiers frissons de la montée d'adrénaline commençaient à lui chatouiller le crâne. Il approchait du but. Du fric et de la femme. Il rejeta la tête en arrière, ce geste semblant accentuer la vague de plaisir qu'il sentait l'envahir.

Lorsque le téléphone sonna, il avait déjà le doigt sur le bouton.

— Karch, dit-il.

— Ivy. Je l'ai.

Inspecteur à la police métropolitaine, Iverson, alias Ivy, lui vérifiait les plaques d'immatriculation pour cinquante dollars le coup. Il faisait d'autres choses à d'autres prix et se servait de son pouvoir pour gagner deux salaires. Karch était toujours prudent dans ses demandes, même lorsque le service demandé n'avait rien d'illégal. Au fil des ans il avait appris à traiter tous les flics de Las Vegas – et Iverson plus que les autres – avec les mêmes précautions que les prostituées, les prêteurs sur gages et autres requins des casinos qu'il fréquentait régulièrement.

Karch pencha la tête de côté et cala son téléphone dans le creux de son cou pendant qu'il sortait son crayon et son carnet de sa poche.

— Bon, alors, qu'est-ce que vous avez ?

— Le véhicule appartient à un certain Jerome Zander Paltz, quarante-sept ans. Adresse : 312, Mission Street. C'est dans Las Vegas Nord. Je l'ai passé au sommier, il est blanc comme neige. À ce propos, c'était en plus et gratis.

Karch avait cessé d'écrire dès qu'il avait entendu le nom du bonhomme. Jerome Paltz, il connaissait. Ou était à peu près sûr de connaître. Oui, il connaissait un Jersey Paltz qui bossait chez Hooten's. Il comprit brusquement qu'il avait toujours cru que ce surnom de Jersey disait l'État d'où il venait. Il savait maintenant que ce n'était qu'un raccourci entre ses deux prénoms.

— Hé, boss, on est toujours là ? reprit le flic.

Karch laissa là ses pensées sur Jersey Paltz.

— Oui, oui. Merci, Ivy. Ça m'éclaircit pas mal de trucs.

— Vraiment ? Et quoi donc ?

— Oh, des trucs sur lesquels je travaille en ce moment. De la surveillance de chantier. Au Venetian. Le van y a été vu à plusieurs reprises et j'avais des doutes. Mais comme Paltz est sur la liste des fournisseurs… Il travaille pour la Hooten's L & S qui installe les caméras. Donc, inutile de pousser plus loin.

— C'est quoi qu'ils ont comme problème, au Venetian ? Le vol ?

— Oui, essentiellement de matériaux de construction. Et comme le van de ce Paltz n'avait pas de signe particulier, je me suis dit que ça valait peut-être le coup de vérifier.

— Bref, retour à la case départ, c'est ça ? C'est quoi, qu'on cherche ? Un voleur en brouette ?

Karch songea qu'Iverson devait sourire à l'autre bout du fil.

— C'est ça même, dit-il. Mais merci quand même. Ça va m'économiser du temps.

— À plus.

Karch referma son téléphone et regarda le van bleu à travers le grillage en réfléchissant à la suite des événements. Arriver à Paltz changeait pas mal les choses.

Pour finir, il rouvrit son portable, téléphona aux renseignements et obtint le numéro de la Hooten's Lighting & Supplies. Il appela et demanda qu'on lui passe Jersey Paltz, qui décrocha au bout de trente secondes.

— Jerome Paltz ?

On ne lui répondit pas tout de suite.

— Oui, dit-on enfin, qui…

— Jersey Paltz ?

— Qui est à l'appareil ?

— Jack Karch.

— Ah. Et c'est quoi, ce « Jerome » ? Personne ne me…

— C'est bien comme ça que vous vous appelez, non ? Jerome Zander Paltz. C'est de là que vous vient votre surnom de Jersey, n'est-ce pas ?

— Oui, mais personne…

— Je voudrais que vous sortiez du magasin. Tout de suite.

— C'est quoi, ce plan ?

— Tout simplement que je vous demande de venir tout de suite. Je vous attends dehors. Dans le parking employés. Je suis garé sur le bas-côté. Juste en face de votre van, de l'autre côté de la grille.

— Et si vous me disiez un peu de quoi il s'agit ? Je ne…

— Je vous le dirai quand vous serez ici. Quittez le magasin tout de suite. Je peux peut-être encore vous aider, mais il va falloir coopérer et sortir tout de suite.

Il referma son portable avant que Paltz ait le temps de lui répondre. Puis il regagna sa voiture et y monta. C'était une Lincoln noire – une Towncar à l'ancienne avec un coffre énorme. Il l'aimait bien, mais le réservoir se vidait un peu trop vite et on le prenait trop souvent pour un chauffeur de limousine. Il régla le rétroviseur de façon à pouvoir se vautrer sur son siège sans lâcher de l'œil l'entrée du parking, une trentaine de mètres derrière lui. Il ouvrit sa veste et sortit son 9 mm Sig Sauer de son étui. Puis il passa la main sous son siège et chercha entre les ressorts jusqu'au moment où ses doigts se refermèrent sur le silencieux qu'il y avait attaché avec du sparadrap. Il le dégagea, le fixa au canon du Sig Sauer et posa l'arme entre son siège et la portière.

Au bout de cinq minutes d'attente, il vit Jersey Paltz entrer dans le champ de vision de son rétroviseur et commencer à se diriger vers la Lincoln. Il venait d'allumer une cigarette et avançait d'un pas décidé – comme quelqu'un en colère, peut-être même. Karch sourit. Il allait bien s'amuser.

Paltz s'assit à la place du mort en ronchonnant beaucoup. Son haleine sentait le bagel à l'oignon.

— Vaudrait mieux que ça en vaille le coup, lança-t-il. Je bosse, moi.

Karch attendit que son regard et celui de Paltz entrent en contact avant de répondre.

— J'espère bien, dit-il seulement.

Paltz attendit quelques instants, puis explosa :

— Bon, alors, merde ! Qu'est-ce que vous voulez ?

— Je ne sais pas. Et vous ? Vous m'avez appelé.

— Quoi ? Mais c'est vous qui venez juste de me télé…

Karch éclata de rire, Paltz la fermant aussitôt tant il n'y comprenait plus rien. Karch tourna la clé de contact et fit démarrer la voiture. Il la mit en prise et regarda par-dessus son épaule gauche pour se préparer à redescendre sur la chaussée. Les serrures de portières, il l'avait entendu, s'étaient fermées automatiquement dès qu'il avait enclenché le levier de vitesses.

— Hé mais, minute, bordel ! s'écria Paltz. Je bosse, moi ! Il est pas question d'aller se bala…

Il essaya d'ouvrir sa portière, mais le système de fermeture automatique l'en empêcha. Pendant qu'il cherchait un bouton qui l'aurait désengagé, Karch fit vrombir le moteur et redescendit sur la route.

— Calmez-vous, dit-il, y a pas moyen de débloquer les portières tant qu'on roule. C'est un truc de sécurité. Et tenez, je me disais justement que Ted Bundy[1] aurait dû piloter une Lincoln.

— Mais bordel ! s'écria Palz en levant les mains en l'air de dégoût. Où on va ?

— On a un problème, Jerome, lui répondit calmement Karch.

Il prit vers l'ouest, par Tropicana Boulevard. Au loin, les crêtes des montagnes se dessinaient au-dessus de l'horizon citadin.

---

1. Célèbre tueur en série des années quatre-vingt.

— Qu'est-ce que vous racontez ? On n'a pas de problèmes du tout ! Je ne vous ai pas parlé depuis un an et arrêtez de m'appeler comme ça !

— Jerome Zander Paltz… Jerry Z… Jersey. C'est quoi, le nom que vous voulez sur la pierre ?

— Quelle pierre ? Et si vous me di…

— Celle qu'ils vont mettre sur ta tombe, connard !

Enfin Paltz la boucla. Karch lui jeta un coup d'œil et hocha la tête.

— Eh oui, tête de nœud ! C'est aussi grave que ça ! On a repéré ton van. La nuit dernière. C'est sur bande vidéo.

Paltz commença à secouer la tête comme s'il essayait de sortir d'un cauchemar.

— Je vois pas de quoi vous parlez, dit-il. Et d'abord, où est-ce qu'on va ?

— Dans un coin tranquille. Où on pourra causer.

— Pas question de causer. Vous causez et moi, je sais absolument rien sur ce que vous dites.

— Eh bien, mais c'est parfait ! On parlera quand on y sera.

Dix minutes plus tard, le labyrinthe des quartiers industriels commença à s'éclaircir au fur et à mesure qu'ils se rapprochaient du désert. Karch jeta un coup d'œil à Paltz et s'aperçut que son client commençait à mieux comprendre la nature des ennuis qui l'attendaient. C'était toujours comme ça quand le désert apparaissait. Il tendit la main, attrapa son Sig et le posa sur ses genoux, canon pointé sur le ventre de Paltz.

— Eh merde ! s'exclama celui-ci quand il vit l'arme et comprit enfin, et entièrement, où il en était. Quelle petite salope !

Karch eut un grand sourire.

— De qui parlons-nous ?

— De Cassie Black, c'est comme ça qu'elle s'appelle, répondit Paltz sans attendre. Qu'elle aille se faire foutre ! Je vais pas la protéger.

Karch plissa les paupières en réfléchissant. Cassie Black. Le nom lui disait vaguement quelque chose, mais il avait du mal à situer.

— Celle qu'était avec Max Freeling y a six ans de ça, précisa Paltz. (Karch se tourna vivement vers lui.) Je déconne pas. Vous vous rappelez pas ?

Karch secoua la tête. Ça n'avait pas de sens.

— C'était elle qui repérait. Elle est pas rentrée, dit-il.

— Il faut croire que Max a dû lui apprendre des trucs.

— Sauf qu'ils l'ont coincée. Elle a été expédiée à High Desert. Elle l'avait tué.

— Homicide sans intention de donner la mort, Karch. Et de toute façon elle est dehors maintenant. Elle m'a dit qu'elle vivait en Californie. À Los Angeles.

Karch réfléchit et consulta sa montre. Il y avait à peine trois heures qu'il avait retrouvé Grimaldi à la suite 2014 et il avait déjà un nom et toute une histoire à lui raconter. Il roula les épaules et savoura l'excitation qu'il sentait monter dans sa poitrine. Puis il revint à ses pensées et au problème qui l'occupait.

— Tu sais quoi, Jerome ? enchaîna-t-il. Je croyais qu'on avait passé un marché. Je croyais que chaque fois que tu entendrais parler d'un truc qui pouvait avoir le moindre rapport avec le Cleopatra, tu me rencardais. Et mes messages, je les vérifie tout le temps. Jusqu'à des deux ou trois fois par jour quand je ne suis pas au bureau. Et là, c'est assez drôle, mais je n'ai pas eu un seul coup de téléphone de toi la semaine dernière. Ni la semaine d'avant, d'ailleurs. En fait, je n'en ai jamais eu dont je me souviendrais.

— Écoutez, je ne savais pas que ça serait au Cleo que ça se passerait. Et de toute façon, j'aurais pas pu appeler. J'étais détenu.

— Détenu ? Comment ça « détenu » ?

— Attaché à l'arrière du van.

Paltz passa les dix minutes qui suivirent à lui donner sa version des événements de la veille au soir. Karch l'écouta en silence, sans rien oublier des incohérences et des trous qu'il y avait dans son récit.

— Ce qui fait que j'aurais pas pu vous appeler, conclut Paltz. Je l'aurais fait et j'en avais bien l'intention, mais elle m'a enfermé dans le van toute la nuit. Regardez un peu ça.

Il se retourna et se pencha en travers de son siège. Karch haussa son arme, Paltz levant aussitôt les mains en l'air et lui indiquant la commissure de ses lèvres où l'on voyait des blessures toutes fraîches et apparemment douloureuses.

— Ça, c'est le bâillon qu'elle m'a collé en travers de la gueule, dit-il. Je ne vous raconte pas des blagues.

— Assis.

Paltz reprit sa place. Ils roulèrent en silence une minute pendant que Karch réfléchissait à l'histoire de Paltz.

— Peut-être, mais tu ne me dis pas tout, reprit-il. Savait-elle que c'est toi qui me les as dénoncés la dernière fois ?

— Non. Ça, personne ne le savait en dehors de vous.

Karch acquiesça d'un hochement de tête. L'affaire n'ayant pas été jugée, il n'avait jamais été obligé de raconter son histoire en public. Seuls les flics… et l'un d'eux n'était autre qu'Iverson…

— Avec qui travaillait-elle, ce coup-ci ?

— Elle bossait en solo. Hier, elle s'est pointée comme ça au comptoir et c'est de là que c'est parti. J'ai jamais vu personne d'autre.

Il n'empêche : ce qu'il racontait ne tenait pas encore complètement la route.

— Tu ne me dis toujours pas tout, répéta-t-il. Tu lui as fait quelque chose. T'as essayé de la dépouiller ?

Paltz garda le silence et Karch y vit la confirmation de ce qu'il pensait.

— Évidemment, dit-il. T'as compris qu'elle était seule sur le coup et t'as essayé de la refaire. Sauf qu'elle, elle s'y attendait et qu'elle t'a baisé. Même que c'est pour ça qu'elle pouvait pas te laisser filer avant d'avoir terminé.

— Oui, bon, j'ai essayé de l'avoir. Et alors, bordel ?

Karch ne répondit pas. Ils avaient depuis longtemps franchi les limites de la ville. Karch aimait bien le désert, surtout au printemps, juste avant qu'il commence à faire trop chaud.

— Qu'est-ce qu'elle faisait à Los Angeles ? demanda-t-il.

— Elle ne me l'a pas dit et je ne le lui ai pas demandé. Écoutez... où est-ce qu'on va ? Je vous ai dit tout ce que je savais.

Karch garda le silence.

— Écoutez, Karch, je sais ce que vous faites. Vous croyez que j'ai quitté le magasin sans dire à personne qui j'allais voir au parking.

Karch le regarda d'un air étonné.

— Mais c'est bien, ça, Jersey ! s'écria-t-il. C'est exactement ce que je me disais.

Le bluff ne valait même pas la peine qu'on s'y arrête. Karch savait très bien que les relations de Paltz avec ses collègues étaient telles qu'il leur aurait dit qu'il sortait fumer une cigarette et rien d'autre.

Il engagea la grande Lincoln sur une petite route appelée Saddle Ranch Road au cadastre du comté. Elle faisait partie de terrains mesurés et découpés en lotissements quelque trente ans plus tôt. On y avait bien tracé deux ou trois routes, mais le plan ayant capoté, aucune maison n'y avait jamais été construite. Si vite qu'elle s'étendît, la ville en avait encore pour deux décennies avant d'y être. Alors les maisons surgiraient de terre. Karch espéra qu'il ne serait plus là pour le voir.

Il arrêta la voiture devant un vieux bureau de ventes abandonné. Les fenêtres et les portes y avaient depuis longtemps disparu. Des impacts de balles et des graffitis en tout genre couvraient les murs, à l'intérieur comme à l'extérieur, le plancher étant jonché de cannettes de bière et de verre brisé. Le soleil du matin s'était pris dans une toile d'araignée argentée accrochée en travers de la porte. Karch regarda le yucca qui avait poussé environ dix mètres derrière elle. C'était lui qui l'avait planté à cet endroit bien des années plus tôt – pour marquer un lieu et rien de plus. Il était toujours étonné de voir à quel point l'arbre avait réussi à grandir dans un coin aussi désolé.

Il coupa le moteur et regarda Paltz. On aurait dit que celui-ci n'avait plus une goutte de sang dans les veines.

— Écoutez, répéta-t-il, je vous ai dit tout ce que je savais sur cette pute et ce qui s'est passé. Y'a pas besoin de me…

— Descends.

— Quoi ? Ici ?

— Oui, ici.

Il leva son arme afin que Paltz qui essayait d'ouvrir la portière ne l'oublie pas. La portière était toujours fermée. Amusé, Karch regarda comment les mains de son passager palpaient follement la serrure à la recherche du bouton de déblocage. Enfin il le trouva et ouvrit. Il descendit de voiture, Karch le suivant de son côté.

Arrivé à l'avant de la Lincoln, Karch baissa de nouveau son arme le long de son flanc.

— Qu'est-ce que vous allez faire ? lui demanda Paltz qui avait levé les mains en l'air en signe de reddition.

Karch ignora sa question et jeta un coup d'œil autour de lui.

— Ce coin… dit-il. Ça fait des années que j'y viens. Depuis que je suis enfant. Mon père m'y amenait souvent en voiture pour qu'on puisse regarder les étoiles. L'hiver, on s'asseyait sur le capot de la Dodge et c'était le moteur qui nous réchauffait.

Il se retourna et regarda la ville derrière lui.

— Ah, mec ! Le soir, il était capable de regarder le Strip et de me dire le nom de tous les casinos rien qu'à la couleur de leurs néons. Le Sands, le Desert Inn, le Stardust… Qu'est-ce que j'aimais cet endroit à cette époque ! Maintenant… maintenant, c'est de la merde. Plus aucune classe.

Il n'acheva pas sa phrase. Il regarda Paltz comme si c'était la première fois qu'il le voyait.

— Combien elle t'a filé ?

— Rien.

Karch marcha droit sur lui. Aussitôt Paltz bafouilla une autre réponse.

— Si, bon, huit mille dollars. Mais c'est tout. C'était pour l'équipement. Elle ne m'a filé aucun pourcentage. Elle m'a donné les huit mille et m'a laissé partir.

Karch se dit brusquement qu'il était bien étrange qu'elle l'ait laissé filer – et même qu'elle l'ait payé – alors qu'elle n'avait pas laissé la vie sauve à Hidalgo.

Il y avait là une contradiction à laquelle il allait devoir réfléchir. Il s'était passé quelque chose dans la chambre d'hôtel et il n'y avait sans doute qu'une seule personne qui pouvait lui dire de quoi il retournait.

— Où sont ces huit mille dollars ?

— Dans un coffre, chez moi. On n'a qu'à y aller. Je vous montrerai où.

Karch eut un sourire sans humour.

— Elle t'a parlé de ce qu'elle avait fait avant de te laisser filer ?

— Elle m'a rien dit du tout. Elle m'a juste détaché avant de dégager. J'ai trouvé les huit mille dollars sur le siège avant, avec les clés.

— Et la mallette ?

— Quelle mallette ?

Karch réfléchit un instant, puis décida de laisser courir. Il doutait fort qu'elle lui ait parlé de ça. Elle avait sans doute déjà compris que la mallette était piégée électroniquement et ne l'avait probablement toujours pas ouverte.

Karch arriva aussi à la conclusion qu'il ne tirerait plus grand-chose de Paltz – sauf, peut-être, les huit mille dollars qu'il avait chez lui.

— Viens ici, dit-il en lui montrant l'avant de la Lincoln. Pose ton portefeuille sur le capot. Avec tes clés.

Paltz s'exécuta et se planta devant la voiture tandis que Karch restait à sa place, près de l'aile gauche du véhicule.

— Vous n'avez pas volé les gens qu'il fallait, dit-il. Et elle a tué le mauvais bonhomme.

— Je vois pas où vous vou… J'ai rien volé, moi. J'ai…

— Tu l'as aidée et ça te rend aussi coupable qu'elle. Tu comprends ?

Paltz ferma les yeux, et quand il parla sa voix n'était plus que gémissements désespérés.

— Je m'excuse. Je ne savais pas. S'il vous plaît, il faut me faire une fleur…

Karch regarda les broussailles derrière lui. Encore une fois il s'attarda sur le yucca, puis il posa les yeux plus loin. Le désert était vraiment beau, jusque dans sa désolation.

— Tu sais pourquoi je viens ici ?

— Oui.

Karch faillit rire.

— Non, je veux dire… dans cet endroit précis.

— Non.

— Parce qu'il y a trente ans de ça, quand ils ont cartographié le coin et ont commencé à vendre des lotissements aux gogos, ils ont tout arrangé pour que ça ait l'air vendable. Quasiment qu'ils allaient se mettre à construire dès qu'ils auraient ton fric en main. Ça faisait partie de l'arnaque et ça a drôlement bien marché.

Paltz hocha la tête comme s'il trouvait l'histoire intéressante.

— Mon père avait acheté une parcelle…

— C'est pour ça que vous veniez ?

Le ton qu'il avait pris était forcé. Karch ignora sa question.

— Trente ans, ça fait un bout, dit-il. La terre est de nouveau très dure, mais il suffit d'aller n'importe où ailleurs et de commencer à creuser pour trouver dans les trente centimètres de terre meuble et la roche juste en dessous. On s'imagine vite que c'est comme de creuser à la plage. On en est loin. La terre sous cette couche-là n'a pas été touchée depuis deux ou trois millions d'années. La pelle rebondit quand on essaie de l'y enfoncer !

Il regarda Paltz.

— Ce qui fait que j'aime bien, ici. Bon, comprends-moi, c'est toujours du boulot, mais sur un mètre de profondeur, c'est faisable. Et y a pas vraiment besoin de plus.

Et il se fendit d'un sourire entendu. Paltz démarra comme il se doutait bien qu'il allait le faire. Il courut autour du bureau de ventes et dépassa le yucca en essayant de s'en faire un paravent. Ça aussi, Karch connaissait. Il s'écarta de la Lincoln et partit calmement sur la gauche du bureau pour améliorer son angle de tir. En avançant, il ôta le silencieux du Sig – ce n'était plus nécessaire et ça risquait d'affecter la précision. Il fit le point sur la chaîne de montagnes sans le silencieux.

Paltz se trouvait à une trentaine de mètres. Il se déplaçait de droite à gauche, ses pieds soulevant de petits nuages de sable et de poussière tandis qu'il courait désespérément en zigzag. Karch fit tomber le silencieux dans la poche de sa veste et s'immobilisa. Il écarta les pieds, leva son arme fort classiquement à deux mains, comme au stand de tir, et se mit à suivre les mouvements de Paltz. Il visa soigneusement et tira une seule fois, en anticipant la course de sa cible d'une cinquantaine de centimètres. Il abaissa son arme et regarda Paltz qui commençait à battre des bras et piquait du nez dans le sable. Il savait qu'il l'avait touché dans le dos, peut-être même à la colonne vertébrale. Il attendit d'autres mouvements puis, au bout de quelques instants, il vit Paltz remuer dans le sable et rouler sur le dos. Il était clair qu'il ne se relèverait pas.

Karch chercha la douille et la trouva dans le sable. Elle était encore chaude au toucher lorsqu'il la ramassa et la glissa dans sa poche. Il revint à la Lincoln et se servit de la télécommande pour ouvrir le coffre. Il ôta sa veste, la plia sur le pare-chocs et attrapa sa salopette. Il enfila les jambes, fit passer ses bras dans les manches du vêtement et remonta la fermeture Éclair jusqu'à son cou. La salopette était ample et noire, parfaite pour le travail de nuit.

Il sortit sa pelle et se dirigea vers l'endroit où Paltz était tombé. Paltz avait une grosse fleur de sang marron au milieu du dos. Sa figure était maculée de poussière et de sable. Du sang s'était répandu sur ses lèvres et sur ses dents. Cela signifiait que la balle lui avait perforé un poumon. Il respirait vite et fort. Il n'essaya même pas de parler.

— Bon, allez, dit Karch. Ça suffit.

Il se pencha en avant et colla le canon du Sig sous l'oreille gauche de Paltz. Avec l'autre main il tint la pelle par le manche et en plaça la partie métallique de façon à ce qu'elle bloque les éclaboussures. Il tira une fois, dans le cerveau, et sentit Paltz s'immobiliser. La douille éjectée heurta la pelle avec un bruit métallique et tomba dans le sable. Karch la ramassa et la rangea dans sa poche avec l'autre.

Puis il rangea le Sig dans son étui et regarda le ciel. Il n'aimait pas faire ça dans la journée. Et ce n'était pas seulement parce que ça l'obligeait à porter une salopette noire en plein soleil. Des fois, quand il y avait de l'engorgement à l'aéroport McCarran, les avions étaient mis en attente et tournaient très bas de ce côté-là de Las Vegas.

Il n'en commença pas moins à creuser en espérant que rien de tel ne se produirait et en se demandant si ce serait vraiment une coïncidence si, au bout d'un moment, sa pelle tapait dans des ossements déjà enterrés à cet endroit.

24

Karch s'immobilisa devant le miroir de répétitions et ajusta sa cravate. Une Hollyvogue avec spirales Art déco qui avait appartenu à son père. Il avait décidé de la porter avec sa veste Hollywood en gabardine et le pantalon à plis qu'il avait choisi en ville chez Valentino.

Son bipeur sonna, il le prit sur la commode. Il reconnut le numéro de Vincent Grimaldi, l'effaça, accrocha l'appareil à sa ceinture et finit d'ajuster sa cravate. Il n'avait pas l'intention de rappeler Grimaldi. En fait, il tenait à l'informer personnellement des progrès de son enquête.

Lorsqu'il en eut fini avec sa cravate, il revint chercher ses armes dans la commode. Il enfila le Sig dans son étui et boucla la lanière de sécurité par-dessus. Puis il prit son petit .25, un Beretta qui tenait dans la paume de sa main. Il se retourna vers la glace et se tint les mains le long du corps, le .25 caché dans la main droite. Il fit encore quelques gestes et mouvements divers, en vérifiant chaque fois qu'on ne voyait pas son arme. La main droite de David, pensa-t-il, la main droite de David.

Puis il répéta la fin. En déplaçant ses mains apparemment vides comme s'il était en pleine conversation, il en sortit brusquement son arme pointée sur lui. Cette série de gestes une fois répétée comme il fallait, il remit le petit pistolet dans la pochette en soie de magicien qu'il avait demandé à un tailleur de lui coudre sur l'arrière de son pantalon, dans la ceinture – une pochette par pantalon. Enfin il tendit les mains vers le miroir et les rapprocha de son visage comme s'il allait prier. Il tira sa révérence et recula de quelques pas – fin du spectacle.

En se rendant au garage, il fit un arrêt à la cuisine et sortit un bocal à conserve d'un des placards. Il en ôta le couvercle et y laissa tomber les deux douilles de balles qu'il avait tirées dans le désert. Puis il leva le bocal en l'air et le regarda. Il était presque à moitié plein de douilles. Il le secoua et écouta les douilles tinter à l'intérieur. Puis il le remit dans le placard et sortit un paquet de céréales Honeycomb. Il mourait de faim. Il n'avait pas mangé de toute la journée et les efforts physiques qu'il avait déployés dans le désert lui avaient pompé toute son énergie. Il commença à manger les céréales à même la boîte, en faisant attention à ne pas mettre de miettes sur ses vêtements.

Il passa dans le garage qu'il avait illégalement transformé en bureau et s'assit à sa table de travail. Il n'avait pas besoin d'un bureau dans un bâtiment commercial comme la plupart des détectives privés. Les trois quarts de son travail – du côté légal – lui arrivaient par téléphone. Il s'était spécialisé dans la recherche des personnes disparues. Moyennant le versement de cinq cents dollars mensuels, deux inspecteurs de la police métropolitaine de Las Vegas chargés de ces recherches l'aiguillaient sur les affaires à suivre. Règlement oblige, la métro ne pouvait pas se mettre à chercher un adulte signalé disparu avant un délai de quarante-huit heures. Cette pratique reposait sur le fait que, presque toujours, ces personnes disparues ne « disparaissaient » que de manière très volontaire et pour « reparaître » un ou deux jours plus tard. À Las Vegas en tout cas.

C'étaient des gens qui venaient en vacances ou pour un congrès et se faisaient la malle dans une ville où tout était fait pour casser les inhibitions. Ils couchaient avec des stripteaseuses ou des putes, ils paumaient leur argent et avaient honte de rentrer chez eux, ou alors ils en gagnaient des tonnes et ne voulaient plus réintégrer leur domicile. Les raisons étaient innombrables et c'était pour ça que la police avait opté pour le « attendons voir ».

Cela dit, ce délai de quarante-huit heures et toutes les raisons qui l'expliquaient ne calmaient nullement les proches, qui en devenaient parfois complètement hystériques. Et c'était là que Karch et une légion d'autres détectives privés entraient en scène. En graissant la patte aux flics de la police métropolitaine, Karch s'assurait que ses nom et numéro de téléphone étaient souvent répétés aux personnes qui, après leur avoir signalé telle ou telle disparition, n'avaient aucune intention d'attendre les quarante-huit heures d'attente imposées par le règlement avant qu'on lance les recherches.

Les cinq cents dollars qu'il déposait chaque mois sur un compte bancaire auquel les deux flics avaient accès étaient une bonne affaire. C'était souvent jusqu'à une douzaine d'appels à l'aide qu'il recevait par mois. Il se faisait payer une indemnité de quatre cents dollars par jour plus les frais, avec un dépôt minimum équivalent à deux jours de travail. Il lui arrivait fréquemment de localiser le ou la disparue en moins d'une heure grâce à ses paiements par carte de crédit, mais ça, il ne le disait jamais à ses clients. Il leur demandait de lui virer ses honoraires sur son compte, et seulement alors leur révélait l'endroit où se cachait l'être cher. Pour Karch, tout cela n'était guère qu'un énième tour de passe-passe. Se débrouiller pour que le mouvement ne s'arrête pas et ces regards consternés. Obéissance, à présent quasiment sobre, se tenait à côté de Dante au milieu de la salle de billard, avec tatoué sur toute la longueur du front, en grosses lettres capitales vertes, le mot « CONNARD ».

Pendant une véritable éternité, la salle tout entière fut plongée dans un terrible silence. Non sans ironie, il fut brisé par Silence, qui sortit des toilettes pour hommes en claquant la porte derrière lui. Mais le son de la porte violemment refermée ne fit diversion que durant une demi-seconde.

« Qu'est-ce qui t'est passé par la tête, bordel ? demanda Vanité en tambourinant d'un long doigt décharné sur la poitrine de Dante.

— Euh… on… tu vois, non ? on voulait juste se faire tatouer quelque chose », bégaya Dante.

Vanité reposa son regard sur Obéissance : « Est-ce que tu voulais vraiment te faire tatouer *ça* sur la gueule ? Parce que je sais pas trop pourquoi, mais j'ai comme l'intuition que ce n'était pas ton premier choix. »

Obéissance poussa un long soupir.

« C'est Dante qui me l'a suggéré », murmura-t-il.

Silence arriva précisément à cet instant, curieux de savoir à quoi tout cela rimait. Il capta immédiatement le nouveau tatouage d'Obéissance. Il éprouva tout d'abord une énorme surprise. Puis de l'amusement. Ce vampire, d'habitude muet, fut incapable de se contenir : il se mit à ricaner sous cape, et, lorsque tous se retournèrent pour voir qui était le seul individu à trouver la situation amusante, il éclata carrément de rire, d'un puissant hurlement d'hilarité qui aurait suscité l'admiration de n'importe quel loup-garou.

Pendant quelques secondes, il rit seul, sans prêter la moindre attention aux expressions scandalisées des visages tournés vers lui. Puis la surprise d'entendre quelque chose sortir de sa bouche l'emporta peu à peu et, très vite, quasiment tout le monde se mit à pousser des éclats de rire hystériques en pointant du doigt le nouveau tatouage d'Obéissance. Obéissance lui-même se mit à rigoler, histoire de ne pas se sentir exclu.

Les deux seules personnes qui ne riaient toujours pas étaient Dante et Vanité. Le premier était sur le point de se laisser emporter par une crise d'angoisse, à présent qu'il venait de comprendre qu'il s'était fait de Vanité un ennemi juré dès leur première rencontre. Le chef du clan des vampires, quant à lui, ne trouvait pas la blague drôle, tout simplement. Fort heureusement, sa vanité sans limite le poussait à vouloir être constamment à la pointe de la mode. Et présentement, la mode était de rigoler du tour que Dante avait joué à Obéissance. Il finit donc par rire avec le reste de l'assemblée, avec moins d'enthousiasme cependant.

Pour un peu, Dante aurait embrassé Silence pour lui avoir sauvé la peau des fesses. En fait, le vampire muet appréciait simplement les bonnes blagues. Lui-même venait tout juste de jouer un tour de sa propre invention dans les toilettes pour hommes, une farce qui allait se retourner contre eux d'une façon spectaculaire et entraîner un formidable bain de sang.

Silence ne vivait que pour deux choses : les farces et les bagarres générales. À ce titre, il allait vivre dans moins d'une minute une soirée de rêve. Dans Le Marécage, le temps allait sérieusement, horriblement, tourner à l'orage. Et Dante, encore ivre, allait vivre sa première baston de vampires. Dans un avenir proche, trop proche, le soulagement d'avoir échappé à un châtiment pour ce maudit tatouage ne serait même plus un souvenir.

29

Kacy était quasiment incapable d'avaler la moindre miette. Elle se faisait un vrai sang d'encre à propos de Dante. Robert Swann avait été un vrai amour : il avait convaincu sa collègue, l'agent Valdez, qu'il serait bon d'autoriser Kacy à manger au restaurant de l'hôtel en sa compagnie. Aussi, tandis que Dante buvait avec une horde de créatures du mal en espérant ne pas se faire démasquer, Kacy partageait un dîner de choix avec Swann.

La salle de restauration de l'hôtel était démesurée. Ce vaste espace accueillait traditionnellement les réceptions et les mariages les plus huppés de tout Santa Mondega. Il s'y trouvait, au bas mot, une cinquantaine de tables de tailles diverses, dont au moins la moitié était occupée lors du dîner en tête à tête de Kacy et de Swann. Chaque table était recouverte d'une nappe blanche immaculée, et toutes celles qui étaient occupées étaient délicatement éclairées par des bougies roses très distinguées, disposées sur un élégant chandelier à deux branches. Des haut-parleurs diffusaient de la musique classique en sourdine, et il se trouvait toujours un serveur prêt à répondre aux moindres besoins des clients, comme par exemple rajouter de la glace dans le seau où était plongée la bouteille de vin que Kacy et Swann étaient en train de vider. Quand un gentleman de Santa Mondega voulait impressionner une dame, c'était dans ce restaurant qu'il l'invitait.

La nourriture était tout aussi exquise, mais Kacy avait le plus grand mal à manger. Sous sa robe noire très distinguée, et néanmoins réduite à un minimum de tissu, son estomac se contractait en une infinité de nœuds, ce qui rendait impossible l'ingestion de tout aliment un peu trop sec, comme le pain qu'on leur avait servi quand ils avaient pris place à leur table. Elle s'était forcée à avaler deux crevettes piochées dans sa salade de fruits de mer, ce qui avait suffi à la dégoûter pour la soirée de tout ce qui pouvait avoir un goût de poisson, de près ou de loin. La seule chose qu'elle parvenait à ingurgiter sans difficulté, c'était le vin, et Swann, comme s'il avait senti la tension qui l'habitait, se faisait un point d'honneur à remplir fréquemment son verre. Ce soir, il ne se contentait pas d'agir comme un gentleman : pour une fois, il ressemblait également à un gentleman. Contre une petite somme, le manager de l'hôtel lui avait dégotté un élégant costume gris et une cravate rouge. Grâce à ces seuls vêtements, cet individu, qui était un violeur en série et, de manière plus générale, une parfaite pourriture, put se faire passer pour un homme de goût aux manières raffinées. Il avait même plaqué ses cheveux en arrière avec un peu de gel qu'il avait emprunté à Valdez.

Lorsque arriva le plat principal (un poulet aux pommes de terre), Kacy se sentait mieux que jamais depuis que Dante et elle étaient arrivés à Santa Mondega.

« Rien de tel que quelques verres pour se relaxer et prendre un peu de recul, n'est-ce pas ? lança Swann dans un sourire, en sortant du seau à glace argenté leur deuxième bouteille de chardonnay.

— Je ne bois pas beaucoup, d'habitude, dit Kacy en se forçant à sourire. Mais là, ça passe tout seul. Merci d'avoir convaincu votre coéquipière de nous laisser dîner ici. Cette chambre d'hôtel commençait à me rendre complètement folle. Je suis plutôt le genre de fille qui aime sortir, bouger, alors rester enfermée comme ça, sans rien d'autre à faire que de regarder des films de merde, ça commençait sérieusement à me taper sur les nerfs. »

Swann lui sourit de nouveau : « C'est bien la moindre des choses que je pouvais faire. Ça doit être très dur, pour vous. Il est tout naturel que vous puissiez vous détendre un peu, plutôt que de rester assise dans cette chambre toute la nuit, à vous ronger les sangs pour votre petit ami Danny.

— C'est "Dante".

— Si vous voulez. Tâchez de l'oublier un peu pendant quelques heures. Tout va bien se passer : c'est un gamin plein de ressources. Et il ne voudrait certainement pas que vous restiez prostrée à vous inquiéter pour lui, n'est-ce pas ? Du reste, à l'heure qu'il est, il est certainement complètement bourré, alors quel mal y aurait-il à ce que vous buviez vous-même quelques verres ? Vous aussi, vous avez le droit de vous amuser un peu, pas vrai ? »

Kacy le vit remplir de nouveau son verre et, bien qu'elle eût parfaitement conscience d'être un peu pompette (elle commençait même à bafouiller légèrement), l'alcool apaisait vraiment ses doutes et ses inquiétudes au sujet de Dante. Et puis en plus de ça, Swann était en fin de compte quelqu'un de vraiment très sympa. En tout cas, il faisait un petit peu attention à elle, chose que Dante n'avait pas vraiment eu le loisir de faire ces derniers jours.

« Vous avez raison, dit-elle en se saisissant de son verre de vin et en le faisant tinter contre celui de Swann. Je ferais mieux de me soûler, moi aussi. Comme ça au moins, quand Dante rentrera ce soir, on sera sur la même longueur d'onde pour la première fois depuis des siècles.

— Oh ! dit Swann sur un ton d'empathie, en reposant son verre sur la nappe. Ça ne va pas très bien entre vous deux depuis quelques jours, c'est ça ? »

Kacy avala une grosse gorgée de vin et réfléchit une seconde. Oh ! et puis merde : elle n'avait personne d'autre à qui se confier. L'autre agent, Roxanne Valdez, semblait s'intéresser à Dante d'une façon qui ne plaisait pas du tout à Kacy : de fait, et dans ces circonstances très spéciales, Swann était ce qui se rapprochait le plus d'un ami digne de confiance. Aussi, pendant le reste du dîner, Kacy se soûla de plus en plus et lui exposa toutes les craintes qu'elle nourrissait au sujet de Dante et de la mission qu'on l'avait obligé à accepter, lui expliqua combien elle détestait sa témérité et ses fréquents coups de sang qui lui valaient systématiquement des ennuis. Elle aimait vraiment Dante, elle n'aurait jamais cru pouvoir aimer quelqu'un à ce point, mais elle devait sans cesse veiller à arrondir les angles, à rattraper ses bêtises afin qu'il ne se fasse pas tuer. C'étaient ses petites imperfections qui rendaient la vie avec lui aussi difficile qu'excitante. Ce soir, Kacy pouvait enfin confier toutes ces choses à quelqu'un, en l'occurrence l'agent Swann, durant ce dîner raffiné et lourdement arrosé.

Pour sa part, Swann faisait semblant de s'intéresser à ce qu'elle racontait sans cesser de remplir leurs verres de vin, aussi généreusement que s'il s'était agi d'eau du robinet. À mesure que son ébriété augmentait, il écoutait de moins en moins Kacy, et reluquait de plus en plus attentivement son décolleté. Et à moins de se tromper, il lui semblait qu'elle veillait sciemment à ce qu'il se rince l'œil. Très vite, Swann se convainquit même que plus la nuit avançait, plus Kacy se penchait délibérément en avant, et de plus en plus souvent.

Lorsque enfin leur repas s'acheva, et qu'il fut temps pour eux de regagner leur suite, Swann avait atteint un stade d'excitation tel qu'il avait le plus grand mal à réfréner ses pulsions sexuelles. Kacy était une vraie petite allumeuse, et, après avoir fini son dessert, une « Banana Surprise » pour le moins suggestive, elle était plus soûle qu'elle ne l'avait jamais été depuis des années.

D'humeur particulièrement joyeuse et au comble de l'excitation, Swann darda un regard langoureux sur Kacy, lorgnant le moindre bout de peau immaculée se trouvant à l'air libre. Depuis que Mister E avait annulé comme par magie sa condamnation à la réclusion à perpétuité pour ses viols en série, Swann n'avait pas eu la moindre ombre de début d'ouverture pour tirer un coup. Et voici qu'il avait à présent en face de lui cette jeune femme sublime qui l'aguichait ouvertement, l'encourageait littéralement à abuser d'elle. Il était hors de question de faire ça dans la suite : Valdez s'y trouvait, et Dante pouvait rentrer à n'importe quel moment. Mais s'il arrivait à se procurer auprès de la réception la clé d'une autre chambre, Swann était sûr que Kacy serait partante pour s'envoyer en l'air. Il lui faudrait certainement ruser, mais il était convaincu que, au fond d'elle-même, elle en crevait d'envie. S'ils se retrouvaient tous les deux seuls dans une chambre, Swann était prêt à parier qu'elle se laisserait bien volontiers sauter. En fait, le simple fait d'y penser l'excitait très sérieusement, à tel point que, afin de se lever de table sans avoir à arborer l'énorme bosse qui gonflait à présent sa braguette, Swann allait devoir penser à Céline Dion pendant quelques minutes.

Cette technique imparable était sur le point de venir à bout de son érection lorsque apparut soudain Roxanne Valdez. Vêtue d'un fuseau noir et d'un pull de même couleur, elle traversa à grands pas la salle du restaurant, avec un air proprement terrifiant. Valdez n'était pas une imbécile. Elle savait parfaitement ce que mijotait Swann : leur patron, Mister E, lui avait dit de s'attendre à ce genre de comportement de la part de Swann. D'un geste aussi rapide que précis, imitant à la perfection la plus malheureuse des maladresses, elle renversa le seau à glace sur la table, et, avec un large sourire, vit l'eau et les glaçons se répandre sur les cuisses de son collègue.

« MERDE ! »

Swann se releva d'un bond et se mit à frotter frénétiquement sa braguette, et à éloigner le tissu de sa peau, afin de réduire la force du choc thermique. Face à lui, terriblement soûle, Kacy fut prise d'une quinte de ricanements hystériques. Toujours maîtresse de la situation, Valdez tira sur le dossier de la chaise de Kacy afin d'encourager la jeune femme à quitter la table.

« Allez, Kacy, il est temps de regagner votre chambre », dit-elle en jetant un regard dur à Swann qui ne le remarqua même pas, tout occupé qu'il était à éponger son entrejambe trempé et glacé.

Tandis que l'agent Valdez raccompagnait Kacy jusqu'à la suite, Swann se mit à fulminer. Valdez était une vraie connasse. Il l'avait compris dès les premières minutes qui avaient suivi leurs présentations. Et Kacy, Kacy… Il lui avait offert le dîner et le vin, s'était comporté de façon irréprochable, tout ça pour entendre son rire de hyène lorsque sa coéquipière lui avait renversé le seau à glace sur les cuisses. Elle s'était délectée de son humiliation. Elle allait le payer cher, cette petite salope d'allumeuse à la con.

Qu'il se retrouve seul à seul avec elle, et il lui ferait payer.

30

Lorsque tous eurent fini de rire d'Obéissance et de son nouveau tatouage, Dante fut convié à une partie de billard face à Vanité. Après s'être sorti d'une situation plus que dangereuse, il sentait la confiance le regagner, et l'opportunité de jouer était pour lui un véritable soulagement. En fait, il se débrouillait plutôt pas mal avec une queue de billard entre les mains : c'était là sa chance d'épater le reste du clan. Il connaissait en outre deux ou trois coups spéciaux qu'au besoin il pourrait enseigner aux autres si tout se passait bien.

Déjà-Vu lança une pièce en l'air. Dante choisit « face ». La pièce atterrit sur la table de billard.

« Face, une fois de plus, nota Déjà-Vu. Je le savais. »

Le privilège de casser revint donc à Dante. Bien malheureusement, sa chance s'arrêta là. Il n'eut le temps que de jouer son premier coup. La boule blanche heurtait à peine le triangle multicolore qui se trouvait à l'autre bout de la table qu'un autre vacarme éclata. Un clown du nom de Jordan sortit en titubant des toilettes pour hommes. Sa combinaison était complètement trempée, et il ne paraissait pas content du tout.

Dans la salle de billard, trois autres clowns étaient restés après que l'hilarité générale fut passée. Ils se trouvaient à une autre table, sur laquelle ils perfectionnaient leur jeu, complètement absorbés par ce qu'ils faisaient. Leur état d'esprit changea du tout au tout lorsqu'ils virent leur camarade clown, et l'état dans lequel il était. Il leur apparut d'emblée que quelque chose clochait terriblement.

« Qu'est-ce qu'il t'est arrivé, putain ? » cria le plus costaud des trois clowns. Il s'appelait Reuben, et l'énorme perruque verte et bouclée qu'il portait en toute circonstance lui permettait de ne jamais passer inaperçu. Son visage tout maquillé de blanc était barré d'un grand sourire rouge, et une larme noire gouttait à son œil droit. C'était le chef du clan des Clowns, et tous le redoutaient. Sa combinaison noire cachait un torse large et puissant, et sa tête de clown souriant dissimulait une nature particulièrement vicieuse. Ses deux compagnons, Ronald et Donald, qui venaient de se camper à sa gauche et à sa droite, portaient des perruques jaunes et des combinaisons blanches, tenues quasi identiques à celle de Jordan, le clown qui venait de sortir des toilettes pour hommes. En dehors du fait que ses vêtements étaient trempés, une différence évidente le distinguait de ses camarades. Alors que Ronald et Donald arboraient le même sourire rouge et démesuré, signe distinctif de leur clan, Jordan, lui, en était totalement dépourvu. Et sans ce sourire, il paraissait extrêmement en colère.

« Quelqu'un a effacé mon putain de sourire ! » tempêta-t-il en brandissant un index furieux à l'intention d'à peu près tout le monde dans la salle. Il ne restait plus que des Clowns et des Shades, ainsi que Hank, le barman, qui se préparait d'ores et déjà à se planquer dans un coin sûr.

Tous les regards se braquèrent sur Silence, la dernière personne à être sortie des toilettes pour hommes. Le vampire muet haussa les épaules et sourit.

« Espèce de... espèce de sale fils de pute ! s'écria Jordan en se ruant sur Silence. J'ai fermé l'œil juste une putain de minute ! Comment t'as pu me faire ça, bordel ? Ça te plairait, à toi, si je profitais de ton sommeil pour te faire un truc pareil ? »

Sa course en direction de Silence, qui se tenait à côté de la table de billard des Shades, suffit à faire réagir l'ensemble des vampires présents. Semblables à une horde de lions encerclant une antilope blessée, Clowns et Shades surgirent de partout, prêts à en découdre. Dante eut le plaisir de constater que les Shades étaient plus nombreux que les Clowns, à six contre quatre, voire huit contre quatre si l'on comptait Décolleté et Orignal, qui pour lors demeuraient assises au bar. Malheureusement, le soulagement de Dante ne fut que de courte durée, car il s'avéra vite que les Clowns étaient armés.

Reuben tira d'une manche de son costume un puissant poignard, dont la lame mesurait une cinquantaine de centimètres de long, et ses deux hommes de main à la perruque jaune l'imitèrent aussitôt, brandissant des couteaux à la poignée en os, qui semblaient presque assez longs pour mériter le statut d'épées.

Jordan défiait Silence du regard, tenant dans sa main une arme blanche qu'il venait de tirer d'un pli de la jambe de sa combinaison imbibée d'eau. Il se tenait à moins de deux mètres de son ennemi, tendu et prêt à se battre, n'attendant plus que l'accord de Reuben.

En règle générale, les vampires attendent toujours le signal de leur chef avant de se lancer dans une bagarre. Les Shades guettaient ainsi la réaction de Vanité, qui se trouvait toujours à la table de billard en compagnie de Dante. Fritz, Obéissance et Déjà-Vu s'étaient, quant à eux, déjà rapprochés de leurs adversaires armés de couteaux.

Vanité s'adressa posément à Reuben.

« Évitons ce genre de plaisanterie, Reuben. On peut régler ça sans bain de sang. »

La colère déforma quelque peu le gros sourire rouge de Reuben :

« Est-ce que j'ai l'air de plaisanter ? lui cracha-t-il.

— Ben, en fait, oui », répliqua Vanité en serrant la queue de billard dans sa main, prêt à s'en servir pour se défendre.

Ces mots ne firent qu'enrager plus encore le clown.

« Votre pote Silence vient de faire une blague de trop. Cette fois-ci, il est allé trop loin. Vous nous le laissez et on vous laisse partir. Voilà le marché.

— PAS MOYEN, PUTAIN ! beugla Fritz, juste derrière Silence. NOUS, LES SHADES, NOUS ZOMMES UNIS À FIE !

— Alors vous serez unis dans la mort. »

Ce furent ces mots qui mirent le feu aux poudres. Les Clowns foncèrent sur leurs ennemis en tentant de trancher dans le vif tout ce qui semblait moins rigolo qu'eux. Les Shades empoignèrent tout ce qui pouvait faire office d'arme, c'est-à-dire principalement des queues de billard, et affrontèrent les Clowns.

Tous les Shades, à l'exception de Dante.

Contrairement à son habitude, il se figea à la vue du combat. Il n'avait jamais été attaqué auparavant par des clowns vampires assoiffés de sang, et ne savait pas trop comment il devait réagir. Plus important encore, il ne pouvait s'arracher de l'esprit le visage de Kacy. Il avait l'impression de la voir en larmes, le suppliant de détaler au moindre signe de danger. Il avait horreur de voir Kacy pleurer, même si ce n'était qu'en imagination. Et s'il décidait de prendre part au combat, il y avait de fortes chances pour que, dans un avenir assez proche, elle le pleure pour de vrai : à vue d'œil, les probabilités pour que Dante meure, ou tout du moins perde un membre, étaient approximativement de 100 %. Dans son esprit, les cris larmoyants de Kacy résonnaient : « *Cours, espèce d'idiot ! Cours !* »

Alors que chacun tentait de toucher sa cible en évitant les armes de ses ennemis, Dante se réfugia sous la table de billard, hors de danger. De là, il rampa, roula sur lui-même et se précipita en direction du comptoir. Arrivé à sa hauteur, il s'empressa de plonger de l'autre côté afin de se mettre définitivement à l'abri. Il atterrit pitoyablement à côté de Hank, le barman, Orignal et Décolleté, tous trois déjà accroupis sous le comptoir.

« Salut », leur lança-t-il dans un sourire nerveux.

Ils le toisèrent d'un regard qui semblait lui reprocher sa couardise. Mais avant qu'aucun d'entre eux n'ait eu le temps de lui en faire ouvertement la remarque, une tête de clown apparut juste au-dessus de Dante. Comme si le sourire qui s'étalait sous la perruque jaune fluo n'était pas assez horrible, le clown brandissait en outre une lame gigantesque au-dessus de sa tête, qu'il abattit sur Dante.

WAK !

La lame manqua le crâne de Dante de quelques centimètres à peine et se planta dans le comptoir. Le clown tenta alors d'attraper sa proie en se penchant au maximum au-dessus du comptoir. Terrifié par son agresseur, Dante se recula autant qu'il put, dos au mur du bar, priant désespérément pour ne pas se trouver sur la prochaine trajectoire de la lame.

Hank, Orignal et Décolleté parvinrent par miracle à se sauver, se précipitant le long du comptoir jusqu'à l'escalier, d'où ils purent en toute sûreté assister au sanglant spectacle.

Dante n'était pas insensible au concert de bruits et de hurlements qui se donnait autour de la table de billard où ses nouveaux amis vampires combattaient les horribles clowns, mais son principal souci demeurait Ronald le clown qui, penché au-dessus du comptoir, souriait férocement, la bouche dégoulinant de sang, sans doute à cause d'un mauvais coup de queue de billard.

Ronald comprit très vite que Dante était hors de portée de son arme, même si ce n'était que de quelques centimètres. Il bondit donc sur le comptoir, se redressant de toute sa taille, sa perruque jaune et bouclée touchant le plafond alors qu'il dominait la silhouette recroquevillée de son ennemi. Il souriait bêtement, les yeux exorbités, la lame à la main et, c'était de loin le plus impressionnant, tous crocs dehors. En l'espace d'une demi-seconde à peine, il avait pris son apparence de vampire.

Un bref instant, le clown sembla sur le point de fondre sur Dante, lame en avant, mais il hésita, et Dante surprit dans ses yeux une légère surprise.

« Tu n'es même pas un vampire », lança le clown. Impossible de dire comment il était arrivé à cette conclusion. Peut-être était-ce à cause de l'expression terrorisée de Dante. Mais c'était plutôt tout simplement qu'il ne s'était pas transformé en créature du mal. Dante se contentait de se recroqueviller à terre, comme le faisaient la plupart des humains lorsqu'ils étaient confrontés à un clown vampire brandissant une machette.

Il était assez difficile de savoir si quelqu'un avait entendu l'exclamation du clown, dans le vacarme ambiant de coups de lames et de queues de billard, agrémenté de temps à autre d'un cri de douleur, de colère ou de triomphe.

Tout à coup, une puissante déflagration retentit.

Dante avait toujours les yeux rivés sur le visage terrifiant qui le surplombait, mais l'expression du clown avait brutalement changé. Le sang, qui jusque-là coulait à la commissure de ses lèvres, coulait à présent plus vif encore d'un trou béant au milieu de son visage. La créature de cauchemar vacilla vers l'arrière, puis vers l'avant, avant de tomber du bar pour s'écrouler sur Dante. La lame démesurée tomba avec lui, ne ratant que d'un cheveu le bras de Dante, et cliqueta au sol.

Un autre puissant bruit retentit alors, un bruit de verre brisé, suivi par les hurlements du vent s'engouffrant à l'intérieur de la salle de billard.

Dante repoussa le cadavre du clown, et le vit se réduire lentement à un tas de cendres fumantes, juste à côté de lui. C'était un spectacle pour le moins désagréable, accompagné d'une puanteur de charogne qui poussa Dante à se relever le plus vite possible. En tentant de son mieux de respirer par la bouche, il se redressa afin de jeter un coup d'œil par-dessus le comptoir.

La salle de billard était littéralement ravagée. Entre les tables gisaient deux autres cadavres de clowns. L'un d'eux était, sans aucun doute possible, celui de Jordan : sa combinaison trempée et son absence de sourire suffisaient largement à l'identifier. L'autre clown mort portait également une perruque jaune. En revanche, plus aucune trace de Reuben, le chef à la perruque verte. Il s'était enfui en traversant une fenêtre du fond de la salle pour disparaître dans le ciel nocturne. La vitre laissait à présent passer un vent glacial par le trou calqué sur la silhouette du clown. Dante vit les cadavres des clowns commencer à se consumer et à fumer, avant de flamber brièvement, pour se réduire enfin à deux poignées de cendres poisseuses.

Les membres des Shades étaient tous debout, et fixaient Dante, qui se tenait toujours derrière le comptoir, abasourdi par le délabrement de la salle.

« C'est toi qui as buté ce type ? » demanda Vanité.

Dante hocha la tête.

« Non, c'est pas moi. Je croyais que c'était l'un de vous qui l'avait buté. »

Les Shades se regardèrent les uns les autres. Aucun d'entre eux n'avait d'arme à feu à la main.

« C'est bizarre, tout ça, commenta Vanité d'un ton soupçonneux. Quelqu'un a bel et bien mis une balle dans la tête de ce clown. Mais qui, putain ? »

Les autres haussèrent les épaules, chacun à leur tour. Une lame avait manifestement touché Obéissance, car celui-ci compressait son bras gauche juste en dessous du coude, et Déjà-Vu se frottait le menton comme s'il venait d'encaisser un coup de poing. Fritz, Vanité et Silence étaient complètement recouverts du sang des deux clowns morts et à présent désintégrés. Mais personne ne reconnaissait être en possession d'un flingue, et encore moins avoir tiré en pleine tête du clown dont les cendres reposaient derrière le comptoir, aux pieds de Dante.

Ce fut Décolleté qui brisa le silence, en revenant dans la salle de billard, Orignal sur ses talons.

« Il me semble qu'on ferait mieux de foutre le camp d'ici avant que Reuben ait réuni tout un tas d'amis à lui et revienne avec des effectifs plus importants, suggéra-t-elle.

— Ça, c'est une putain de bonne idée, approuva Vanité. J'ai aucune envie de le voir transformer cet endroit en barnum. Allez, les mecs, on est partis. Chacun rentre chez soi pour ce soir, et on se retrouve demain au Nightjar. » Son regard se posa sur Dante. « Tu t'es bien débrouillé, mon ami. Rejoins-nous au Nightjar demain soir, et on reparlera ensemble. »

Dante acquiesça, en laissant s'échapper un profond soupir de soulagement. Sans trop savoir comment, il venait de survivre à sa deuxième nuit d'infiltration parmi les Shades. Pourtant, quelque chose le tarabustait. S'il était encore en vie, c'était uniquement parce que quelqu'un lui avait sauvé la peau des fesses en perçant d'une balle le crâne du clown qui s'apprêtait à le tuer. Et ce quelqu'un l'avait abattu juste après que le clown en question eut déclaré que Dante n'était pas un vrai vampire. Tout le monde avait entendu le coup de feu, mais quelqu'un d'autre avait-il entendu les dernières paroles du clown ?

Et, par-dessus tout, pourquoi est-ce que personne n'avouait avoir tiré ?

31

Igor gara le camping-car bleu et vert juste devant l'entrée du commissariat central de Santa Mondega. Il était tard, les rues étaient majoritairement désertes, et, comme la plupart des personnes qui les arpentaient à cette heure étaient des criminels, il aurait été très improbable de les voir déambuler dans les parages. Après avoir vérifié qu'aucun curieux ne se trouvait aux alentours, Igor et son camarade firent le tour du camping-car, et Pedro ouvrit précautionneusement le double battant arrière. Ils constatèrent avec soulagement que le patient qu'ils avaient arraché à l'hôpital du docteur Moland était toujours là, immobile. Sans doute toujours inconscient à cause du coup qu'il avait reçu sur la tête en plein sommeil, à l'hôpital. Du reste, il ne leur semblait pas du tout dangereux. Il avait un bas de jogging bleu foncé et un pull bleu assez fin avec des manches rouges, les mêmes vêtements qu'il portait dans son sommeil, lorsque les deux loups-garous lui étaient tombés dessus.

Igor tira le corps inerte par les pieds et le lança sur son épaule. Pedro ferma et verrouilla les portières tandis que le colosse, chargé de son fardeau, gravissait les marches jusqu'à l'entrée du commissariat et passait les portes de verre pour pénétrer dans le hall de réception. Après s'être assuré une fois de plus que le camping-car était bien fermé, Pedro leur emboîta le pas, en lançant des regards tout autour de lui pour vérifier que personne ne les avait vus.

Ils avaient réussi à prendre totalement par surprise le patient endormi de la chambre 43 de l'hôpital. Igor l'avait frappé à la nuque, assez violemment pour le faire passer d'un type de sommeil à un autre, et Pedro s'était empressé de passer un sac en tissu sur sa tête. Tout avait été vraiment trop facile. De La Cruz leur avait répété que ce type était extrêmement dangereux. Cela pouvait encore s'avérer vrai, mais jusqu'à présent, l'effet de surprise aidant, la cible s'était laissé faire sans opposer la moindre espèce de résistance.

À cette heure tardive, seul un policier se trouvait au comptoir de la réception. Il s'appelait Francis Bloem, et il s'agissait d'un agent rouquin, la trentaine, circonspect, et très respectueux de sa hiérarchie. Il reconnut les deux loups-garous, et ne parut pas surpris le moins du monde en voyant que l'un d'eux transportait un corps.

« C'est le paquet que vous êtes allés chercher à l'hôpital ? demanda-t-il en désignant la masse inerte.

— Ça se pourrait bien, répliqua Igor. On peut passer ?

— Comme vous le sentez. »

Tandis qu'Igor, chargé de son colis humain, se dirigeait vers les ascenseurs à l'autre bout du hall, MC Pedro se campa devant l'agent Bloem et lui envoya un regard mauvais. Puis il se lança dans une de ses impros rap aussi pourries qu'ineptes.

« Alors, c'est comme on le sent, tu trouves qu'on sent ? Parce que nous, on te sent pas, tu vois ce que je veux dire, gros ? »

Bloem resta figé sur son siège avec un regard des plus perplexes, sans trop savoir quoi répondre. Il finit par comprendre que l'impro de Pedro ne voulait absolument rien dire au moment où les deux loups-garous montaient dans la cabine d'un des ascenseurs, direction le vestiaire interdit du sous-sol. Bloem hocha la tête, décrocha le combiné de la réception et appela le capitaine de La Cruz. Celui-ci répondit après la première sonnerie.

« De La Cruz.

— Hé ! c'est Francis, à la réception. Les deux clébards que vous avez envoyés en mission viennent d'arriver avec un paquet pour vous. Ils sont en train de descendre.

— Merci. »

Et de La Cruz raccrocha.

Dans les vestiaires, de La Cruz, Benson et Hunter attendaient impatiemment l'arrivée de la cabine de l'ascenseur. Les portes finirent par s'ouvrir dans un chuintement, et le corps du patient nº 43 s'abattit lourdement au sol au terme d'un vol plané. Manifestement, Igor avait fini par se lasser de le porter, et l'avait balancé en direction des trois policiers qui attendaient au milieu des vestiaires. Du sac en tissu qui lui recouvrait la tête s'échappa un glapissement étouffé, signe que l'otage avait repris connaissance.

Pedro et Igor, qui dans leur tenue noire ressemblaient toujours autant à d'improbables monte-en-l'air, sortirent de la cabine d'ascenseur et se campèrent face à leur prisonnier. Ils avaient retiré leur cagoule et arboraient par conséquent le genre de coiffure qu'on acquiert au terme d'un sommeil particulièrement agité. La chevelure de Pedro ressemblait à s'y méprendre à celle d'un personnage de Lego, ce qui tombait d'autant plus mal que la peau de Pedro était d'un jaune très désagréable, les bons jours. Et ce n'était pas un bon jour. Sans savoir que le fait d'avoir retiré sa cagoule lui avait conféré la « coiffure la plus nulle du monde », il se tenait là, les mains fermement posées sur les hanches, un sourire suffisant aux lèvres. Son gigantesque camarade se dressait à côté, les bras ballants le long du corps, affichant un sourire idiot et plein de dents : sur la mâchoire supérieure, un croc particulièrement protubérant se détachait du lot.

« Le voilà, grogna Igor en pointant la silhouette qui gisait par terre. C'est votre homme. Le mec qui n'a pas de nom et qui vit dans la chambre 43 de l'hosto. »

De La Cruz avança et saisit à pleines mains le sac de tissu qui recouvrait toujours la tête du captif.

« Voici donc le fil d'Ishmael Taos, dit-il dans un sourire satisfait. Enfin, nous nous rencontrons. Tu croyais qu'on ne devinerait jamais que tu te cachais dans un asile, en train de te faire passer pour un mongolien, hein ? Eh bien, tu t'es planté, mon pote. »

Il envoya un coup de pied dans le dos du prisonnier, qui poussa un nouveau gémissement étouffé.

« Benson, ramène la coupe ici. Goûtons voir le sang de ce mec. »

Le passage secret au fond des douches était déjà ouvert, dévoilant l'intérieur de la pièce qu'il dissimulait. Plus horriblement vêtu que jamais (principalement en marron), Benson bondit en se hissant sur les talons de ses bottes noires à bouts pointus, et se mit à flotter dans les airs jusqu'à la grande table de bois massif de la chambre secrète. Il opéra alors un gracieux piqué afin de se saisir du calice doré qui reposait sur la table, à côté du livre de Somers. Puis, comme si le fait de léviter avait fini par l'ennuyer, il rebroussa chemin à pied pour tendre la coupe à de La Cruz. Le troisième policier, Hunter, se posta à côté de Benson, impatient de voir ce qui allait se passer.

Le calice à la main, de La Cruz s'agenouilla, détacha la cordelette passée autour du cou du captif et retira le sac en tissu, révélant le visage terrifié d'un homme approchant la trentaine, mais dont le regard innocent et les cheveux noirs ébouriffés lui donnaient un air tout à fait enfantin. Sa respiration était saccadée, comme si son enlèvement avait suscité chez lui une crise de panique, et ses yeux écarquillés ne cachaient rien de la peur qu'il éprouvait.

Comme pour s'assurer de sa terreur, de La Cruz se transforma aussitôt en créature du mal. Son visage blêmit et se dessécha pour n'être plus que celui d'un vampire sans pitié et assoiffé de sang, et ses doigts se changèrent en serres hérissées de griffes. De longs crocs pointus jaillirent de ses mâchoires, déformant ses lèvres en une parodie de sourire obscène. Il demeura un court instant ainsi, pimpant vampire vêtu d'un jean impeccablement repassé et d'une jolie chemise bleu foncé, prêt à procéder à la mise à mort. Alors qu'il se léchait les babines, déterminé à assassiner sur-le-champ la victime terrorisée qui gisait face à lui, Pedro avança d'un pas.

« Hé ! lança-t-il d'un air mauvais. On avait passé un marché, de La Cruz.

— Tout à fait, répliqua le capitaine. Et j'ai bien l'intention d'honorer ma part. Vous avez tous deux très bien travaillé. Comme convenu, les premières gorgées de sang vous reviennent. »

Pendant ce temps, le regard dur d'Hunter n'avait pas quitté le prisonnier qui ferait bientôt office de dîner. Contrairement aux autres, il avait jugé bon d'étudier le visage terrifié de leur captif : « Vous êtes certains que c'est bien lui ? demanda-t-il. Ce couillon ne m'a pas l'air bien terrifiant. »

Soudain pris d'un doute, de La Cruz se retourna vers Benson.

« Qu'est-ce que tu en penses ? lui demanda-t-il.

— Laisse-moi jeter un coup d'œil aux portraits-robots », répliqua Benson. Il flotta jusqu'au livre qui reposait sur la table, derrière eux, l'ouvrit et en sortit une série de croquis réalisés sur du papier grossier, qu'on avait pliés et rangés dans l'ouvrage. Il s'agissait des portraits-robots qu'Archie Somers avait réunis au fil des ans, réalisés à partir des témoignages des personnes qui prétendaient avoir vu le Bourbon Kid et qui avaient survécu. La plupart de ces portraits étaient basés sur les descriptions de Sanchez Garcia, et, à ce titre, étaient considérés comme peu fiables, à tel point en vérité qu'ils auraient été refusés comme pièces à conviction dans le cadre d'un procès. Benson examina les croquis très attentivement, relevant parfois les yeux afin de les comparer au visage terrorisé du prisonnier qui ne le lâchait pas du regard, espérant de tout son être que ce flic aux allures bizarres l'innocente. Benson pouvait lire dans ce regard une peur indicible.

« Je crois bien que c'est lui, conclut-il dans un mauvais sourire. Goûtons donc son sang d'immortel. Comme ça, on sera fixés.

— S'il vous plaît ! Non ! Ne me… *s'il vous plaît* », supplia le jeune homme paralysé par l'horreur, en regardant droit dans les yeux pleins de haine de De La Cruz. Mais il était déjà trop tard. De La Cruz se retourna vers Hunter et acquiesça. Son coéquipier sortit de sous sa veste une machette à la poignée en os, dont la lame de près de soixante centimètres de long était aussi acérée que le plus tranchant des rasoirs. Il la souleva au-dessus de sa tête et l'abattit en direction des poignets attachés du jeune captif. Le visage d'Hunter refléta sa soif de sang lorsque la lame trancha net le poignet gauche. La main coupée tomba à terre tandis que le sang giclait de tous côtés, et que la victime poussait des cris d'agonie.

De La Cruz attrapa le poignet amputé et le plaça au-dessus de la coupe, tâchant de ne pas perdre une goutte du précieux liquide, ignorant totalement les hurlements du prisonnier, fou de douleur aussi bien que de terreur. Lorsqu'il eut fini, il passa la coupe presque pleine à ras bord à Pedro, qui ne se fit pas prier pour s'en saisir et avaler une copieuse gorgée de ce qu'elle contenait. La saveur douce-amère et métallique du sang glissa le long de sa gorge, jusque dans ses veines, et Pedro se sentit envahi par sa puissance. C'était un moment exceptionnel, et cette extase l'absorba au point qu'il remarqua à peine que Benson et Hunter venaient de se transformer en vampires. La vue du sang giclant du bras tranché du patient n° 43 les faisait saliver, et ils avaient terriblement hâte d'en boire leur part.

Pedro, qui avait déjà en temps normal du mal à se contrôler, perdit toute maîtrise de soi. Ses yeux brillèrent intensément, et l'énergie, qui de la coupe était passée dans son corps, provoqua presque instantanément sa transformation en loup-garou. Normalement, cette transformation n'était possible qu'à la pleine lune, mais ses pouvoirs venaient de s'accroître considérablement. Le fait de boire à même le Graal avait des effets différents selon les individus. Pedro venait par exemple d'acquérir le pouvoir de prendre à volonté son aspect le plus effrayant. En poussant un rugissement venu du plus profond de son être, il passa la coupe à son compagnon, qui, à son tour, but à grosses gorgées, laissant même dans son empressement quelques gouttes du précieux fluide couler à la commissure de ses lèvres.

L'homme qui hurlait par terre se mit alors à sangloter comme un bébé, dans un fatras incompréhensible de supplications et de cris d'angoisse. De La Cruz baissa les yeux sur le prisonnier avec un sourire de satisfaction, se repaissant de sa souffrance. Le jeune homme roula sur son côté droit et se recroquevilla en position fœtale, hurlant et sanglotant en égales mesures. Pourtant, sans qu'aucun de ses tortionnaires s'en soit rendu compte, il cherchait également à se dépêtrer de cette situation impossible. Il ne lui restait qu'un seul espoir de s'en sortir vivant. Ironie du sort, le fait d'avoir perdu sa main l'avait également libéré de la corde qui liait ses poignets dans son dos. Il plongea la main qui lui restait dans la poche de son pantalon, et, très lentement, en sortit un téléphone portable. Il avait réussi à cacher l'appareil à l'ensemble du personnel de l'hôpital du docteur Moland. De tous les objets qui lui appartenaient, c'était de loin son préféré, cadeau récent de son meilleur ami, pour le récompenser de son excellente conduite à l'hôpital. Sa seule chance de survie consistait justement à appeler cet ami. La seule et unique personne au monde sur laquelle il pouvait compter. Son frère. Son frère *aîné*. Ce frère qui avait combattu le vampire responsable de la mort de leur mère, il y avait de cela des années. Celui-là même qui, depuis, était devenu le tueur le plus redouté de tout Santa Mondega.

Le Bourbon Kid.

De La Cruz s'aperçut soudain de ce que le jeune amputé était en train de faire. Lorsque le prisonnier se mit à appuyer sur les touches du téléphone, de La Cruz lui fit lâcher l'objet d'un puissant coup de pied.

« Inutile d'appeler la police, espèce de putain de débile. On est déjà là », lança-t-il d'un ton moqueur. Benson et Hunter se fendirent d'un rire sépulcral. L'heure était aux réjouissances. *Et ce putain de raté qui appelle à l'aide. Quelle blague.*

De leur côté, les deux loups-garous se délectaient bien trop de leur toute nouvelle puissance pour se joindre aux éclats de rire. Ils devinèrent vaguement qu'on venait de remplir de nouveau la coupe et que chaque vampire se la faisait à présent passer, mais, dans leur euphorie, tout cela semblait se passer comme dans un rêve. Lorsque le dernier policier eut fini de boire sa part de sang, le calice doré repassa de main en main jusqu'à se retrouver dans celles de Michael de La Cruz. Une nouvelle fois, le capitaine de police et néanmoins chef du clan des Sales Porcs se saisit brutalement du moignon sanguinolent du malheureux prisonnier, pour le placer juste au-dessus de la coupe.

Dans un geste violent, il appuyait et relâchait le bras de la victime afin d'augmenter le débit du sang qui remplissait peu à peu le calice.

« Vous envolez pas, les gars. Il en reste encore bien assez pour tout le monde », dit-il, un sourire hideux sur ses lèvres grandes ouvertes, et recouvertes d'une poix cramoisie.

Pendant les cinq minutes qui suivirent, les trois vampires et les deux loups-garous réduisirent leur pauvre captif en miettes, prolongeant son agonie aussi longtemps qu'ils le purent, pour finalement lui arracher le cœur, mettant ainsi un terme à ses hurlements et ses supplications. Le jeune homme accueillit presque avec joie la fin de ses souffrances.

Le vestiaire était à présent une véritable boucherie. Le sang et les entrailles du mort recouvraient le sol et les murs. Ce carnage n'était pourtant rien aux yeux de ses tortionnaires, qui étaient bien trop défoncés pour se soucier de l'état des lieux. Revigorés par cette mise à mort particulièrement appréciable, et rassasiés au moins pour un petit bout de temps, tous les cinq étaient assis à même le sol, heureux, se regardant parfois les uns les autres, unis par la beauté de cette curée qu'ils venaient de partager. Cette sensation était vraiment incroyable. Du point de vue des trois membres du clan des Sales Porcs, elle évoquait ce qu'ils avaient ressenti lorsqu'ils avaient tué Stephanie Rogers, et lorsqu'ils avaient bu le sang de Jessica Xavier dans la chambre à l'étage du Tapioca. Pour Pedro et Igor, le fait de boire à même le Graal leur avait fait découvrir une toute nouvelle sensation, une sensation qu'ils aimaient à présent par-dessus tout. C'était encore mieux qu'un orgasme sous la pleine lune.

Cependant, à mesure que les secondes passaient, les trois vampires commencèrent à se dire que cette sensation, bien que particulièrement intense, ne se distinguait pas vraiment de celle qu'ils avaient éprouvée lorsqu'ils avaient tué Stephanie. C'était vraiment super, pas de doute là-dessus, mais cela n'aurait-il pas dû être meilleur encore ? Le sang du descendant d'un immortel n'aurait-il pas dû les emporter jusqu'aux cimes les plus hautes de l'extase ?

En regardant autour de lui, Benson aperçut la lueur pâle de l'écran du portable que de La Cruz avait envoyé balader durant la saignée. L'objet se trouvait à portée de sa main gauche : il se pencha et le ramassa.

« On dirait que notre ami a appelé quelqu'un », dit Benson en remarquant que l'écran continuait à compter les secondes de l'appel : les chiffres venaient tout juste de passer de 04 : 53 à 04 : 54. En adressant un haussement de sourcils aux autres, il colla le portable à son oreille.

« Bonsoir, ici l'inspecteur Benson de la police de Santa Mondega. Qui est à l'appareil, je vous prie ? » dit-il en envoyant un sourire suffisant à ses compagnons recouverts de sang. À présent qu'il était immortel, peu importait qui se trouvait à l'autre bout du fil. Plus rien ne pouvait le blesser ou le tuer.

Benson n'entendit pour toute réponse qu'une respiration presque assourdissante, quoique très lente. Le son était particulièrement *rocailleux*, et, au bout de quelques secondes à peine, son inquiétante tonalité effaça le sourire de Benson. « Qui est à l'appareil ? » répéta-t-il, plus sèchement cette fois-ci. Les yeux rivés sur lui, les autres remarquèrent l'inquiétude que laissaient percer son visage et son ton. Les créatures du mal étaient dotées d'un sixième sens exacerbé, et ce sixième sens leur disait que quelque chose ne tournait pas rond du tout.

La puissante respiration se tut au bout de quelques secondes supplémentaires, lorsque la personne au bout du fil décida de raccrocher. L'écran du téléphone indiquait la durée finale de l'appel : 05 : 25.

« C'était qui ? » demanda de La Cruz, sans même chercher à dissimuler l'inquiétude qui perçait dans sa voix.

Benson parcourut le menu des options du téléphone portable.

« APPELS SORTANTS – GRAND FRÈRE – DURÉE 05 : 25 »

32

La soirée de Devon Hart était devenue merdique au moment précis où les deux hommes vêtus de noir et affublés de cagoules étaient entrés dans le hall après avoir fracturé l'un des battants de la porte d'entrée. Le plus costaud des deux lui avait planté un couteau dans la main, et Hart avait fini par leur communiquer l'information qu'ils recherchaient. Mais ce n'était pas là le pire, et de loin.

Dès qu'il avait vu les deux intrus transporter le patient nº 43 inconscient hors de l'hôpital, Hart avait compris qu'il allait devoir renoncer à son job et quitter Santa Mondega le plus vite possible. Il ne fallait pas déconner avec ce patient. Dans l'hôpital, tout le monde le savait. Tous les autres patients étaient ou bien des assassins qui avaient plaidé la folie, ou bien des timbrés convaincus de l'imminence de la fin du monde et prêts à tout pour la précipiter. Le seul patient aimable de l'établissement était Casper, plus connu entre les murs sous le surnom de « Quarante-Trois ». C'était un simple d'esprit, très agréable et très poli, mais extrêmement paranoïaque, et d'un âge mental avoisinant les huit ans. Il était sans aucun doute possible le patient le moins agressif, pourtant, personne n'aurait jamais osé l'emmerder, même gentiment. Les autres pensionnaires avaient beau être dérangés ou carrément fous à lier, tous savaient qu'il fallait éviter à tout prix d'embêter Casper. Sinon, on recevait une visite nocturne, avec, à la clé, un passage à tabac administré par son frère, un homme avec lequel personne n'avait envie de déconner.

Le frère de Casper passait assez souvent, environ une fois toutes les six ou sept semaines. Systématiquement, il réglait plusieurs mois à l'avance l'hébergement de son cadet, et se faisait un point d'honneur à demander à la personne chargée de l'accueil si quelqu'un avait embêté Casper depuis sa dernière visite. Tous les réceptionnistes étaient bien trop terrorisés à l'idée de lui mentir : ils s'empressaient de tout raconter et balançaient les noms de ceux qui avaient piqué les crayons de couleur de Casper, lui avaient envoyé un coup de pied au tibia, ou avaient simplement changé de chaîne alors qu'il regardait *Rue Sésame*. Les coupables payaient tous pour leurs actes, et aucun ne s'avisait de les réitérer, ce qui garantissait à Casper une existence généralement très agréable au sein de l'hôpital du docteur Moland. Mais il ne remettrait sans doute désormais plus jamais les pieds dans l'établissement, et, par conséquent, Devon Hart non plus.

Hart était assis sur la cuvette de la troisième cabine des W-C pour hommes du rez-de-chaussée, la tête dans les mains, et son pantalon aux chevilles. Son estomac s'était violemment noué depuis qu'il avait vu Igor et Pedro balancer Casper à l'arrière de leur camping-car. Il était à présent 3 heures du matin. Dans trois heures, son service s'achèverait, et il quitterait l'hôpital pour ne plus jamais revenir. Rien ne le ferait plus changer d'avis. Il se foutait complètement de toucher sa paie, tout ce qui importait à présent, c'était de ne plus jamais montrer le bout de son nez dans les parages.

Après trente minutes passées à tenter de chier un coup, en vain, il décida finalement qu'il en avait assez. Il remonta son pantalon, tira la chasse et se dirigea vers la rangée de lavabos pour se laver les mains.

Le miroir qui se trouvait au-dessus du lavabo en plastique blanc lui confirma ses plus grandes craintes. Il avait une vraie gueule de déterré. Son apparence correspondait parfaitement à son état d'esprit, et pas uniquement parce qu'il cachait un trou sanglant sous l'épais bandage qui recouvrait sa main. En vérité, il avait parlé beaucoup trop facilement. Ce qui le minait le plus, ce n'était pas de savoir que le grand frère de Casper se vengerait sur lui. Le véritable problème, c'était qu'il allait devoir vivre en sachant qu'il avait permis à deux criminels de kidnapper un parfait innocent. Et ce souvenir hanterait sa conscience jusqu'à la fin de ses jours.

Tout en s'adressant des grimaces diverses et variées dans le long miroir, Hart s'efforça de ne pas imaginer ce qui allait arriver à Casper. La buée qui apparaissait sur la glace semblait écrire le mot « coupable » en travers de son front. Ça résumait assez bien ce qu'il éprouvait. Il avait même du mal à se regarder en face, et, au bout d'un moment, la vue de ce reflet qui lui renvoyait son regard, plein de commisération envers lui-même, finit par lui donner la nausée. Sa bouche était pleine de salive comme s'il était sur le point de vomir. Soudain submergé d'une irrépressible haine de lui-même, il cracha à la figure de son reflet, et la bave recouvrit la plus grande partie du visage pathétique qui ne le quittait pas des yeux.

Très vite, Devon n'eut plus à considérer ce triste spectacle : alors que son crachat glissait encore le long de la glace, les W-C furent soudain plongés dans l'obscurité. Cela suffit à le tirer de sa pitoyable contemplation.

Une coupure de courant ? Eh merde, pensa-t-il. *Comme si ça n'allait déjà pas assez mal comme ça.*

Dans des ténèbres absolues, il se mit à marcher à tâtons, les bras tendus devant lui, en prenant ce qu'il croyait être la direction de la porte. Il effleura le bois peint du panneau et fit glisser ses mains jusqu'à tomber sur le bouton de la porte, qu'il tourna. La porte s'ouvrit sans opposer la moindre résistance, mais il constata à grand regret que le couloir qui se trouvait derrière était également plongé dans l'obscurité la plus parfaite.

Sachant qu'il y avait une lampe torche dans l'un des tiroirs de la cuisine du personnel, Hart s'engagea dans le couloir en prenant sur sa gauche, et se mit à avancer avec la plus grande prudence, une main sur le mur, et l'autre tendue devant lui au cas où il rencontrerait un quelconque obstacle. Il avait parcouru une dizaine de mètres dans le silence et les ténèbres lorsque quelque chose le fit frissonner d'un bout à l'autre de sa colonne vertébrale. Pendant quelques instants, il avait pu s'imaginer ce à quoi pouvait ressembler l'existence d'un aveugle, et, dans une certaine mesure, celle d'un sourd. Le seul son audible avait été jusque-là l'impact sourd de ses propres pas. Mais il venait d'entendre le pas de quelqu'un d'autre, dans le couloir, derrière lui. Pris de panique, il se retourna et appela : « Il y a quelqu'un ? »

Pas de réponse.

« Il… y a quelqu'un ? » répéta-t-il, cette fois-ci un peu moins fort.

Toujours rien. Sans doute le fruit de son imagination. Il reprit son chemin en direction de la cuisine, pressant fortement sa main contre le mur afin de ne pas perdre l'équilibre.

Puis il entendit le même son. Un autre pas derrière lui. Il s'immobilisa sur place. Et tendit l'oreille autant qu'il put. Il y avait vraiment quelqu'un dans son dos. Il entendait un bruit de respiration. *C'est bien un bruit de respiration, ça ? Bien sûr que c'en est un.* Devon Hart savait parfaitement reconnaître un bruit de respiration. Il retint son souffle pendant quelques secondes afin de s'assurer que ce n'était pas son propre souffle qu'il entendait.

« Y a quelqu'un ? répéta-t-il de nouveau, cette fois sans se retourner. Écoutez, je sais que vous êtes là. Je vous ai entendu. » Redoutant ce qu'il allait devoir affronter, il se retourna une nouvelle fois et scruta de son mieux les ténèbres profondes qui engloutissaient le couloir, en direction du hall d'accueil.

Une lumière apparut tout d'un coup, une lueur infime. À une dizaine de mètres, un minuscule éclat de lumière dans le néant. Une toute petite flamme, de la taille de l'ongle d'un auriculaire. Il resta un instant interdit, avant de comprendre ce dont il s'agissait. *Une cigarette*. Assez curieusement, elle semblait s'être allumée spontanément.

« Hé ! » appela Hart. La terreur commençait à le gagner pour de bon, chassant peu à peu l'air de ses poumons. Il y avait bel et bien quelqu'un devant lui. Ce quelqu'un venait d'annoncer sciemment sa présence en fumant, mais il ne parlait toujours pas. « Qui est là ? »

lança Hart, écarquillant les yeux dans l'espoir de discerner un visage derrière la petite braise qui luisait à l'extrémité de la cigarette.

Au bout de ce qui lui parut plusieurs centaines d'années, Hart vit le bout de la cigarette briller une dernière fois très intensément, avant d'être jeté à terre. Il fixa la braise des yeux, s'attendant à ce que la personne qui venait de s'en défaire l'écrase. Mais elle continua à brûler. Le bruit des pas se fit alors de nouveau entendre. Son importun visiteur avançait droit dans sa direction, le son de ses bottes devenait de plus en plus fort et ses pas de plus en plus rapides à chaque instant. Les pas finirent par se taire. Devon Hart sentit alors une main se refermer sur sa gorge.

33

Sanchez en avait plein le cul. C'était toujours pareil. Il ne se passait pas un mois sans qu'il se fasse traîner jusqu'au commissariat central où on lui demandait de regarder des portraits de criminels susceptibles d'être le Bourbon Kid. Par le passé, c'était Archie Somers, ce vieux flic sur le retour, qui le contraignait à se plier au rituel. Les résultats étaient toujours les mêmes. Les mêmes visages familiers apparaissaient sur l'écran de l'ordinateur. Sanchez les connaissait tous, et aucun d'entre eux n'était le Bourbon Kid.

Cette fois-ci, il avait été convoqué par l'inspecteur Hunter, l'un des trois flics qui lui avaient rendu visite la veille au Tapioca. Avec une gentillesse inhabituelle, Sanchez était venu avec l'une de ses meilleures bouteilles de « cuvée maison », s'étant souvenu du plaisir qu'en avait tiré l'inspecteur lors de son passage au bar. Hunter avait bien volontiers accepté la bouteille, au goulot de laquelle il avalait à présent, à intervalles irréguliers, quelques gorgées de liquide jaune foncé. Pressé par sa gourmandise, il en avait même renversé quelques gouttes sur son pull.

Sanchez aurait été incapable de dire s'il était plus énervé d'avoir été convoqué en ces lieux pour revoir une énième fois les mêmes photos, ou de voir Hunter se délecter de sa pisse fraîche de ce matin. « Écoutez, vous me faites vraiment perdre mon temps », soupira-t-il. Hunter ne lui prêta pas la moindre attention et continua à cliquer à l'aide de sa souris afin de faire apparaître un autre visage sur l'écran.

La salle d'interrogatoire où ils se trouvaient était un vrai putain de trou à rat, pour rester dans l'euphémisme. Cela avait jadis été le bureau qu'Archie Somers avait brièvement partagé avec Miles Jensen, avant que tous deux ne disparaissent dans des circonstances tout à fait singulières, la nuit de la dernière éclipse. Hunter était assis à son bureau, à côté de la fenêtre dont les volets étaient toujours fermés, afin d'optimiser l'efficacité de l'interrogatoire. Le moniteur de son ordinateur était disposé de sorte que Sanchez, assis face à son bureau, puisse bien voir les photos des criminels du diaporama. Il suffisait simplement de considérer les vêtements du barman pour se rendre compte qu'il se fichait éperdument de la tâche qui lui était imposée. Son T-shirt blanc et crasseux ne portait qu'un simple logo, un message tout spécialement destiné à Hunter. En grosses lettres noires, on pouvait lire les mots : « FUCK YOU ! »

« Ça, c'est Marcus la Fouine, dit Sanchez en posant les yeux sur la photo qui apparut sur l'écran. Il est *mort*, inspecteur. Ça fait *un an* qu'il est mort. Putain. Ça vous arrive jamais de mettre à jour ce truc ? »

Hunter cliqua de nouveau, et une autre photo apparut.

« Mort. »

Une autre.

« Mort. »

Puis une autre encore.

« Mort, répéta Sanchez.

— Mon cul, répliqua sèchement Hunter. Ce type était ici même il y a moins d'une semaine. »

Sanchez haussa les épaules : « Si vous le dites. »

Une autre photo apparut sur l'écran.

« Mort. »

Hunter lâcha la souris et plissa les lèvres en jetant un regard furieux à Sanchez. « Vous ne seriez pas en train de dire "mort" à chaque photo uniquement pour m'agacer, par hasard ?

— Bien vu.

— Espèce de sale gros porc de merde. Tu crois que ça m'amuse, de perdre mon temps en ta compagnie ?

— Écoute, mon pote, dit Sanchez en se penchant au-dessus du bureau. T'es en train de nous faire perdre du temps, à moi comme à toi. Il n'y a aucune photo du Bourbon Kid dans ta putain de base de données, d'accord ? Y en a jamais eu. Et y en aura jamais. J'ai décrit ce type je sais pas combien de fois à vos experts chargés de faire des portraits-robots.

— J'ai vu ça, ouais, répliqua Hunter. T'es vraiment un putain de comique, tu sais. »

L'inspecteur faisait très précisément référence à une manie assez fâcheuse de Sanchez. À cinq occasions, pas moins, il avait soumis sa description aux experts et avait réussi, l'air de rien, à leur faire faire leur propre autoportrait. C'était assez nul, mais c'était la seule façon de se venger de ces salopards qui le traînaient constamment au commissariat. Sanchez s'adossa à sa chaise et croisa les bras : « Alors, on s'arrête là ?

— Non. »

Hunter fit apparaître une énième photo sur l'écran. Celle-ci attira l'attention de Sanchez qui se pencha soudain en avant, en décroisant les bras.

« Mon Dieu ! murmura-t-il. C'est *lui*. »

Hunter jubilait : « Le Bourbon Kid ?

— Non, mon livreur de journaux. Cet enfoiré est passé trois fois en retard cette semaine.

— Bon, ça suffit comme ça, rugit Hunter. Je vais te tuer. Je ne plaisante pas. » Il s'apprêtait à bondir par-dessus son bureau pour lui régler son compte lorsque la porte qui se trouvait dans le dos du plus insupportable barman de Santa Mondega s'ouvrit. Michael de La Cruz entra, vêtu d'une chemise rouge éclatante de propreté, boutonnée jusqu'en haut, et d'un élégant pantalon noir assez ample.

« Alors ? Vous avez trouvé ? demanda-t-il.

— Tu rigoles ? Ce mec est une blague ambulante. Il nous dira que dalle. »

De La Cruz posa la main sur l'épaule de Sanchez, qu'il serra avec une certaine force.

« Tu te doutes quand même qu'un jour prochain le Bourbon Kid reviendra dans ton bar si on ne l'attrape pas avant, non ? Et cette fois-ci, il se pourrait que tu ne t'en sortes pas aussi bien. Cela dit, comme tu es la seule personne en vie à savoir à quoi il ressemble, techniquement, tu es aussi la seule personne qui peut éviter de se faire tuer la prochaine fois qu'il passera en ville. »

Sanchez se retourna pour dévisager de La Cruz.

« C'est censé être de l'ironie ? lui demanda-t-il.

— Non. *C'est* de l'ironie.

— Écoutez, dit le barman, que cette conversation fatiguait déjà. Il y a deux choses au monde que je ne veux plus voir. Et l'une d'elles, c'est le blanc des yeux de ce mec. Même pas en photo, putain.

— Bon, eh bien, dans ce cas, tu n'as qu'à te montrer un peu plus coopératif, suggéra de La Cruz. C'est autant dans ton intérêt que dans le nôtre.

— Ben tiens…

— Il y a donc deux choses au monde que tu ne veux plus voir. C'est quoi, l'autre ?

— Comment on prépare les bouchées à la reine. »

De La Cruz appliqua une violente claque sur la nuque de Sanchez.

« Tu sers vraiment à rien, espèce de gros con.

— Je peux le tuer ? demanda Hunter.

— C'est assez tentant. Mais on a des problèmes plus sérieux à résoudre. Il y a eu un incident.

— Un incident ?

— Ouais. Tu vois l'hôpital psychiatrique du docteur Moland, à la lisière de la ville ? Celui où Igor et Pedro sont allés chercher le frère du Bourbon Kid ?

— Ouais. »

Sanchez se mêla à la discussion : « Le Bourbon Kid a un frère ? Vous vous foutez de ma gueule ou quoi ? C'est qui ?

— Occupe-toi de ton cul », répliqua Hunter d'un ton cinglant.

Mais Sanchez n'en avait pas encore fini : « C'est le type que les loups-garous et vous avez tué la nuit dernière, après avoir bu son sang dans le Saint-Graal ? »

Les deux policiers le regardèrent droit dans les yeux.

« Comment est-ce que tu sais tout ça ? demanda Hunter.

— Je sais rien du tout, moi. C'est juste une rumeur. En fait, c'est une rumeur que j'ai même pas encore entendue. J'ai rien dit. Oubliez ça.

— Tu sais quoi ? lança Hunter. Ta langue bien pendue te mettra un jour dans un merdier dont tu seras incapable de te sortir.

— Au moins, ma langue sait à quoi ça ressemble, du whisky.

— C'est censé vouloir dire quoi, ça ? »

De La Cruz en eut assez de ces chamailleries.

« Vous allez finir par la fermer tous les deux ? aboya-t-il. Tu veux savoir ce qui s'est passé à l'hôpital, ou pas ?

— Bien sûr, répondit Hunter. Désolé. Continue.

— L'hôpital a été entièrement ravagé par un incendie la nuit dernière.

— Quoi ?

— Ravagé par un incendie. Les pompiers ont retrouvé cent vingt-cinq cadavres à l'intérieur.

— Putain. » Hunter hocha la tête. « Complètement timbrés, ces loups-garous. C'est eux qui ont fait partir l'incendie ?

— Non, répondit de La Cruz en remuant son index. Ils n'y sont pour rien du tout. Les lieux étaient nickel quand ils sont partis. L'incendie a débuté après minuit. Longtemps après leur départ.

— Un accident ?

— Non. Pas un accident.

— Il y a beaucoup de survivants ?

— Aucun.

— Pas un ?

— Pas un. »

Pris en sandwich entre les deux policiers, Sanchez écoutait attentivement leur conversation. Des nouvelles extra-fraîches : c'était une vraie rareté. Et de La Cruz avait l'air d'avoir encore tout un tas d'informations à révéler.

« Pas le moindre survivant. Tu veux savoir pourquoi ?

— Toutes les issues de secours étaient bloquées ? proposa Hunter.

— Non.

— Attends, tu es en train de me dire que les cent vingt-cinq personnes qui se trouvaient à l'intérieur de l'hosto ont été brûlées vives dans l'incendie ? Personne ne s'est démerdé pour en sortir ? »

De La Cruz hocha la tête.

« Non. Personne n'a été brûlé vivant. C'était une crémation.

— Hein ? Je comprends pas.

— Les cent vingt-cinq victimes étaient mortes avant le départ du feu. »

Hunter rejeta brusquement ses épaules en arrière : « Putain. Comment ça se fait ?

— Essaie de deviner. »

L'inspecteur aux cheveux clairsemés fronça les sourcils pendant quelques secondes avant de trouver une réponse. « Fuite de gaz ?

— Tu as déjà entendu parler d'une fuite de gaz qui aurait énucléé ses victimes ? Qui les aurait décapitées ? Qui leur aurait explosé les rotules et déchiré la gorge ?

— Je te demande pardon ?

— Tu m'as parfaitement entendu. »

Hunter en resta bouche bée.

« T'es en train de me dire que quelqu'un a d'abord tué tous ces gens ? Et a ensuite foutu le feu au bâtiment ? »

Sanchez se racla la gorge afin d'attirer l'attention des policiers, puis pointa du doigt la photo de son livreur de journaux sur l'écran.

« En tout cas, c'est pas lui, le coupable », dit-il.

De La Cruz lui gifla de nouveau la nuque, avant de se retourner vers son collègue : « Hunter, c'est forcément le Bourbon Kid qui est derrière tout ça.

— D'accord, mais pourquoi ? Ceux qui se trouvaient dans l'hôpital ne lui avaient rien fait. Sauf peut-être les vigiles qui ont laissé passer Igor et Pedro. Ça reste quand même un massacre de cent vingt-cinq innocents sans raison valable. À quoi ça rime, putain ? »

De La Cruz haussa les épaules.

« J'en sais rien. Qui peut bien savoir ce qui lui passe par la tête, à ce mec ?

— Moi, lança Sanchez.

— Quoi ? répliqua de La Cruz.

— Je sais pourquoi il a tué tous ces gens. Et aussi pourquoi il les a tués d'une façon aussi brutale et impitoyable.

— C'est exactement ce que je te disais, de La Cruz, ce type est un putain de clown, dit Hunter. Allez, Sanchez, sors-nous ta petite blague et fous le camp d'ici. Pourquoi est-ce que le Bourbon Kid a tué toutes ces personnes, cette fois ? Vas-y, dis-nous un peu. C'est quoi, la chute ?

— Y a pas de chute, répondit sobrement Sanchez. Y a pas de blague non plus. Vous voulez savoir pourquoi il a tué tous ces innocents, pourquoi il les a tous fait souffrir horriblement, en variant les tortures, avant de les tuer ? Ou pas ?

— Dis-le-nous. »

De La Cruz s'intéressait beaucoup plus à l'avis de Sanchez qu'Hunter. Et, sur ce coup, il avait entièrement raison, parce que, pour une fois, Sanchez ne plaisantait pas.

Le barman se leva et saisit sa veste marron en cuir suédé, posée sur le dossier de la chaise qu'il avait occupée. Il l'enfila, alors que les deux policiers attendaient toujours sa réponse. Il la rajusta aux épaules et, prêt à quitter les lieux, répondit enfin : « Il a tué ces gens pour faire passer un message. Et ce message, mes chers amis les policiers, c'est celui-ci : le plus grand meurtrier de notre époque n'a pas besoin de raison pour tuer des gens. Il tue parce que ça l'amuse. En revanche, en ce qui vous concerne, les gars… en tuant son frère, vous lui avez fourni une raison. À mon avis, ce qu'il essaie de vous dire, c'est que vous, les mecs, vous allez encore plus souffrir que ces cent vingt-cinq personnes qui ne lui avaient *jamais rien fait.* » Sanchez contourna de La Cruz pour accéder à la porte. « Il faut que j'aille acheter deux ou trois trucs en banlieue, lança-t-il en souriant.

— Attends un peu, Sanchez ! cria Hunter, toujours assis à son bureau. Comment ça se fait qu'il n'essaie jamais de te tuer, hein ? Tu as croisé deux fois son chemin, et, à chaque fois, tu t'en es sorti. C'est quoi, l'astuce ? T'es pote avec lui ou quoi ? »

Sanchez marqua le pas et réfléchit un instant à ce qu'Hunter venait de lui demander. Les deux policiers attendaient qu'il leur livre une explication.

« Tu sais, répondit enfin Sanchez, la raison pour laquelle je suis toujours en vie, c'est que je dépasse jamais la ligne jaune avec ce mec. »

Hunter balaya ces mots d'un revers de la main.

« Conneries ! s'exclama-t-il avec un air mauvais. "Dépasser la ligne jaune" ? Tu sais même pas ce que ça veut dire.

— Je sais où se trouve la ligne jaune du Bourbon Kid, répliqua posément le barman.

— Ah ouais ? Et elle est où ?

— Regarde derrière toi. »

34

Elijah Simmonds n'était pas vraiment l'employé préféré de Bertram Cromwell, mais il était sans rival dans son boulot. Il était le directeur administratif du musée, et alors que Cromwell excellait dans les rapports humains, Simmonds de son côté ne s'intéressait qu'aux marges de profits, et aux façons de les augmenter. Cela faisait à présent plus de deux heures qu'ils étudiaient les comptes du musée dans le bureau de Cromwell, et s'il était bien une chose sur laquelle Simmonds avait insisté auprès du professeur, c'était que des coupes drastiques devaient être envisagées, sous peine d'assister à une chute vertigineuse des profits.

Dans son énorme fauteuil matelassé de cuir, Cromwell avait parcouru les colonnes des profits et des pertes établies par Simmonds, qui, assis face à lui, se penchait régulièrement au-dessus du bureau pour lui expliquer quelque menu détail. Simmonds était un carriériste qui approchait de la trentaine. Malgré son jeune âge, il pensait déjà au jour où il remplacerait Cromwell à son poste et superviserait l'ensemble du musée. Il ne vouait aucune passion aux œuvres d'art et objets historiques que recélait l'établissement, mais il vouait une véritable passion à l'argent, et pour lui le pouvoir était comme une drogue.

Cromwell était au fait des ambitions de son directeur administratif et ne se laissait pas tromper par son enthousiasme de façade pour les pièces de musée. Mais il acceptait le fait que, pour des raisons qu'il ne parvenait pas vraiment à saisir, les plus jeunes employés semblaient apprécier Simmonds. Peut-être était-ce à cause de sa coupe de cheveux à la mode et ses goûts vestimentaires tape-à-l'œil ? En ce qui le concernait, Cromwell était d'avis qu'arborer un costume et de longs cheveux décolorés attachés en une queue-de-cheval était une marque de ringardise, mais le professeur gardait ses opinions pour lui. De son point de vue, juger les gens selon leur apparence était inepte : s'il avait eu le malheur de faire de cet *a priori* une règle de vie, il serait passé à côté de rencontres aussi nombreuses que merveilleuses.

« Alors, nous en sommes au sixième mois consécutif de chute des profits, c'est bien ça ? » demanda Cromwell en relevant les yeux du livre de comptes pour considérer le jeune homme par-dessus ses lunettes en demi-lunes.

Simmonds portait un costume bleu et une chemise blanche dont il avait déboutonné le col. Il ne portait pas de cravate, ce à quoi Cromwell n'aurait jamais pu s'abaisser. Et il se grattait énormément les parties en parlant au professeur : c'était une chose qu'il faisait très souvent, et dont il semblait ne pas avoir conscience.

« Exact, six mois d'affilée, confirma Simmonds. Après le boum de fréquentation qu'on a eu à la suite du vol de la momie, ça n'a pas cessé de dégringoler. »

Cromwell retira ses lunettes et les posa sur son bureau. Ces interminables suites de chiffres finissaient par fatiguer considérablement ses yeux.

« Après tout, ce n'est pas une très grande surprise, n'est-ce pas ? "Le Tombeau de la momie" était notre pièce centrale. Je suppose que nous allons devoir trouver quelque chose de vraiment très spécial pour la remplacer. Le seul problème, c'est qu'une authentique momie égyptienne, ça ne se trouve pas au coin de la rue.

— Ouais, c'est clair, acquiesça Simmonds sans cesser de se gratter l'entrejambe. D'un autre côté, il va falloir qu'on réduise les coûts. »

Un peu mal à l'aise, Cromwell changea de position dans son énorme fauteuil. Son costume gris extrêmement cher, taillé sur mesure chez John Phillips, à Londres, pouvait supporter toutes sortes de mouvements sans jamais se plisser, contrairement au mauvais costard sur mesure de Simmonds.

« J'imagine que vous avez d'ores et déjà une idée en tête ? lança Cromwell.

— Oui, m'sieur », répondit Simmonds en se redressant sur son siège. Ses mains quittèrent enfin son entrecuisse pour se poser à plat sur le bureau de Cromwell, qui en éprouva un véritable soulagement.

« Pour commencer, on peut se permettre de se défaire d'au moins un employé.

— Vraiment ? Vous êtes sûr ? Il me semblait que nous étions déjà assez peu nombreux.

— C'est vrai, professeur, c'est vrai. Mais nous pouvons nous permettre de nous débarrasser d'un des éléments sous-productifs.

— Nous avons des éléments sous-productifs ? (Cromwell eut un rire aimable.) Comment est-ce possible ?

— Eh bien, en fait, on n'en a qu'un, m'sieur. Au vu de vos performances en la matière, on dirait que vous n'avez pas un talent fou pour choisir vos employés. »

Cromwell fut pris de court : « Je vous demande pardon ?

— Ce n'est vraiment pas pour me faire mousser, répondit Simmonds, mais tous ceux que j'ai engagés se comportent extrêmement bien et travaillent très dur. En revanche, les dernières personnes que *vous* avez engagées, en grande partie par charité, ne se sont pas très bien insérées dans l'équipe, vous ne trouvez pas ? Vous vous souvenez de ce Dante Vittori ?

— Celui qui a brisé un vase précieux sur votre crâne ?

— Exactement. Lui. Bon à rien.

— Très gentil, en revanche.

— Oh ! allez, professeur, protesta Simmonds. C'était un abruti !

— Je vous le concède, mais le traiter d'abruti alors qu'il brandissait un vase antique au-dessus de votre tête, ça n'a pas non plus été la chose la plus intelligente que vous ayez faite, n'est-ce pas ? »

Simmonds s'adossa à son siège et se remit à tripoter son entrecuisse, que son mauvais costard irritait de nouveau.

« Vous auriez dû me laisser porter plainte, il aurait tout de suite atterri en prison. Ça lui aurait peut-être servi de leçon. Enfin bon, vous m'avez compris. Je propose de virer l'autre personne que vous avez engagée par charité.

— À part Dante Vittori, la seule personne que j'aie jamais employée est Beth Lansbury.

— C'est bien d'elle que je parle.

— Mais pourquoi diable voudriez-vous que je la congédie ? C'est une jeune femme délicieuse.

— Elle ne s'entend pas avec le reste de l'équipe. Elle déjeune toute seule à la cantine. Et qui plus est, elle a un casier judiciaire.

— Je suis au courant, pour son casier judiciaire, je vous remercie, Elijah. Cette jeune femme a vécu de terribles épreuves durant son enfance et son adolescence. À mon sens, elle mérite un horizon plus clément. C'est pour cette raison que je l'ai engagée. Et son père, que Dieu ait son âme, était un bon ami à moi, il y a maintenant des années.

— Le père de Dante Vittori était également un de vos amis, non ?

— Tout à fait.

— Eh bien, voilà.

— Eh bien, voilà quoi ?

— Eh bien, voilà : ce n'est pas vraiment un bon motif d'embauche, vous ne pensez pas ? Enfin quoi, ne vous méprenez pas, m'sieur, je trouve que c'est très noble de votre part d'engager les gamins de vos anciens amis, mais en termes de management, ça n'a aucun sens. Vous savez que le reste de l'équipe a peur d'elle ? Ils l'appellent "Beth la Schizo". Vous pouvez arranger ça comme vous voulez, une enfance difficile, etc., elle a quand même tué quelqu'un de sang-froid, et ça, ça terrifie les gens. Ça bosse mieux quand elle n'est pas dans les parages. Quand elle est là, tout le monde est à cran. Et cette horrible cicatrice au visage ? Beurk ! Vous avez sûrement remarqué la réaction des visiteurs quand ils l'aperçoivent. Vous voyez ? Elle effraie même nos clients. Croyez-moi, si on fait l'économie d'un salaire et qu'on ne la revoit plus ici, ce sera autant de gagné pour nos affaires. »

Cromwell se saisit de ses lunettes en demi-lunes à la monture très fine et les remit. Il se frotta un moment le front tout en fronçant les sourcils. Puis il referma le livre de comptes posé en face de lui.

« Fort bien, dit-il en le repoussant en direction de Simmonds. En remontant, envoyez-moi Beth. Je tiens à lui parler en personne. »

35

Depuis la nuit de la veille, au cours de laquelle il s'était repu du sang du patient n° 43, connu également sous le nom de Casper, l'euphorie n'avait pas quitté Igor. Son compagnon de saignée, Pedro, avait décidé de passer l'après-midi avec une pute, et Igor avait choisi pour sa part d'aller boire un verre en ville. Il lui fallait trouver à tout prix une occasion de se servir de ses nouveaux muscles d'immortel. Pour sa première escale, il opta donc pour le Fawcett Inn, en centre-ville, le repaire le plus populaire parmi les loups-garous. Les vampires avaient pris le contrôle du Nightjar, et, de leur côté, les loups-garous avaient revendiqué la jouissance du Fawcett Inn.

De l'extérieur, les lieux avaient l'air plutôt calmes lorsque Igor arriva. La porte était ouverte, sans doute à cause de l'humidité. Le bar n'était pas très grand. En fait, son architecture, qui s'inspirait vaguement de celle d'un pub anglais typique, lui donnait l'apparence d'un vieux cottage, du genre que l'on trouve dans le nord de l'Angleterre.

En entrant, Igor constata à sa grande déception que le Fawcett Inn n'était pas particulièrement bondé. Il avait l'intention de frimer un peu, et, à ce titre, aurait aimé avoir un public plus fourni. Une quinzaine de clients, tout au plus, étaient assis aux tables qui se trouvaient à gauche du bar. Comme c'était souvent le cas, seul le patron se trouvait derrière le comptoir : Royle, un Black à la barbe grise. Royle faisait également office de videur. Il était assez costaud et assez teigneux pour mettre à l'amende n'importe quel client susceptible de poser problème. Y compris Igor, jusqu'à présent. Mais celui-ci, chef des loups-garous fraîchement autoproclamé, entendait bien vérifier si c'était toujours d'actualité.

« Royle, mets-moi une bouteille de tord-boyaux. Aux frais de la maison », cracha-t-il sur le ton de la confrontation. Il espérait que Royle, blessé par son arrogance, lui lancerait un quelconque défi physique. Bien tristement, les attentes d'Igor furent déçues. Royle n'agit pas conformément à son souhait. Apparemment, on l'avait déjà averti qu'Igor avait sérieusement pris du galon dans la hiérarchie des créatures du mal.

Le barman saisit une bouteille pleine de sa meilleure gnôle sous le comptoir et la posa à côté d'un petit verre vide, juste en face d'Igor.

« Félicitations, dit-il d'un ton impassible. J'ai entendu dire que Pedro et toi aviez tué un handicapé mental et bu son sang dans le Saint-Graal. »

Igor n'était pas d'humeur à accepter ce genre de familiarité de qui que ce soit. Il était venu sapé comme un prince, avec une chemise en soie d'un blanc éclatant, amplement ouverte sur l'épaisse toison noire qui recouvrait sa poitrine. Il portait autour du cou une chaîne en or à laquelle pendait une dent de crocodile. Et le jour même, il s'était acheté ce pantalon de cuir noir hyper classe, dans lequel il marchait à présent d'un air crâne, un peu à la Tom Jones. (C'était tout du moins l'effet recherché.)

« Mesure bien ces tiens propos, répliqua-t-il de façon archaïque, en se saisissant de la bouteille de gnôle pour la déboucher. J'ai cru un instant percevoir une note d'ironie à mon égard, et s'il y a bien une chose que je suis plus en mesure de supporter, c'est ces remarques à la con, qu'elles viennent de toi ou de n'importe quel autre sac à merde ici présent. » Il avait haussé le ton à mesure qu'il parlait, afin de s'assurer que tout le monde l'entende. En l'absence de musique de fond, tout le monde l'avait parfaitement entendu. Les clients avaient même interrompu leurs conversations afin de lui témoigner le respect qui s'imposait.

Igor regarda tout autour de lui en quête d'un client qui aurait soutenu son regard, tout en se servant un verre de tord-boyaux qu'il avala cul sec. Comme personne ne semblait vouloir le dévisager, il s'en servit un autre.

« Il y a un nouveau shérif dans cette ville », s'écria-t-il, assez fort pour être certain de se faire entendre. Il savait qu'ils étaient tous suspendus à ses lèvres, mais, jusqu'à présent, aucun des clients n'avait eu le courage de croiser son regard. Tous préféraient fixer avec fascination leur consommation ou leurs chaussures.

Agacé par l'absence de confrontation, Igor finit par se retourner pour présenter sa silhouette de géant à l'ensemble de la clientèle, et donner de plus amples informations au sujet de ce fameux nouveau shérif : « Et il s'appelle Igor le Croc. Nous autres loups-garous, nous ne laisserons plus jamais personne nous considérer comme des citoyens de deuxième zone. Et plus jamais nous n'accepterons de nous faire traiter comme de la merde par quelque vampire que ce soit. Nous sommes désormais leurs égaux. » Il s'arrêta pour boire une gorgée et poursuivit. « Les trois premiers qui viendront me prêter serment d'allégeance, ici et maintenant, seront mes lieutenants. Engagez-vous, les mecs, c'est la seule chance que vous aurez de toute votre vie de rejoindre les rangs du gang de loups le plus redoutable de tout Santa Mondega. Vous récolterez bientôt femmes et richesses. Venez rejoindre le clan dans son ascension irrésistible. Un clan de loups plus puissant que tous les clans de vampires réunis. Le clan le plus terrible qui ait jamais été. » Il fit un pas en direction des tables occupées et secoua son poing en l'air. « Alors, qui est avec moi ? »

Il y eut une pause, le temps que les raclures de loups-garous qui se trouvaient en salle aient digéré ce qu'il venait de dire. La quinzaine de jeunes hommes assis ici et là échangèrent des regards hésitants, chacun attendant qu'un autre dise quelque chose. Un jeune type vêtu d'une chemise en jean bleu sans manches finit par se lever de sa chaise et marcha vers Igor. C'était de loin le plus courageux du lot, un jeune loup-garou hirsute aux cheveux auburn, épais et en bataille, qui répondait au nom de Ronnie. Il avait bien l'intention de grimper les échelons de la hiérarchie des créatures du mal, et si cela impliquait de se mettre en danger et de montrer qu'il était plus courageux que les autres, alors merde, c'était exactement ce qu'il allait faire.

« Je te prête serment d'allégeance, Igor, déclara-t-il, solennel. Daigne ordonner, et j'exécuterai la tienne volonté. » Les tournures archaïques semblaient faire leur petit effet.

Igor le considéra des pieds à la tête, et acquiesça en signe d'approbation. Ce type avait une sacrée paire de couilles. « Eh bien, c'est assez simple. Pour commencer, je veux un compagnon de beuverie. Royle, mets-moi une autre bouteille de tord-boyaux. Cadeau de la maison. »

Royle jeta un sale regard au dos d'Igor, puis leva les yeux au ciel en voyant deux autres jeunes hommes débraillés se lever de la table que Ronnie venait de quitter. Tous deux se précipitèrent pour se camper aux côtés de leur ami. Ni l'un ni l'autre n'étaient aussi courageux que Ronnie, aussi, pour plus de sûreté, se tinrent-ils quelques dizaines de centimètres derrière lui. Les trois jeunes hommes demeurèrent immobiles face à Igor, qui s'appuya dos au comptoir, l'air très satisfait de sa petite personne.

« Pendant que tu y es, mets-en deux de plus ! beugla l'énorme loup-garou sans même se donner la peine de se retourner vers Royle.

— Très bien, grogna le barman en affichant un sourire sarcastique. Je vais chercher tes bouteilles dans l'arrière-boutique. » Et il disparut d'un pas traînant par la porte qui se trouvait au fond du bar.

Igor regarda longuement ses trois nouveaux lieutenants afin de les jauger. Ils n'étaient pas très solidement bâtis, mais, manifestement, ils étaient fiers de l'héritage de leur espèce, car tous trois présentaient une pilosité faciale très conséquente, signe de fierté chez un loup-garou.

« Alors, comment vous appelez-vous ? » leur demanda-t-il.

Le premier type à s'être levé, Ronnie, et qui se tenait toujours légèrement en avant par rapport aux autres, fit alors un pas en arrière, marchant sur le pied d'un de ses camarades.

« Tu sais quoi ? dit-il. J'ai changé d'avis.

— Ouais, moi aussi », enchaînèrent les deux autres à l'unisson, en reculant également d'un pas. Tous trois avaient blêmi et fixaient des yeux ronds en direction du comptoir, derrière Igor. La première réaction du chef loup-garou autoproclamé fut de se dire qu'ils devaient être un peu nerveux, voire intimidés par sa personne, et craignaient même peut-être qu'il ne tue l'un d'eux à titre d'exemple. Puis son sixième sens reprit le dessus. *Quelque chose ne tournait pas rond.*

« Qu'est-ce qui se passe ? demanda Igor en s'essuyant le nez avant d'inspecter ses doigts. J'ai une crotte de nez qui pend, ou quoi ? »

Les trois jeunes loups-garous hochèrent la tête de concert. Ce qu'ils avaient vu derrière Igor justifiait pleinement une fuite soudaine. La rumeur qui voulait qu'Igor avait assassiné le petit frère retardé du Bourbon Kid était confirmée. Car derrière Igor se dressait une silhouette qu'ils auraient aimé ne jamais voir de leurs propres yeux. Celle d'un homme qui venait d'apparaître derrière le comptoir, le visage dissimulé dans l'ombre de sa capuche.

La silhouette dressa ses poings gantés devant elle, à une soixantaine de centimètres l'un de l'autre. Enroulé autour des mains, et tendu entre elles, étincelait un fil à couper le fromage.

Le sixième sens d'Igor eut à peine le temps de lui souffler qu'il était en danger, que déjà le fil avait fait le tour de sa gorge pour la serrer avec force. En l'espace d'un instant, l'homme encapuchonné le fit disparaître derrière le comptoir, en dépit des bruyantes suffocations d'Igor et de ses coups de pied dans le vide.

En moins de cinq secondes, tous les clients du Fawcett Inn vidèrent les lieux. Personne n'avait l'intention de traîner dans le coin pour voir ce qui résulterait de tout ça. Ils en avaient déjà trop vu.

Le Kid était de retour. Et il n'avait même pas encore bu un verre.

36

Assis à son bureau, le capitaine de La Cruz pianotait sur le clavier de son ordinateur. Il avait considérablement déformé son col de chemise en tirant continuellement dessus pendant l'heure qui venait de passer. Il avait l'habitude de tirer sur son col lorsque quelque chose l'agaçait. Et, en l'occurrence, quelque chose l'agaçait.

Les persiennes de la fenêtre qui se trouvait derrière lui étaient tirées, protégeant le bureau des derniers rayons du jour. Les fines bandes de lumière bleu pâle qui filtraient entre les lattes faisaient étinceler les grains de poussière qui dansaient sous ses yeux, ce qui l'irritait presque autant que les images qu'il visionnait sur son écran en fronçant les sourcils. La frustration que l'on pouvait lire sur son visage laissait à penser qu'il n'avançait guère dans la tâche à laquelle il s'était attelé. Bien conscient de la chose, Hunter frappa timidement à la porte vitrée du bureau et attendit que son supérieur hiérarchique lui fasse signe d'entrer. De La Cruz finit par secouer la main, et après avoir décoché un coup de pied à la base de la porte, qui ne s'était jamais ouverte sans réticence, Hunter entra et la referma presque entièrement derrière lui. Il se campa derrière la chaise qui se trouvait face au bureau, et posa ses mains sur le dossier.

De La Cruz releva les yeux dans sa direction.

« Pourquoi est-ce que tout le monde balance toujours un coup de pied dans cette porte, hein ? Alors qu'il suffit de pousser un tout petit peu plus fort ? C'est quand même pas si compliqué que ça, bordel ! »

Hunter lui adressa un sourire désolé, et en même temps plein d'empathie.

« Tu m'as l'air un peu énervé. Je t'avoue que t'es pas le seul. »

Il enleva sa veste de tweed marron et la posa sur le dossier de la chaise, sur laquelle il s'assit en tirant sur le col de son pull. Sans s'en rendre compte, il imitait son supérieur hiérarchique.

De La Cruz appuya une dernière fois sur une touche de son clavier et détourna son attention du moniteur de l'ordinateur pour se concentrer sur son collègue.

« À propos de quoi ? demanda-t-il.

— À propos de ce qui s'est passé avec l'handicapé mental, répondit Hunter en se grattant le menton.

— Ah ! ça, grimaça de La Cruz. En fait, c'est pas ça qui m'inquiète. Pas vraiment, en tout cas. Ça me gêne un peu, mais pas autant que ce qui s'est passé juste après. Ce qui me tracasse surtout, c'est que Benson ait donné son nom à la personne qui se trouvait à l'autre bout du fil, quand il a pris le portable du retardé. Qu'est-ce qui a bien pu lui passer par la tête, putain ?

— Ouais, ça aussi, ça me fait pas mal chier. Tu crois que c'était le Kid qui était à l'autre bout de la ligne ?

— Tu en doutes encore ? répliqua de La Cruz en tapotant plusieurs fois sur la touche “espace” de son clavier, produisant de la sorte une courte phrase rythmique tout à fait idiote.

— Hum, t'as raison. L'ego de Benson est en train de prendre des proportions assez inquiétantes. La discrétion, c'est pas vraiment ce qui l'étouffe. Tu penses qu'on devrait agir en conséquence ? » Hunter connaissait d'ores et déjà la réponse à sa question.

« Ouais. Benson commence à poser sérieusement problème. De mon point de vue, il ne fait aucun doute que le Kid doit être en ce moment même sur sa piste. Si ça se trouve, le Kid est même déjà sur *notre* piste. On ne peut plus tirer profit de l'élément de surprise, Hunter, et, qui plus est, on a tué le frangin du Kid. S'il n'est pas en train de nous rechercher activement, il le sera bientôt, dès qu'il aura retrouvé Benson. Enfin quoi, merde… » De La Cruz avait réussi à s'exciter par ses propres mots : il tapota de nouveau la touche « espace » du clavier, plus fort cette fois.

« Benson a eu aucun mal à donner son propre nom. Si le Kid lui met un tant soit peu la pression, il s'empressera de balancer les nôtres. L'heure est grave, putain. »

L'humeur de De La Cruz s'assombrissait à vue d'œil alors qu'il exposait tout haut ce que tous deux pensaient tout bas depuis la mise à mort de la veille.

« Tu veux qu'on fasse disparaître Benson ? lâcha Hunter.

— J'aimerais bien, ouais, mais il y a comme qui dirait un petit problème. Je n'arrive pas à le joindre. Cet enfoiré a dû se casser quelque part. Ce n'est que partie remise. À mon avis, ce qu'on devrait faire en tout premier lieu, c'est d'essayer de trouver le Bourbon

Kid avant qu'il tombe sur Benson et que notre très cher ami se mette à balancer tout ce qu'il sait.

— Tu ne crois pas que Benson arriverait à l'emporter sur le Kid ?

— Hunter, tu serais capable de l'emporter sur le Kid, je serais capable de l'emporter sur le Kid, mais Benson, lui… j'en doute carrément. Si nos nouveaux pouvoirs sont aussi considérables que nous le pensons, chacun de nous trois doit être en mesure de s'essuyer les pieds sur la gueule de ce fils de pute de buveur de bourbon. Mais mieux vaut ne pas prendre de risque en laissant Benson s'occuper seul de lui.

— D'accord. Alors qu'est-ce que tu as en tête ?

— Regarde un peu ça, dit de La Cruz en tournant à moitié le moniteur dans la direction d'Hunter.

— Qu'est-ce que c'est ? demanda l'autre en considérant la vidéo noir et blanc sur l'écran de son capitaine.

— Vidéosurveillance.

— De quoi ?

— Du massacre survenu ici même, au commissariat, la nuit de l'éclipse de l'année dernière, quand le Bourbon Kid a tué tous les flics qui étaient de service, ainsi que la jolie réceptionniste, Amy Webster. »

Hunter se concentra sur l'arrêt sur image qui clignotait, sans vraiment parvenir à distinguer clairement ce dont il s'agissait.

« Et là, c'est quel moment du massacre ? demanda-t-il.

— Celui où le Kid tue Archie Somers en lui enfonçant ce putain de bouquin dans la poitrine.

— Où est-ce que tu as bien pu trouver ça ? lança Hunter. J'ignorais complètement que le commissariat était sous vidéosurveillance.

— Je l'ai trouvé sur YouTube.

— Non, c'est vrai ?

— Bien sûr que non, grand con. Il se trouve que la police des polices a secrètement installé un réseau de vidéosurveillance il y a quelque temps de cela, afin de nous avoir à l'œil.

— Mais c'est illégal, non ?

— Ils le font bien dans *L'Arme fatale 3*, répondit de La Cruz dans un haussement d'épaules.

— Ah ! effectivement, dit Hunter en faisant la grimace. Si ça arrive dans un film, j'imagine que c'est possible ici aussi. »

De La Cruz haussa cette fois ses sourcils :

« T'as tout compris, Dick. »

Puis il appuya sur la touche « espace », et la vidéo reprit son cours. Hunter assista alors aux derniers instants d'Archie Somers : sur l'écran, l'inspecteur se rua sur le Bourbon Kid, puis, après une lutte brève et un échange de paroles, se recula pour se transformer en une boule de feu, jusqu'à ne plus être qu'un tas de cendres fumantes. Le Kid, dos à la caméra, se dirigea alors vers la sortie du commissariat. Fin de la vidéo.

« Sympa, commenta Hunter. Et il y a un truc à tirer de tout ça ?

— En fait, il se trouve que oui, répondit de La Cruz en tirant de nouveau sur le col de sa chemise. Tu vois, en réalité, le Kid n'est pas ce que tu crois.

— Ah bon ? Moi, je crois que c'est un tueur en série. Est-ce que c'est un tueur en série ?

— Hum, oui, c'est bien un…

— Eh bien, c'est exactement ce que je crois. »

De La Cruz lui décocha un sourire faux.

« T'es un petit comique, hein ? Écoute un peu ça. J'ai vu cette vidéo une centaine de fois, et, à chaque visionnage, un détail me gênait.

— Lequel ?

— Pourquoi est-ce que le Kid laisse le *Livre sans nom* derrière lui ? Est-ce parce qu'il s'en moque, ou est-ce à cause de cela ? » Il se saisit de la souris et fit revenir la vidéo un peu en arrière. Puis il appuya sur la touche « espace » et la vidéo reprit. « Regarde bien. »

Hunter se concentra sur l'écran, à l'affût du moindre élément qu'il aurait négligé lors du premier visionnage. Rien de nouveau ne lui sauta aux yeux alors que, pour la deuxième fois, il assistait avec une fascination certaine à la fin du vieil inspecteur qui, dans une boule de feu, partait pour le royaume des damnés. À la fin de la vidéo, il vit le Kid porter une main à son cou, pour ensuite jeter un coup d'œil à ses doigts. Puis il le vit rabattre sa capuche sur la tête et prendre la direction de la sortie.

« Eh bien, en conclut Hunter, il est assez malin pour ne montrer son visage à aucune caméra, caméras dont *nous-mêmes* ignorions complètement l'existence. Mais on sait que le Kid fait particulièrement gaffe à ce genre de trucs. On n'a jamais trouvé une seule image de son visage. Il est bien trop malin. Il sait toujours où se trouvent les caméras. Même quand nous l'ignorons.

— Tu as loupé le moment clé », dit de La Cruz en revenant de nouveau en arrière, un tout petit peu moins loin cette fois, pour s'arrêter en plein milieu du combat entre Somers et le Kid, juste avant que Somers ne s'embrase. Hunter plissa les yeux en considérant l'image et finit par voir ce que de La Cruz souhaitait lui montrer.

« Eh oui. Notre vieux pote Somers a planté une quenotte dans le cou du Kid. À partir de cet instant, il suffit de compter jusqu'à dix, et le Kid devient un suceur de sang. Il ne peut plus toucher le bouquin parce que Somers l'a mordu. C'est un putain de vampire, comme nous autres.

— Putain de merde ! souffla Hunter, bouche bée, incapable de dissimuler son énorme surprise. J'arrive pas à croire qu'on n'ait pas vu ça plus tôt ! »

De La Cruz était plongé dans ses pensées, le regard rivé à la porte vitrée du bureau, qui n'était pas tout à fait bien fermée.

« Tu sais quoi, réfléchit-il à haute voix. Je n'ai pas l'impression que c'était si important que ça, jusqu'ici. Ça n'avait rien de vraiment crucial, en définitive. En me penchant un peu plus sur la question, j'en suis venu à la conclusion que le Kid avait un sacré fil à la patte. C'est un gros avantage en notre faveur. On est en mesure de le traquer, maintenant. C'est évident.

— Comment ça ? demanda Hunter. En quoi cela peut-il nous aider à le retrouver ?

— Réfléchis un peu. Le Kid a à présent les mêmes instincts que n'importe quel vampire, pas vrai ? Rien que de très naturel à ça.

— D'accord, admettons. Il éprouve la même soif de sang humain que nous, et lui aussi doit redouter des trucs tels que le livre, par exemple. » Hunter observa une courte pause. « Je suis à côté de la plaque, non ? Où est-ce que tu veux en venir au juste ? »

Le regard toujours fixé sur la porte vitrée, le capitaine se pencha en avant afin d'apporter encore plus de poids à ses propos : « Pousse encore plus loin ta réflexion, très cher. S'il a bel et bien écopé de *tous* les instincts d'un vampire, alors il est un point sur lequel sa personnalité a considérablement changé. Un point que tu n'as pas mentionné. »

Hunter hocha la tête, perdu.

« Lequel ?

— Le besoin de compagnie. Le Kid a toujours été un solitaire, non ?

— Putain, c'est vrai ! » Hunter venait enfin de comprendre ce que son capitaine essayait de lui faire entendre.

« Tu crois qu'il a rejoint un clan ?

— En plein dans le mille », répondit de La Cruz en reportant son regard sur l'écran. Il appuya une énième fois sur la touche « espace » et vit de nouveau le Kid se faire mordre par Somers. « Cela doit faire maintenant un petit bout de temps que notre camarade vit parmi nous. Bien sûr, la grande question, c'est de savoir sous quel nom on le connaît. Et, tout aussi important, ajouta-t-il en pointant un index en direction de son collègue, dans quel clan il se cache.

— Oh ! putain… S'il n'a pas encore découvert que nous étions tous les deux impliqués dans le meurtre de son frère, il ne va pas tarder à l'apprendre. La rumeur est en train de se propager parmi les clans… *merde*, même Sanchez est au courant, ou l'a deviné tout seul, et ce n'est qu'un putain de barman. »

De La Cruz acquiesça, les sourcils froncés.

« Ouais, je sais. Mais j'ai un plan, dit-il en plongeant la main dans l'un des tiroirs de son bureau, pour en sortir le téléphone portable qu'ils avaient préféré garder à la suite de la saignée de Casper. Prends ce téléphone avec toi et rends-toi au Nightjar. Rappelle le dernier numéro composé, et tâche de repérer le téléphone qui sonnera. Tu sauras alors qui est le Bourbon Kid, et dans quel clan il se trouve. La mission est simple : tuer celui dont le téléphone se mettra à sonner.

— Et si aucun téléphone ne sonne ? »

De La Cruz s'adossa à son siège, visiblement exaspéré.

« J'en sais rien. Ne tue personne. Ou mieux, tue tout le monde. »

Hunter avait bien conscience que son supérieur était à cran, mais ce sarcasme fut loin de lui plaire.

« Vous savez, capitaine, avec ce genre d'attitude, vous devriez envisager une carrière dans les ordres.

— Tu m'étonnes. Je pourrais leur soumettre deux ou trois idées qui les intéresseraient sûrement. Maintenant, prends ce portable, tu veux, et casse-toi d'ici. »

Il jeta le téléphone en direction d'Hunter qui le rattrapa, puis se leva de sa chaise, prêt à partir.

« Tu m'accompagnes ? demanda Hunter.

— Non. N'hésite pas un instant à m'appeler si tu as besoin de moi. Mais, en attendant, je vais tâcher de découvrir ce qui est arrivé à ce con de Benson. »

37

Après son passage au commissariat, Sanchez avait déambulé une bonne partie de l'après-midi dans un centre commercial de la banlieue de Santa Mondega. Au bout de plusieurs heures passées à traîner des pieds dans des magasins de prêt-à-porter et à buter contre le dos des autres clients qui semblaient se faire un point d'honneur à s'immobiliser sans crier gare, et sans raison apparente, Sanchez avait finalement décidé de rentrer en taxi en début de soirée.

Cette séance de shopping avait été un succès. Plus ou moins. Il avait trouvé quelques fringues assez jolies pour Jessica, qui venait de s'éveiller de son coma le matin même. Elle l'avait réveillé par une quinte de toux dans les toutes premières heures de la journée, et Sanchez avait eu la joie de constater qu'elle avait enfin repris conscience. Elle était encore trop faible pour quitter son lit, et elle avait beaucoup de difficultés à parler, mais grâce à son incroyable capacité de guérison, il ne se passerait pas longtemps avant qu'elle ne soit sur pied et totalement rétablie.

Il lui avait acheté toute une gamme d'habits, des minijupes aux chemises hawaïennes, en passant par des joggings et des chaussures à talons aiguilles. Il s'était même donné la peine de faire imprimer un T-shirt tout spécialement pour elle, sur lequel on pouvait lire « JE ME SUIS FAIT DESCENDRE PAR LE BOURBON KID ET JE M'EN SUIS SORTIE APRÈS UN PETIT COMA DE RIEN DU TOUT ». Et puis, parce qu'il avait vraiment horreur de faire du shopping, Sanchez en avait profité pour s'acheter un tas de fringues afin de se débarrasser de cette corvée annuelle, et s'épargner une deuxième escapade en dehors de la ville. En ce qui le concernait, il se limita au strict nécessaire : trois pantalons larges et noirs et un lot de chemises à manches courtes de couleurs variées. Il avait acheté en outre de la teinture noire spécialement à l'usage des hommes. Ses cheveux commençaient en effet à grisonner (et même, sur le dessus du crâne, à se raréfier). Le fait de restaurer la magnificence passée de sa chevelure jadis si sombre et si épaisse semblait assez avisé, surtout à présent que Jessica était de retour parmi les vivants.

Le taxi l'avait lâché à l'entrée de Santa Mondega. Le chauffeur, une grande gueule de Français, avait refusé de s'aventurer plus loin dans la ville parce que c'était un putain de lâche. Il s'était excusé en prétextant qu'il était très pressé, mais c'était un mensonge éhonté, Sanchez le savait bien. Tous les taxis des environs connaissaient la rumeur selon laquelle les créatures du mal grouillaient *intra-muros*, et aucun d'eux n'avait les couilles de franchir les limites de la ville.

En plus de son léger surpoids, les deux sacs pleins de vêtements que Sanchez portait à bout de bras le faisaient transpirer abondamment, et, au bout d'une quinzaine de minutes à peine, il éprouvait déjà le méchant besoin de respirer un coup. Son T-shirt « FUCK

YOU ! » blanc, à présent maculé de larges auréoles dans le dos, sur la poitrine et sous les bras, lui collait à la peau. Son épais pantalon noir commençait à lui faire suer le cul au point que, à chaque foulée, ses fesses émettaient de faibles bruits de succion. Il marchait ainsi à pas lourds dans les rues poussiéreuses de Santa Mondega, dans la lueur du soleil couchant, et à sa fatigue s'ajouta bientôt un formidable besoin de se désaltérer.

Le hasard voulut que ce fastidieux trajet jusque chez lui le fît passer juste devant le Fawcett Inn. Pas l'établissement le plus agréable qui soit, l'endroit était en outre connu pour être le bar préféré des loups-garous du coin, mais, constatant l'absence de pleine lune dans le ciel, Sanchez se dit que ça ne lui ferait aucun mal de s'y arrêter un court instant, pour une rafraîchissante lampée de tord-boyaux.

Il venait à peine de se décider à faire son entrée dans le pub qu'un nouvel élément le poussa à reconsidérer son choix. Alors qu'il s'approchait, il entendit un formidable fracas venant de l'intérieur du bar : les portes du faux cottage anglais s'ouvrirent presque aussitôt pour laisser passer une foule de gens qui se poussaient les uns les autres afin de détaler le plus vite possible. *Alerte à la bombe* ? pensa Sanchez.

Naaan.

Incendie, peut-être ?

Non. Pas de fumée en vue.

Alors, qu'est-ce que ça pourrait bien être ?

Une autre cause potentielle lui traversa l'esprit.

Oh oh. Ce serait quand même pas… ?

C'est pas… ?

Un des derniers clients à quitter le bar, un gros Mexicain surnommé « Poncho », se précipita en direction de Sanchez, les yeux écarquillés presque au point de sortir de leurs orbites. Apparemment, il venait de quitter à toute vitesse les toilettes du pub, car il tenait d'une main son pantalon marron, et de l'autre tentait de resserrer sa ceinture. Sa chemise blanche à moitié ouverte lui battait les flancs, et une longue traîne de papier toilette sortait de derrière son pantalon, fouettée par le vent. Il cria soudain les mots que Sanchez avait tant redoutés : « IL EST DE RETOUR ! CE PUTAIN DE BOURBON KID EST DE RETOUR, MEC ! »

Dans sa course, Poncho heurta violemment l'épaule de Sanchez. L'impact rappela à celui-ci à quel point il était exténué. Il marqua le pas et posa ses sacs par terre. Quelques minutes auparavant, ses jambes étaient devenues cotonneuses, à cause de sa très grande fatigue (et parce qu'il n'était vraiment pas en bonne condition physique). À présent, elles s'étaient changées en spaghettis. C'était un vrai miracle qu'il tienne encore debout. Il fixa du regard l'entrée du Fawcett Inn, attendant de voir si quelqu'un d'autre, ou quelque balle perdue, en sortirait. Jusqu'ici, il n'avait entendu aucun coup de feu, ce qui était très inhabituel de la part du Kid.

Sanchez avait survécu à ses deux précédentes rencontres avec l'assassin le plus prolifique de Santa Mondega. Et cette fois, pour une mystérieuse raison qui sans doute un jour le pousserait à tendre un chèque en blanc à un psychiatre, sa curiosité l'emporta. Il voulait jeter un œil à ce visage qui si souvent se dissimulait sous la sombre capuche. Il fit quelques pas en direction de l'entrée. La grosse porte de bois était légèrement entrouverte et oscillait faiblement au gré du courant d'air. À travers l'entrebâillement, Sanchez s'aperçut qu'il faisait trop noir pour distinguer quoi que ce soit. Même ainsi, il ne semblait pas suicidaire de s'approcher encore un peu, pour la simple raison qu'il n'avait toujours pas entendu la moindre détonation ou le moindre cri. En tout cas, pas de là où il était. Aussi fit-il un pas supplémentaire. Puis un autre.

Et il entendit quelque chose. Derrière lui.

Il se retourna en un éclair et aperçut Poncho. Le gros Mexicain, voleur notoire de la ville, avait rebroussé chemin pour se saisir des sacs pleins de fringues que Sanchez avait laissés par terre. Les bras chargés, Poncho s'immobilisa, juste le temps d'adresser un haussement d'épaules désolé à Sanchez, puis détala avec les achats du barman. *Salopard*.

Sanchez tourna le dos à cette petite merde de voleur. En même temps, il fallait quand même saluer son sens de l'initiative. L'occasion d'acquérir gratuitement des biens s'était présentée à lui, et, ni une ni deux, ce type l'avait saisie. En outre, Sanchez avait plus important à faire. Aussi prudemment que possible, il s'avança timidement en direction de l'entrée du Fawcett Inn, jusqu'à n'être plus qu'à trois mètres de la porte. Enfin, quelque chose arriva.

Un mouvement brusque stoppa quelques instants son cœur et serra son estomac en un nœud, comme si on venait de lui enfoncer un ananas entre les fesses. La porte du pub s'était ouverte davantage encore et quelqu'un était apparu, rampant désespérément par terre. Il s'agissait d'Igor le Croc. Dans des crissements d'ongles, il glissait aussi vite que possible sur les dalles poussiéreuses du bar, comme si, ayant perdu l'usage de ses jambes, il ne dépendait plus que de la partie supérieure de son corps pour se déplacer. Il releva les yeux en direction de Sanchez : son visage n'était plus qu'une masse gonflée d'ecchymoses, et le sang d'une large plaie coulait sur son cou. Un moment, on aurait dit qu'il s'apprêtait à supplier Sanchez de l'aider. Mais cet instant ne dura pas plus d'une seconde : quelque chose tira son corps à l'intérieur du pub. Comme pour se raccrocher à une réalité saine et civilisée, Igor planta ses ongles dans le gravier qui se trouvait à l'extérieur, et faillit se les faire arracher net.

C'est là que, en un éclair, dans l'entrebâillement, Sanchez aperçut une silhouette coiffée d'une capuche.

Puis la porte se referma dans un violent claquement.

Pour Sanchez, ce fut le signe univoque qu'il était de trop dans les parages. Sans la moindre hésitation, il enfila la première rue venue, aussi vite que ses jambes fatiguées le lui permirent. Le premier bar qu'il rencontrerait dans cette direction se trouvait à plus d'un kilomètre. Il s'agissait du Tapioca, et Sanchez devait absolument en barricader toutes les issues avant que le Kid n'arrive.

Et en outre, il devait avertir Jessica.

38

Beth se sentait horriblement nerveuse. Elle n'aimait pas le couloir souterrain qui menait au bureau de Bertram Cromwell. Il était vraiment flippant, flanqué de part et d'autre d'une série de tableaux vraiment très sombres. Les sinistres personnages prisonniers des cadres semblaient la suivre du regard. Et les choses ne s'arrangèrent pas lorsqu'elle atteignit la grande porte noire qui se trouvait au bout du couloir. Beth la trouvait également flippante. Sur la droite, à hauteur des hanches, se trouvait une poignée dorée, et à hauteur des yeux avait été fixée une petite plaque argentée où l'on pouvait lire, en lettres d'or, le nom « CROMWELL ».

Au cours des dix ans qu'elle avait passés en prison, Beth avait appris à haïr, à respecter et à craindre l'autorité. Le fait de se voir convoquée dans le bureau d'un représentant de l'autorité, qu'il s'agisse d'un directeur de prison ou d'un directeur de musée, était pour elle un signe de mauvais augure, aussi se trouvait-elle plus à cran qu'à l'accoutumée. Après avoir compté mentalement jusqu'à trois pour reprendre son calme, elle frappa deux coups à la porte. La voix de Cromwell se fit alors entendre à travers la cloison : « Entrez. »

Elle tourna la poignée vers la gauche et poussa. La porte resta close. Alors elle la tourna vers la droite et poussa. Mais la porte ne voulait toujours rien entendre. Beth était déjà allée une fois dans le bureau de Cromwell, quelques mois auparavant, mais elle était incapable de se rappeler comment elle avait réussi à ouvrir cette porte, ni même si c'était bien elle qui l'avait ouverte. Elle tenta à plusieurs reprises de tourner la poignée tantôt dans un sens, tantôt dans l'autre, essayant même de tirer la porte au lieu de la pousser, et chaque nouvel échec exacerbait sa nervosité. Après vingt secondes douloureusement longues, elle se sentit humiliée. Elle était sûrement en train de passer aux yeux du professeur pour ce qu'elle était, c'est-à-dire une idiote incapable d'ouvrir une porte. À mesure que les secondes défilaient, Beth sentait qu'il ne lui resterait bientôt plus qu'un seul recours : crier à travers le panneau pour expliquer le problème auquel elle était confrontée.

Juste au moment où l'angoisse menaçait d'avoir raison de son relatif sang-froid, la porte finit par s'ouvrir : Bertram Cromwell, de l'autre côté, venait de la tirer dans sa direction. Il se tenait là, impeccablement vêtu, comme toujours, et souriait à Beth.

« Je suis désolée, je n'ai pas réussi à… La porte… Elle ne… J'ai tourné le bouton, enfin la poignée… mais je…

— Ne vous tracassez pas pour ça, répondit Cromwell d'un ton courtois. Beaucoup de gens ont du mal avec cette porte. »

Beth eut la sensation qu'il disait cela uniquement pour la rassurer. Il y avait de grandes chances pour que personne n'ait jamais eu le moindre mal à ouvrir cette horrible porte par le passé. Elle était probablement la première. Quelle imbécile, et quelle terrible façon de débuter cet entretien avec le professeur. Terrible à plus d'un titre, du reste : Beth avait le sentiment qu'elle était sur le point d'être virée. Depuis sa sortie de prison, ses employeurs successifs avaient tous fini par la virer. Où qu'elle aille, un de ses collègues (si ce n'était l'ensemble du personnel) finissait toujours par aller se plaindre auprès de la direction, en déclarant qu'il était très désagréable de travailler à ses côtés. Elle était au musée depuis maintenant six mois, et cette longévité était sûrement due au fait que Cromwell avait bien connu son père, il y avait des années de cela. C'était tout du moins ce que Beth avait entendu dire.

Elle devait son présent emploi de femme de ménage à la seule générosité de Cromwell, et, depuis son premier jour au musée, elle n'avait pas réussi à s'y faire un seul ami. Systématiquement, à chaque fois qu'elle faisait connaissance avec un collègue, juste au moment où ils se trouvaient des atomes crochus, un autre membre de l'équipe finissait par l'informer du joli passé de Beth, et leur amitié naissante s'arrêtait là. Au fil des ans, elle avait fini par s'y habituer. En fait, c'était l'une des raisons pour lesquelles le fait de changer si souvent de boulot ne la gênait pas tant que ça. Il n'est jamais très agréable de rester trop longtemps dans un lieu où tout le monde vous déteste.

Cromwell s'assit dans son énorme fauteuil matelassé de cuir, tandis que Beth, plantée là, admirait les étagères remplies de livres qui recouvraient les murs de gauche et de droite.

« Asseyez-vous, je vous en prie », dit Cromwell en désignant l'un des deux sièges disposés face à son bureau de chêne massif datant du XIXe siècle.

Beth sourit poliment et prit place sur la chaise qui se trouvait à sa gauche.

« Je suppose qu'il va falloir que je vous rende ça ? » dit-elle en pinçant l'épaule de sa robe bleu marine. C'était l'une des trois robes standard qu'on lui avait remises le jour où elle avait commencé à travailler ici.

Cromwell lui adressa un sourire sympathique :

« Vous vous êtes bien accrochée, durant ces six mois, n'est-ce pas ?

— C'est mieux que d'habitude », répondit-elle. Elle sentit une larme naître dans le coin de son œil droit. Malgré le fait que personne ne lui parlait, ce boulot au musée était l'un des meilleurs qu'elle avait eus, et elle redoutait terriblement le moment où elle devrait se préparer pour de nouveaux entretiens d'embauche.

« Bon, Beth. J'ai entendu dire que vous ne vous intégriez pas très bien au reste de l'équipe. Il semblerait que vous déjeuniez tous les jours toute seule ?

— Euh, oui, mais je… c'est juste que… Je n'ai pas d'ami. »

Ça faisait vraiment mal de le dire tout haut, et elle sentit sa larme doubler de volume.

« Pas d'ami ? Hmm… ». Cromwell tambourina un instant des doigts contre son bureau. « Vous êtes censée passer le reste de la semaine en congés, c'est bien ça ?

— Euh… oui. Est-ce que je dois… ? Euh… alors, c'est ça ? Je ne dois pas revenir ici après mon congé ? »

Cromwell se pencha vers sa droite et ramassa quelque chose par terre. Beth tendit le cou pour tenter de voir ce dont il s'agissait. Le professeur déposa l'objet, un paquet marron, sur le bureau, juste en face d'elle. Cela avait à peu près la taille d'un oreiller et semblait contenir quelque chose d'aussi mou.

« Qu'avez-vous projeté de faire durant votre congé ? » demanda Cromwell. Sa façon de poser des questions en passant sans cesse du coq à l'âne commençait à stresser un peu Beth. Les rapports humains la rendaient assez nerveuse en général, mais c'était encore pire lorsqu'elle avait affaire à des représentants de l'autorité.

« Je vous demande pardon ?

— Votre congé. Vous avez pris trois jours. Je me demandais simplement ce que vous aviez prévu.

— Oh ! rien du tout. Enfin, rien d'intéressant. Chercher un nouveau boulot, il faut croire.

— Attendez un peu avant de faire ça », lança Cromwell dans un sourire.

Beth ne parvenait pas à saisir s'il était en train de lui dire qu'elle n'était pas virée, ou s'il lui faisait là une très mauvaise plaisanterie. Comme elle ne voulait pas paraître présomptueuse, elle opta pour la mauvaise plaisanterie.

« D'accord. Alors, quand est-ce que j'arrête de travailler ?

— Lorsque vous le voudrez, Beth. Ou lorsque vous briserez un vase ancien de la collection sur le crâne de Simmonds.

— Je suis désolée, mais je ne vous suis plus.

— Je ne vais pas vous virer, Beth. Vous êtes une employée exemplaire. Et lorsque vous reprendrez votre travail, après votre congé, vous et moi irons déjeuner ensemble à la cantine. »

Beth, interdite, dit la première chose qui lui passa par la tête : « Vraiment ? À quelle heure ?

— *À l'heure du déjeuner*. Je n'en sais rien, peu importe. Vous n'aurez qu'à venir me chercher quand vous serez prête. Mon Dieu, je déjeune seul depuis si longtemps qu'un peu de compagnie de temps en temps ne me fera aucun mal. Je doute que qui que ce soit ait envie de s'asseoir à mes côtés pour déjeuner, aussi, en échange de votre non-licenciement, et en dépit des conseils de l'homme à la queue-de-cheval, j'attends de vous que vous m'invitiez à vous accompagner une fois par semaine, à compter d'aujourd'hui. Si cela vous convient, cela va sans dire. »

Beth manipula maladroitement une mèche de ses cheveux châtains. Le professeur était un vrai gentleman, et, elle en était persuadée, avait dû être un vrai tombeur dans sa jeunesse. Même si elle savait que sa proposition n'était motivée que par la pitié, la gentillesse de cette attention suffit à faire glisser sa larme le long de sa joue droite. Elle l'essuya d'un discret revers de la main, en dissimulant ce geste derrière ses manipulations de mèche. Le professeur n'avait sans doute rien remarqué.

« Merci, professeur Cromwell. Je viendrai vous chercher, alors.

— À la bonne heure. Mais vous ne m'avez toujours pas dit ce que vous comptiez faire durant vos petites vacances.

— Oh ! rien du tout, vraiment. » Mal à l'aise, Beth continuait à triturer quelques mèches de cheveux au niveau de sa tempe.

Cromwell lui sourit de nouveau et donna un petit coup de coude au paquet marron qui reposait sur son bureau. « Cela fait dix-huit ans aujourd'hui, n'est-ce pas ? » demanda-t-il d'un ton posé.

Beth baissa les yeux. « Oui. » Sa voix n'était plus qu'un murmure.

« Halloween, il y a dix-huit ans. Cela a dû être une nuit terrible.

— Oui. Ç'a été vraiment horrible.

— J'ai acheté ça pour vous, dit Cromwell en désignant le paquet d'un mouvement de tête. Ouvrez-le, je vous prie. »

Beth tendit timidement les mains vers le paquet, comme si elle s'attendait à ce que, à tout moment, le professeur le lui arrache. Puis elle se mit à l'ouvrir. Chaque extrémité était scellée par une épaisse couche de chatterton. Pas très délicat, comme paquet-cadeau, mais elle n'allait pas s'en plaindre.

Après avoir ôté le chatterton, Beth déchira le papier brun et découvrit à l'intérieur un sweat bleu à capuche et à fermeture Éclair centrale, très doux, et qui devait tenir vraiment chaud. Elle le sortit hors du paquet, et quelque chose tomba sur le bureau dans un cliquètement.

« Oh ! pardon, souffla Beth, craignant d'avoir abîmé la surface de bois.

— Ne vous inquiétez pas pour ça », répondit le professeur, amusé, mais soucieux de la rassurer. *Son humilité confinait quasiment à l'effacement le plus complet*, pensa-t-il.

Beth sourit timidement en contemplant le sweat à capuche bleu qu'elle tenait à bout de bras. « Merci beaucoup », dit-elle. Elle semblait vraiment ravie.

Sur le bureau, à l'endroit précis où il était tombé, reposait un gros crucifix fixé à une chaîne en argent. La croix était elle aussi en argent, et une petite pierre bleue avait été sertie en son centre.

« C'est pour moi, ça aussi ? demanda-t-elle.

— Oui. J'aimerais que vous portiez ce sweat et ce crucifix ce soir, quand vous irez sur la jetée.

— Quoi ? » La confusion de Beth était évidente. Elle en rougissait même.

« Vous vous rendez bien sur la jetée chaque année, durant la nuit d'Halloween, n'est-ce pas ?

— Oui, mais comment savez-vous que…

— Disons simplement que j'aime me renseigner un peu au sujet des gens que j'emploie. En connaître un peu plus sur leur vie privée, vous comprenez. J'ai cru comprendre que chaque année, pour Halloween, vous restez sur la jetée jusqu'à mourir quasiment de froid, et je ne puis l'accepter. Il est hors de question que vous attrapiez froid, et gâchiez ainsi vos trois jours de congés. Et le crucifix, me demanderez-vous ? Eh bien, c'est juste au cas où quelque esprit maléfique croiserait votre chemin. Cet objet peut vous aider à repousser ce genre de créatures. La pierre bleue est en réalité une petite fiole. Elle contient de l'eau bénite provenant de la chapelle Sixtine, à Rome. »

Beth ne savait pas comment exprimer sa gratitude. « Merci, merci vraiment beaucoup, professeur Cromwell. Je ne sais pas quoi dire. C'est tellement gentil de votre part.

— Inutile de dire quoi que ce soit, Beth. Je suis très heureux que ces présents vous plaisent. Il y a juste une chose que j'aimerais savoir. Pourquoi la jetée, chaque nuit d'Halloween ? C'est un coin de la ville très dangereux. Est-ce parce que c'est là que vous avez été arrêtée, il y a dix-huit ans, le 31 octobre ?

— En gros, oui, répondit Beth en passant la chaîne autour de son cou, et en arrangeant le pendentif de sorte à ce qu'il repose au centre de sa poitrine. J'étais censée y retrouver un garçon à 1 heure du matin, et on m'a arrêtée. Je suis arrivée en retard, j'ai dû le manquer, mais une voyante qui vivait tout près de la jetée m'a dit qu'il reviendrait un jour. Alors, chaque année, je l'attends là-bas, de minuit à 1 heure. Ça doit vous paraître idiot, mais depuis que je suis sortie de prison, c'est devenu pour moi une sorte de tradition.

— Une voyante, dites-vous ? S'agissait-il de la Dame Mystique ?

— Oui, Annabel de Frugyn. On l'a assassinée l'année dernière.

— Je me rappelle l'avoir lu dans un journal. Vous savez, cette femme était sans le moindre doute quelque peu excentrique. Elle avait coutume de prédire toutes sortes de choses, plus bizarres les unes que les autres. Elle déclarait que les pantins pouvaient voir, et que Santa Mondega serait victime d'un tremblement de terre le 4 mars, il y a de cela environ trois ans. À l'époque, ses propos ont suscité une véritable vague de panique et, bien entendu, elle avait totalement tort. Une femme bien curieuse, en vérité. Assez portée sur le charlatanisme, il faut bien l'avouer. Elle passait son temps à consulter la rubrique nécrologique des journaux.

— Je sais tout cela, professeur Cromwell, mais j'aime bien faire semblant d'y croire. Vous allez sûrement me trouver idiote, je sais que tout le monde m'appelle "Beth la Schizo", mais toutes ces choses, je suis obligée de vivre avec. Passer une heure sur la jetée durant la nuit d'Halloween, c'est mon Noël à moi. Ça vous paraît sûrement délirant, mais c'est vrai. Malgré toutes les choses horribles qui se sont passées il y a dix-huit ans, cette nuit reste la plus belle de toute mon existence. Et si le fait de penser ça fait de moi une "schizo", alors ainsi soit-il. »

Cromwell se leva de son fauteuil. « J'admire votre philosophie, très chère, dit-il d'un ton chaleureux. Prenez votre après-midi. Enfilez donc ce sweat, gardez ce crucifix bien en vue, et, ce soir, je prierai tout spécialement pour que votre tendre ami vous rejoigne enfin.

— Merci beaucoup, dit Beth en quittant son siège, le sweat bleu entre les mains. Merci encore pour tout. À dans trois jours.

— J'y compte bien. »

39

Après avoir brièvement flirté avec le danger provoqué par le retour impromptu du Bourbon Kid, Sanchez était rentré aussi vite que possible au Tapioca. Il en passa le seuil comme un possédé, dégoulinant de sueur et à deux doigts de suffoquer. Pour empirer encore les choses, ce qu'il vit dans la salle de son bar était loin d'être à son goût. À son grand malheur, un clan de six loups-garous et une pute étaient assis à la table qui se trouvait au beau milieu du Tapioca. Les loups-garous ne ressemblaient vraiment à rien, à l'instar de la plupart de leurs congénères. Ils étaient tous débraillés, mal rasés, et sacrément plus poilus que le client de base. Et le client de base du Tapioca était généralement sacrément poilu. Excepté la pute, ils étaient les seuls consommateurs : tous les autres clients avaient dû vider les lieux en les voyant entrer.

Sanchez reconnut immédiatement le chef du clan : il s'agissait de MC Pedro, le faux rappeur-garou à deux balles. Un abruti fini (comme l'immense majorité des loups-garous, il fallait bien le reconnaître), assez débile pour ne pas se rendre compte que ses paroles et son *flow* étaient complètement merdiques. Il était présentement vêtu comme tout bon rappeur du dimanche qui se respecte, perdu dans un maillot jaune des Lakers surdimensionné qui portait le numéro 42. La pute était assise sur l'une de ses cuisses, et cette scène d'intimité était tout sauf agréable à voir. Dans sa robe écarlate qui ne dissimulait pas grand-chose, la péripatéticienne avait un air particulièrement vulgaire, et sa chevelure de jais était plus qu'ébouriffée, ce qui suggérait qu'elle avait déjà dû exercer ses talents, et à plus d'une reprise, dans les toilettes pour hommes du fond de la salle. En considérant ce raté, sa pute et ses raclures d'amis, Sanchez blêmit.

« Hé ! je croyais vous avoir dit de jamais entrer ici ! leur hurla-t-il, faisant preuve d'un courage dont lui-même ne se serait jamais cru capable.

— Hé, mec », dit Pedro en se levant de table, faisant du même coup tomber la pute par terre. Il s'approcha de Sanchez d'un pas arrogant, et d'autant plus ridicule que son maillot de basket qui lui tombait en dessous des genoux n'était même pas assez large pour les longues foulées qu'il essayait d'enchaîner. Lorsqu'il se trouva à moins d'un mètre du barman, il se lança dans l'une de ses ignobles impros afin d'impressionner ses camarades, et intimider Sanchez : « *Eh ! yo, espèce de p'tite salope ! La lune s'est pas encore levée, alors t'as aucune raison de flipper. Nous, on est des vrais voyous, alors on va reboire un coup, parce que, tac tac, t'as vu, on est trop des vrais voyous. Un dernier coup, c'est pas trop demander, et après ça, mon frère, on va tous dégager !* »

Même en temps normal, Sanchez n'aimait pas le rap. Mais lorsque c'était aussi inepte et aussi mal interprété que ça, ça lui retournait littéralement l'estomac. Est-ce que ce MC Pedro avait entendu autre chose que du MC Hammer et du Vanilla Ice de toute son existence ? Probablement pas.

Et quand, une fois son impro achevée, ce sale con de loup-garou tapota son épaule d'une façon assez intimidante, Sanchez sentit la colère le gagner pour de bon. Il n'avait ni le temps ni la patience pour ce genre de conneries. En temps normal, l'attitude menaçante de Pedro aurait suffi à mettre mal à l'aise le barman connu de tous pour sa lâcheté, mais, en l'occurrence, elle n'eut pas le résultat escompté. Sanchez avait d'autres chats à fouetter, bien plus gros que ça. Le Bourbon Kid devait d'ores et déjà être en chemin, et s'il s'avisait de jeter ne serait-ce qu'un coup d'œil à l'intérieur du bar, ce gros tas de couillons de loups-garous auraient toutes les chances d'y passer.

« Je dois aller voir un truc à l'étage, dit Sanchez en poussant Pedro de côté pour se diriger vers l'escalier qui se trouvait derrière le comptoir. À mon retour, je veux plus vous voir ici, bande de crevards.

— T'inquiète, répondit Pedro en souriant. *Tout ce que t'entendras, ce sera juste un type crier. Et ce sera moi en train de commander ma tournée.* »

Sanchez était atterré, par cette énième impro bien entendu, mais aussi par le fait que les loups-garous semblaient vraiment résolus à boire un dernier verre. Malheureusement, il n'avait pas le temps de discuter de ça. Il devait absolument avertir Jessica de l'arrivée imminente du Kid.

Derrière le comptoir, en ce début de soirée extrêmement désagréable, se tenait une employée de fraîche date, du nom de Sally. C'était une nana très attirante, un peu dans le genre de celles d'*Alerte à Malibu*, bien qu'un peu trop gironde pour être surveillante de baignade. Elle avait l'habitude de porter des hauts très échancrés afin de mettre en valeur sa poitrine, et ce soir ne faisait pas exception : elle avait mis un petit haut rouge très serré au décolleté plongeant, avec un short de cuir noir très court et très moulant. C'était ainsi qu'elle s'était habillée pour l'entretien d'embauche que Sanchez lui avait fait passer, et c'était principalement pour cette raison qu'il l'avait engagée. Elle n'avait jamais travaillé dans un bar auparavant, et c'était loin d'être une lumière, mais elle avait ce qu'il fallait là où il fallait, et c'était ce que les clients du Tapioca appréciaient. Vraiment beaucoup. Sanchez passa derrière le comptoir et s'arrêta un instant devant Sally afin de lui chuchoter quelque chose en vitesse, tout en reluquant son décolleté. Elle savait ce qu'il allait lui demander et c'était loin de la réjouir. Après s'être assuré qu'elle avait parfaitement compris ce qu'il attendait d'elle, Sanchez gravit quatre à quatre les marches qui menaient à la chambre où se trouvait Jessica.

MC Pedro s'avança en se pavanant. Se penchant par-dessus le comptoir, il se rapprocha autant que possible de Sally dans le but de l'intimider. Et de lorgner ses seins, ou tout du moins ce qu'on pouvait en voir.

« Sept whiskies. Tout de suite, grogna-t-il.

— Pas de problème. » Sally afficha un sourire peu convaincu. Il y avait deux choses qu'elle détestait dans son boulot de serveuse au Tapioca. La première était de devoir servir des salopards particulièrement dangereux comme MC Pedro. La seconde était de toujours devoir leur servir de la pisse à la place de ce qu'ils commandaient, point sur lequel Sanchez se montrait particulièrement intransigeant. Aussi, ce ne fut qu'au prix d'un profond soupir de désespoir qu'elle parvint à saisir la bouteille qui se trouvait sous le comptoir, et à remplir sept verres de l'ignoble liquide.

Elle les posa ensuite un par un sur un plateau en cuivre qui traînait sur le comptoir, tremblant presque imperceptiblement à l'idée de ce qu'il adviendrait une fois que les loups-garous auraient goûté leur consommation.

« Ça fera 28 dollars, s'il vous plaît », lança-t-elle à Pedro dans un sourire nerveux.

— Yo, *taspé, c'est vraiment trop abusé ! Change de prix ou je te fais saigner !* » improvisa Pedro, encore plus bruyamment et plus violemment que d'habitude. Bien que la pleine lune prévue pour ce soir ne se fût pas encore levée, sa colère avait suffi à initier sa transformation en loup-garou. Une telle métamorphose était en principe impossible, mais Pedro avait bu du sang à même le Saint-Graal. Il pouvait à présent se transformer à volonté, voire spontanément. Heureusement, la métamorphose ne fut pas complète. Son visage était tout juste un peu plus velu, et ses biceps avaient légèrement grossi. À la moindre colère ou contrariété, il lui était assez difficile de contrôler sa toute nouvelle puissance.

« Vous savez quoi ? lança Sally d'un ton précipité. C'est la maison qui offre. Mais ne dites rien à Sanchez, d'accord ? »

La bête en Pedro se calma, et il retrouva une apparence normale. Un homme entra alors dans le bar et vint s'asseoir au comptoir. Pedro le reconnut aussitôt.

« Hé ! mec, comment ça va ? lui demanda-t-il.

— Ça va », fut la seule réponse que le nouveau venu daigna lui apporter. Il était vêtu d'une longue cape noire, dont la grande capuche, rejetée en arrière, reposait sur ses épaules.

« Yo, mademoiselle, lança Pedro d'un ton sec. Sers aussi un whisky à mon pote. Tu mettras ça sur mon ardoise.

— Entendu. »

Sally se saisit de nouveau de la bouteille de pisse, mais le nouveau client du Tapioca s'empressa de l'interrompre.

« Je vais prendre un verre de cette bouteille, là-bas, dit-il en indiquant une bouteille de bourbon poussiéreuse au fond du bar. *On the rocks*.

— Yo, qu'est-ce t'as ? T'aimes pas le whisky qu'ils servent ici, gros ? demanda Pedro avec un air suspicieux.

— Ce truc, c'est de la pisse.

— *C'est pas parce que ce truc a le goût de la pisse, qu'il faut pas que dans ta bouche il glisse !* rappa Pedro.

— C'est de la pisse. »

À l'autre bout du bar, tout en versant le bourbon sur les deux glaçons qu'elle avait mis au fond d'un verre, Sally perçut clairement le ton rocailleux du nouveau client. Elle n'avait jamais vu ce type auparavant au Tapioca, et quelque chose lui disait déjà qu'elle préférerait ne plus jamais le croiser de toute sa vie.

Pedro ne comprit pas comme il l'aurait fallu l'insistance de son voisin sur le thème humoristique du « *C'est de la pisse* », aussi, sans se poser davantage de questions, il saisit le plateau chargé de verres pour l'apporter à sa table. Pedro reprit sa place, et la pute, contrainte de rester debout, proposa de porter un toast : « À Pedro, le nouveau boss ! s'écria-t-elle.

— À Pedro ! » claironnèrent les autres loups-garous à l'unisson. Tous trinquèrent dans une mélodie de verres s'entrechoquant. Leur humeur était plus qu'au beau fixe, et les consommations étaient offertes. Qu'est-ce qu'un loup-garou ou une pute auraient pu demander de plus à la vie ?

Leurs réjouissances furent cependant vite interrompues par les pas lourds et précipités de Sanchez dans l'escalier. Arrivé au pied des marches, celui-ci attrapa Sally par le bras alors qu'elle posait un verre sur le comptoir.

« Hé ! tu l'as vue partir, la fille qui était à l'étage ? demanda-t-il d'un ton agressif en secouant le bras de son employée.

— Non, pourquoi ? Elle est plus là-haut ? répliqua Sally.

— Non, elle a disparu. *Putain*, Sally. Comment tu as fait pour ne pas la voir ? Elle est forcément descendue par ici, non ? Ah, et puis merde ! » Sanchez n'arrivait pas à contenir sa colère. Il en voulait terriblement à la serveuse. Elle savait pertinemment à quel point Jessica était précieuse à ses yeux. La présence de la belle endormie à l'étage n'était pas le genre de secret que Sanchez divulguait à n'importe qui. Par malheur, Sally avait un jour gravi l'escalier et avait vu Jessica inconsciente : il avait donc été obligé de lui révéler deux ou trois choses au sujet de la femme dont il était secrètement amoureux depuis tant d'années. En prime, il lui avait intimé un ordre très simple : ne jamais laisser personne monter à l'étage, et ne jamais laisser sortir Jessica sans l'en avertir.

Avant qu'il n'ait eu le temps de passer un savon à sa pauvre employée, Sanchez entendit une voix qui lui retourna les tripes et lui glaça le sang.

« Hé ! barmaid. Remplissez ce verre à ras bord. »

Sanchez porta son regard en direction de l'homme assis au comptoir. Pour la première fois depuis sa plus tendre enfance, le barman faillit se chier dessus : le Bourbon Kid était accoudé au bar, un verre de liquide doré en face de lui. *Putain-de-bordel-de-merde-pourquoi-ça-tombe-toujours-sur-moi*, pensa-t-il en proie à une profonde terreur.

Avant que Sanchez n'ait pu prononcer un mot, ou même tenté d'attraper ce maudit verre de bourbon, le contenu d'un verre de pisse chaude lui éclaboussa le visage. La pisse lui entra dans les yeux, la bouche, les narines et les oreilles, avant de couler sur son joli T-shirt blanc « FUCK YOU ! ».

Ce n'était pas la première fois qu'on l'aspergeait de sa propre cuvée spéciale, et ce ne serait sans doute pas la dernière. Son karma avait coutume de lui revenir en pleine face aux pires moments qui soient. Toujours sous le choc, il essayait d'enlever la pisse qui lui brûlait les yeux, au point de le faire un peu pleurer. Face au comptoir se tenait un pseudo-rappeur-garou fou furieux, au visage déformé par la colère.

« Espèce de putain d'enflure, Sanchez ! hurlait Pedro. C'est pas la première fois que cette salope me fait le coup de la bouteille de pisse ! »

Les cinq autres loups-garous et la pute fulminaient à leur table. Tous avaient avalé une gorgée de l'immonde liquide et l'avaient recraché aussitôt sur celui ou celle qui se trouvait en face. Ils tâchaient tous de s'essuyer le visage avec les mains, crachotant et se raclant la gorge dans l'espoir de se débarrasser de ce goût insupportable.

Sally s'écarta, afin de se retrouver hors de portée du loup-garou furieux. Elle se dit que remplir à ras bord le verre du nouveau client serait autrement moins dangereux que de s'occuper du terrible Pedro. Un bref instant, Sanchez ne sut où donner de la tête, ni quoi dire. Puis il balança la première chose lui passant par la tête :

« C'est le *Bourbon Kid* ! » hurla-t-il en pointant du doigt le dernier homme à être entré dans son bar.

Pedro se retourna en un éclair vers le Kid, assis au comptoir. Il n'avait toujours pas ramené sa capuche sur sa tête.

« Arrête de raconter des conneries, Sanchez, je le connais, ce mec, il s'appelle… »

Avant qu'il n'ait pu finir sa phrase, le Kid quitta son tabouret de bar dans un bond et saisit son épaisse tignasse. Puis il lui écrasa le visage contre le comptoir.

CRACK ! Le nez de Pedro se brisa dans un bruit qui résonna dans tout le bar. Le Kid releva la tête de sa victime. Elle était déjà sanguinolente à souhait, et son nez n'était plus tout à fait au milieu de son visage.

ROAR ! Un autre son. Celui de Pedro se transformant instinctivement en loup-garou. Prêt à se battre.

SMASH ! De nouveau, son visage percutant le comptoir.

Et une autre fois.

Et une autre encore.

Ce loup-garou avait pris énormément de plaisir au massacre de Casper, un innocent que son frère n'avait pas pu sauver de la mort. Il allait le payer. Pas de mort subite pour cette pourriture. À sept reprises consécutives, le visage du loup-garou fut précipité contre le comptoir pour se voir relever de nouveau. À chaque nouvelle remontée, il apparaissait deux fois plus abîmé qu'à la précédente. Lorsqu'il s'écrasa pour la septième fois, un ignoble craquement retentit : ses crocs brisés venaient de gicler de sa bouche pour s'éparpiller derrière le comptoir.

Le Bourbon Kid releva une dernière fois la gueule tuméfiée du loup-garou et la recula d'une trentaine de centimètres, en le tenant toujours fermement par les cheveux. Pedro ne tenait presque plus sur ses jambes, profondément troublé par la rapidité inhumaine de son assaillant qui l'avait pris complètement de court. Alors qu'il essayait de toutes ses forces de reprendre ses esprits, la main libre du Kid se referma en un demi-poing, semblable à une pince. Puis, dans un geste d'une brutalité et d'une vitesse inimaginables, elle plongea dans le cou du loup-garou. Les doigts transpercèrent la peau et la chair avec une aisance cauchemardesque. S'ensuivit un long et désagréable bruit de succion. La main du Kid remua et fouilla la gorge pendant quelques instants, avant de se retirer d'un coup, laissant derrière elle un trou béant et sanguinolent, à l'endroit même où Pedro avait jadis eu un cou. Entre les doigts du Kid palpitait un bout de cartilage souillé de sang, qui avait jadis été la pomme d'Adam de Pedro.

Le Kid brandit la chose sous le nez du loup-garou, afin qu'il puisse la fixer jusqu'à son dernier instant sur cette Terre. Il finit par rouler des yeux blancs, et, après s'être assuré que ses pupilles avaient bel et bien disparu quelque part au-dessus de ses cils, le Kid lâcha le corps sans vie qui s'écroula lourdement au sol. Dans un geste nonchalant, il jeta par-dessus le comptoir la pomme d'Adam sanguinolente, qui frappa Sanchez en plein visage, avant de tomber par terre.

Durant cette lutte inégale, les cinq autres loups-garous et la pute étaient restés assis à leur table, paralysés par la peur qui les avait saisis à la gorge. Ils avaient espéré de tout leur être que Pedro contre-attaquerait et l'emporterait. Le Bourbon Kid tourna la tête dans leur direction, et ils n'eurent qu'à croiser brièvement son regard pour se convaincre du sort qu'il leur réservait. Mieux valait ne pas s'éterniser ici. Tous reprirent soudain leurs esprits, et, en renversant leur chaise, se précipitèrent vers la sortie. Seule la pute resta assise, en espérant qu'on lui ficherait la paix.

Les loups-garous ne furent pas assez rapides. Le Kid dégaina de sous sa cape noire un couteau au manche de bois et à la lame longue de vingt-cinq centimètres, le souleva au-dessus de son épaule et le jeta en direction de la porte entrouverte. La lame transperça le panneau de part en part avec une facilité déconcertante. La force de l'impact suffit à elle seule à refermer la porte, et la pointe du couteau alla se planter profondément dans l'encadrement, verrouillant ainsi l'issue, et enfermant tout le monde à l'intérieur du Tapioca. *Cette lame risque de ressortir de là un peu tordue*, pensa Sanchez qui, dans les situations les plus périlleuses, avait l'habitude de ne penser qu'aux menues broutilles.

Les loups-garous s'immobilisèrent tous au même instant. Ils se retournèrent en direction du comptoir, et, bouche bée d'horreur, virent le Kid rabattre sa sombre capuche sur la tête. Il sortit alors d'un des pans de sa cape l'un de ses fameux pistolets-mitrailleurs Skorpion, pointa son canon sur le tas sanguinolent et sans vie qui se trouvait à ses pieds, et tira une balle d'argent dans la gueule de Pedro. Le sang et les bouts de chair éclaboussèrent les murs alentour dans des bruits particulièrement répugnants. Le Kid releva les yeux sur son public : la seule chose qu'on pouvait distinguer dans les ténèbres de sa capuche était le blanc de ses yeux.

Craignant pour leur semi-existence de loups-garous, les cinq créatures reculèrent. Leur futur bourreau leva sa main libre pour leur signifier de ne plus bouger.

« Barman, lança-t-il de sa voix rocailleuse reconnaissable entre toutes, sans même regarder Sanchez.

— Ouais ?

— Remplis mon verre à ras bord pendant que je redécore ton bar. »

40

Robert Swann avait envie d'en finir une bonne fois pour toutes avec cette opération afin de s'occuper sérieusement de Kacy. Et deux choses pouvaient mettre un terme à cette opération. *Primo*, que Dante parvienne à retrouver et identifier Péto le moine. Du point de vue de Swann, ça ne risquait pas d'arriver, parce que Dante était un pauvre loser. *Secundo*, que Dante soit identifié comme un imposteur par les vampires et, en conséquence, se fasse tuer. L'une de ces deux choses allait arriver ce soir, Swann le savait. En retirant la seringue du bras de Dante après lui avoir fait son injection habituelle de sérum, Swann regarda longuement Kacy. Elle avait les yeux rivés à son imbécile de petit copain, telle une ado transie d'amour. Swann aurait tout donné pour qu'une femme le regarde comme ça, ne serait-ce qu'une fois. Surtout s'il s'agissait d'une femme aussi torride que Kacy. Il avait mis aujourd'hui son plus beau pantalon de toile gris et une chemise noire très élégante. La veille au soir, son costume avait paru faire son petit effet sur Kacy, et il espérait qu'il en serait de même avec cette nouvelle tenue.

« Passe une bonne soirée, mon pote », lança-t-il à Dante en emportant la seringue vide dans la salle de bains afin de la nettoyer et de la stériliser.

Ignorant Swann, Dante rabattit la manche de son sweat noir. Il était assis sur le bord du lit double à côté de Kacy, dans leur chambre, sous la garde de Roxanne Valdez. Elle lui avait raconté toute la soirée de la veille, le dîner en compagnie de Swann, et l'excès d'alcool. Ça ne s'était pas très bien passé, aussi Kacy avait jugé préférable de ne rien enfiler de sexy ce soir, afin de ne pas compliquer encore plus les choses. Elle avait simplement mis un jean et un sweat gris. Dante la tira par la manche et lui planta un baiser sur les lèvres.

« C'est ce soir que ça va se jouer, ma puce, je le sens, dit-il d'un ton confiant. Je me suis habitué à l'effet du sérum, et maintenant que je suis à l'aise avec tous ces vampires, je vais pouvoir leur poser un peu plus de questions. Je la sens bien, cette soirée. »

Kacy s'agenouilla sur le lit et embrassa son front.

« Je t'attends ici. Fais attention à toi.

— J't'aime, Kace.

— Moi aussi, j't'aime. »

Valdez fit un pas vers le couple.

« Allez, Dante, dit-elle. Inutile de remettre à plus tard ce qu'on peut faire maintenant. Plus tôt vous partirez, plus vite vous retrouverez ce moine. Moi aussi, je la sens bien, cette soirée. C'est aujourd'hui la fête d'Halloween, tout le monde sera complètement bourré, et dans les meilleures dispositions qui soient. Si le moine se torche comme tout un chacun, il y a fort à parier que c'est ce soir qu'il entrera en contact avec vous. »

Dante embrassa de nouveau Kacy et se leva du lit. Roxanne lui envoya son gilet en cuir noir du clan des Shades, et il le jeta sur son épaule en passant le seuil de la chambre. Il traversa le grand salon et enfila le couloir. Arrivé devant la porte de la suite, il l'ouvrit et jeta un dernier coup d'œil à Kacy. Elle était toujours agenouillée sur le lit, à le couver d'un regard amoureux. Il lui décocha un clin d'œil sexy et sortit.

La porte se refermait à peine que Swann sortit instantanément de la salle de bains, la seringue stérilisée à la main.

« Il est enfin parti ? » demanda-t-il dans un large sourire.

Kacy acquiesça, avec une mine très triste, en imaginant Dante abandonné dans le monde périlleux des vampires. Elle aurait été encore plus désespérée si elle avait su pour quelle raison Swann était si heureux. Avant de procéder à l'injection de début de soirée de Dante, il avait pris soin de remplir la seringue d'eau, et non de sérum.

Swann voulait se débarrasser définitivement de Dante, et, en ne lui injectant rien de plus que de l'eau, il venait de s'assurer que les vampires le verraient enfin pour ce qu'il était en vérité : un imposteur.

ne table circulaire

41

L'inspecteur Randy Benson fit une halte au Olé Au Lait pour un petit shoot de caféine. D'ici une heure, il devait se rendre à un rendez-vous secret. Quelque chose de très important, mais il était encore un poil trop tôt. Il préférait ne pas attendre au commissariat, parce qu'il ne souhaitait pas révéler à de La Cruz et à Hunter ce qu'il avait découvert. Et il savait parfaitement qu'il s'exposait là-bas plus qu'ailleurs à une tentative d'homicide si le Bourbon Kid décidait de lui régler son compte. Aussi, un petit café en solitaire dans l'ambiance calme et apaisante du Olé Au Lait semblait être le meilleur des choix. À première vue en tout cas.

Flake eut la gentillesse de lui apporter son *latte*, ainsi qu'un choix de donuts sur un plateau argenté. Benson en pointa deux du doigt, que la jeune et jolie serveuse déposa dans une assiette en porcelaine blanche, à côté de son *latte*, sur la petite table circulaire en bois qu'il occupait.

Alors qu'elle repassait derrière le comptoir, il prit le temps d'admirer le dandinement de son petit cul ferme sous sa jupe noire et courte. C'était vraiment un miracle qu'aucun des vampires du coin ne se la soit encore jamais tapée. Si tout se passait bien ce soir, peut-être que Benson referait un petit saut par ici pour lui mordiller le cou. Pour l'heure, il devait se contenter des deux donuts, glaçage chocolat et glaçage sucre, qu'elle venait de lui servir.

Alors qu'il s'apprêtait à croquer dans le donut recouvert de chocolat, sa soirée prit soudain un tour imprévu. Un homme en costume, d'une carrure impressionnante, quitta sa place au comptoir pour s'avancer vers Benson. Son crâne rasé de près luisait, et il portait une paire de lunettes noires. Son costume, d'un gris argenté brillant, avait dû lui coûter les yeux de la tête. À mesure qu'il approchait, Benson se rendait mieux compte de sa véritable taille. Chaque pas qu'il faisait le rendait plus grand encore. Il finit par se planter juste en face de Benson, le dominant du haut de ses deux mètres, et de sa carrure qui semblait allègrement dépasser le mètre.

« Je peux vous aider ? » demanda Benson.

La seule chaise qui se trouvait autour de la table étant occupée par Benson, l'homme en saisit une à la table voisine sans même tourner la tête. Le fait qu'un jeune homme ait été assis dessus ne le dérangea pas. L'étudiant au teint de rose et aux cheveux longs, en pleine conversation avec sa petite amie, n'eut pas le temps de s'aviser de la disparition de sa chaise : il s'écroula aussitôt par terre.

« Putain, c'est quoi ces conneries ? » s'écria-t-il, faisant sursauter plusieurs clients dans le café. Il était fort remonté et prêt à toute éventualité, mais un simple coup d'œil au visage de l'homme qui lui avait ravi son siège suffit à le convaincre qu'il était plus sage de trouver une autre chaise. Benson avait tranquillement observé la scène, et, avec le même flegme, il regarda le colosse qui s'assit face à lui.

« Vous savez, certaines personnes n'apprécient pas trop ce genre de trucs, lâcha-t-il sur le ton du conseil.

— Chacun ses déplaisirs, répondit l'homme en bougeant à peine ses lèvres fines et incolores.

— C'est vrai. Vous savez, un de mes déplaisirs à moi, c'est justement de voir des inconnus s'inviter à ma table alors que je suis en train de boire un café. Et si vous alliez vous trouver une autre place ailleurs ?

— J'ai envie de m'asseoir ici. »

La taille du colosse n'inquiétait pas Benson. Peu importaient ses mensurations. Depuis peu, l'inspecteur vampire était en mesure de régler leur compte même aux plus costauds. Il se pencha légèrement au-dessus de la table et croqua une bouchée de son donut au chocolat.

« Donut... » Il s'agissait d'une de ces interjections qu'on pouvait prendre aussi bien comme une constatation que comme une question. Le colosse la prit comme une question.

« Non merci. Pas très bon pour les artères, vous savez. Maintenant, reposez cette saloperie dans son assiette. Avalez encore une seule bouchée pendant que je vous parle, et je vous fais un deuxième trou du cul. »

Benson perçut une profonde résolution dans le ton de l'homme. Bien que cela ne s'imposât pas outre mesure, il décida de faire preuve de prudence, plus par curiosité qu'autre chose. Il reposa le donut dans l'assiette de porcelaine.

« D'accord, monsieur Muscles. Vous êtes qui, au juste ? »

Le colosse se pencha dans sa direction de sorte à se retrouver à une quinzaine de centimètres de son visage : « Je suis votre supérieur. »

Cela n'impressionna pas le moins du monde Benson :

« Vous savez quoi, dans cette ville, je suis censé ne rendre compte de mes actes qu'au commissaire divisionnaire. Et, je peux vous l'assurer, ça ne fait pas pour autant de lui mon supérieur. C'est une simple couverture. Je suis un peu le boss de Santa Mondega, vous voyez, alors peu importe à quel point vous vous croyez supérieur : je serai toujours un poil au-dessus de vous. Vous avez saisi ? »

Le colosse s'adossa à sa chaise avec un sourire. Un sourire plein d'assurance. Cela n'inquiétait pas Benson, mais ça le troublait. C'était qui, ce putain de mec ?

« Vous essayez de prendre la place laissée vacante par Archie Somers, ou Armand Xavier, peu importe le nom à la con qu'on lui donnera, n'est-ce pas ? lança l'homme.

— C'est déjà fait, merci bien, l'ami. Pas besoin de votre aide là-dessus.

— Somers et moi étions amis, vous savez, à l'époque où il se faisait encore appeler Armand Xavier.

— Mes félicitations les plus sincères.

— Et puis il m'a trompé et trahi. Je m'opposais à ce qu'il épouse ma fille. Lui et Ishmael Taos, son complice dans le crime, m'ont tendu un piège. Un sale coup, vraiment. Ils m'ont déguisé en momie et m'ont enfermé dans un tombeau, où je suis resté un bon bout de temps. Pour être un peu plus précis, plusieurs siècles. »

Benson sentit son estomac se nouer : « Je vous demande pardon ?

— Vous comprenez enfin. » L'homme retira ses lunettes afin de révéler la preuve irréfutable, la preuve ultime. À la place qu'avait occupée il y avait fort longtemps son œil droit, se trouvait une pierre translucide d'un vert éclatant. « C'est moi, le boss. Vous pouvez m'appeler Seigneur des Ténèbres si ça vous chante. Vous pouvez aussi essayer de m'appeler "ma petite momie d'amour", mais je vous le déconseille. D'aucuns m'appellent Mister E, mais ce surnom n'a plus grande utilité à présent. Maintenant, si vous daignez effacer ce gros sourire suffisant de vos lèvres, je vous autorise à m'appeler Ramsès Gaius. C'est ainsi que me nomment mes amis. Et vous, jeune homme, avez une chance de devenir l'un de mes amis.

— Gaius ? Mais comment avez-vous…

— Peu importe. Je vous ai bien observé, Benson. Vous et vos deux amis, de La Cruz et Hunter… un sacré trio de putains d'énergumènes, tous les trois. À mêler ainsi des loups-garous à vos sales petites affaires. Vous n'avez donc aucune dignité ?

— Eh bien…

— Chut. Je parle.

— Désolé.

— Ça, pour l'être, vous l'êtes. Vos potes et vous avez marché sur mes plates-bandes. Vous vous êtes lancés sur la piste du Bourbon Kid sans ma bénédiction.

— J'ignorais que nous devions…

— Chut. »

Gaius s'exprimait sur un ton posé mais ferme, et Benson eut le pressentiment qu'une nouvelle interruption aurait été fort peu raisonnable.

« J'avais déjà mis sur pied un plan visant à retrouver le Bourbon Kid, et ce plan ne prévoyait pas de le provoquer comme vous l'avez fait. Vous allez maintenant devoir réparer votre erreur. J'aurais pu lui régler son compte dans son sommeil, mais votre fine équipe a rendu la chose on ne peut plus ardue à concrétiser. J'attends de vous une compensation. »

Benson attendit assez longtemps pour être sûr que c'était à son tour de s'exprimer.

« Dites-moi. Qu'est-ce que vous voulez que je fasse ?

— Tout ce que j'attends de vous, c'est le nom du Bourbon Kid, et le Saint-Graal.

— *C'est tout !*

— C'est tout.

— Rien de plus facile. Je peux vous donner son nom tout de suite.

— Vraiment ? » Le ton de Gaius trahit sa surprise.

« Ouais. "John Doe", comme tous les hommes dont la naissance n'a pas été déclarée.

— Quoi ?

— Eh ouais. Selon l'enquête d'une certaine Stephanie Rogers qui bossait sur cette affaire, sa mère ne lui a jamais donné de nom. Elle craignait que certains ne cherchent à lui faire du mal, alors, afin qu'il ne figure jamais sur quelque registre national que ce soit, elle n'a jamais déclaré sa naissance.

— Comment est-ce qu'on l'appelait, alors, s'il n'avait pas de nom ?

— Putain, j'en sais absolument rien. Peut-être qu'il se faisait appeler “John Doe” chez lui ? Comment voulez-vous que je le sache ? »

Ramsès Gaius réfléchit un moment avant de reprendre la parole.

« Fascinant. C'est du bon boulot, Benson. À présent, tout ce qu'il me reste à faire, c'est de lui faire subir ce que Xavier et son père m'ont fait endurer.

— C'est-à-dire ?

— Rien qui vous regarde.

— OK.

— Bien. Jusqu'ici, vous ne vous débrouillez pas trop mal. Reste la deuxième moitié du boulot à faire. Il suffit de me donner le Saint-Graal. Ne vous méprenez pas : je sais que vous l'avez. Une fois que vous me l'aurez remis, je ferai de vous mon Grand Prêtre.

— Et ça consiste en quoi, au juste ?

— Vous ne savez pas ce qu'implique le fait de devenir mon Grand Prêtre ?

— J'aurai le droit de vous astiquer l'œil une fois par semaine ? »

Quelqu'un que Benson n'avait pas remarqué jusque-là s'approcha alors. La silhouette était bien plus menue que celle de Gaius, mais bien plus appétissante. Il s'agissait de la femme que tous les vampires mâles désiraient, plus que toute autre. Jessica, l'Ange de la Mort. Elle était vêtue de sa légendaire tenue noire, son pantalon moulant en cuir et un léger chemisier de soie, à moitié déboutonné.

Arrivée à hauteur de la table, elle se campa à la droite de Gaius et se pencha jusqu'à ce que son visage se retrouve à quelques centimètres à peine de celui de Benson, et son décolleté quasiment sous son menton.

Et quel visage merveilleux elle avait. Une peau fine comme la plus douce des soies, de grands yeux marron envoûtants, le tout encadré à la perfection par une chevelure noire et brillante tombant aux épaules.

« Je pourrais être tout à toi, chéri », murmura-t-elle d'une voix qui était sans le moindre doute possible la plus sexy que Benson ait jamais entendue.

« Imagine un peu. Toi et moi, un lit à baldaquin, de la chantilly et une paire de menottes. Qu'est-ce que tu en dis, hein ? Je sais que tu as envie de moi, mais ce que je t'offre cette fois, c'est de me prendre consciente. »

Putain de merde ! L'Ange de la Mort était une vraie déesse, convoitée par l'ensemble des vampires, et que seuls les plus puissants pouvaient espérer approcher un jour. Benson sentait déjà son pantalon rétrécir. Tout ce pouvoir était à portée de main, tout ce qu'il avait à faire, c'était d'aller chercher le Saint-Graal. Un jeu d'enfant.

« Alors, ça t'intéresse ? demanda Jessica.

— Putain, carrément, s'empressa de répondre Benson.

— Alors, qu'est-ce que tu attends ? »

Benson avala son *latte* encore fumant d'une seule gorgée.

« J'y cours », lâcha-t-il en se levant. En passant devant Jessica, l'énorme bosse qui gonflait sa braguette renversa l'assiette en porcelaine. Elle lui jeta un regard admiratif. « N'y passe pas la nuit », minauda-t-elle.

Très agité, et excité comme jamais, Benson se précipita hors du café. Il savait que, pour récupérer le Saint-Graal, il allait probablement devoir se mesurer au

Bourbon Kid. Cette perspective n'avait rien de vraiment engageant, mais il disposait d'un petit atout. Une arme secrète dont il avait préféré ne pas divulguer l'existence à ses potes de La Cruz et Hunter, ni même à ses nouveaux amis, Ramsès Gaius et Jessica. Il suffisait simplement d'aller la chercher. Ensuite, le pouvoir et la femme qu'il convoitait lui appartiendraient.

En fait, il se pourrait même qu'il devienne encore plus puissant que Gaius lui-même.

42

Dante arriva juste à temps au Nightjar. Oncle Les, le videur patibulaire, s'apprêtait à fermer la porte du bar pour la nuit.

« Yo, le petit nouveau, appela Les en apercevant Dante dans la rue déserte qui menait au Nightjar. Tu ferais bien de te presser le cul si tu veux entrer. On ferme les portes de bonne heure, ce soir. »

Dante retira ses lunettes noires enveloppantes et se mit à trotter poliment, afin de bien montrer au videur qu'il se pressait le cul, comme il le lui avait conseillé.

« Qu'est-ce qui se passe, Tonton ? Une soirée privée, un truc du genre ?

— Nan. Des ennuis en perspective. Semblerait que le Bourbon Kid soit de retour en ville. Pour un nouveau petit massacre, si les rapports sont exacts. »

Dante arriva à hauteur de la porte et pénétra à l'intérieur du bar. Oncle Les entra à son tour et verrouilla l'issue derrière eux.

« Merci, mec. Y aura fermeture anticipée, alors ? demanda Dante, plein d'espoir.

— Ou un putain de siège », répondit le videur.

D'un coup d'œil circulaire, Dante s'aperçut que les lieux étaient bondés de vampires. On aurait dit qu'ils avaient tous été mis au courant du funeste retour du Kid, et avaient choisi de se réunir tous au même endroit. *La sécurité du grand nombre*, se dit Dante. Ou alors ils aimaient tout simplement fêter Halloween.

Dans un coin du bar, il distingua deux gilets des Shades. Les vampires qui les portaient étaient Fritz et Obéissance, ce qui soulagea énormément Dante : il s'agissait en effet des deux membres du clan avec lesquels il s'entendait le mieux, sans doute parce que c'étaient ceux qui discutaient le plus volontiers (dans le cas de Fritz, un peu trop fort quand même). En se dirigeant vers eux, Dante reconnut le morceau que les Psychics interprétaient sur scène, à sa gauche. Ils étaient en train de jouer une reprise plutôt décente du *Loser* de Beck.

Tout en se frayant un chemin dans la foule en direction de ses deux potes vampires dont il avait gagné le respect au cours des deux nuits précédentes, Dante ne put s'empêcher de remarquer qu'il attirait des regards plutôt étranges. Tout en chantant le refrain de la chanson avec les Psychics (« *I'm a loser, baby, so why don't you kill me ?* »), il se dit que tous les vampires qui le regardaient de travers devaient être tout bonnement très impressionnés par le super style que lui donnait son tout nouveau gilet. Ça faisait vraiment du bien de se sentir intégré.

Après avoir longuement joué des coudes, Dante arriva enfin à hauteur de Fritz et d'Obéissance, qui lui tournaient le dos. Il tira sur le bas du gilet de Fritz.

« Hé ! les mecs, quelqu'un veut boire autre chose ? » demanda-t-il.

Fritz se retourna en lui souriant. Obéissance fit de même, mais, très vite, leurs sourires respectifs laissèrent la place à des froncements de sourcils. Leurs lunettes noires dissimulaient la confusion qui se reflétait dans leurs yeux.

« KESKE C'EST KE ZE BORDEL ? hurla pensivement Fritz, sans quitter Dante du regard.

— Qu'est-ce qu'il y a ? demanda Dante, un peu déstabilisé. J'ai "CONNARD" écrit sur le front ? » Il rit à sa propre blague et décocha une bourrade amicale à Fritz, en adressant un geste de la tête à Obéissance, qui se tenait juste derrière le vampire allemand. Ni l'un ni l'autre ne rirent. Obéissance avança d'un pas et saisit fermement le visage de Dante, pressant ses joues entre ses doigts. Pour vérifier sa température.

« Fritz, est-ce que tu penses ce que je pense ? » demanda-t-il à son compagnon. Sa voix était glaciale.

« TU M'ÉTONNES, PUTAIN ! JE PENZE EXAKTEMENT LA MÊME CHOZE KE TOI ! »

Dante perçut une certaine hostilité dans le ton d'Obéissance, et mit cela sur le compte de sa mauvaise blague.

« Hé ! je suis désolé, mec. J'ai dit ça juste pour déconner, je te jure. »

Obéissance lâcha le visage de Dante, pour se saisir aussitôt de son bras gauche, qu'il tira à lui. Il remonta brutalement la manche du sweat noir et inspecta le membre sur toute sa longueur. Il le tordit légèrement, obligeant Dante à se courber un peu, et fit signe à Fritz d'approcher.

« Fritz, notre ami s'est injecté quelque chose dans le bras. Regarde un peu ces traces sur ses veines. »

Fritz inspecta minutieusement la surface de la peau et remarqua les points précis où, trois nuits de suite, Swann avait planté sa seringue. Dante eut le pressentiment qu'il était sur le point de se retrouver dans une merde noire, et qu'un minimum de réflexion en un temps record s'imposait.

« Putain, les mecs. C'est rien du tout, grommela-t-il. Juste de l'héro. »

Obéissance eut un sourire mauvais.

« Des prises sacrément régulières, je dirais à première vue. Ces traces d'injection sont plutôt fraîches. Personnellement, je doute vraiment que tu te sois envoyé autant d'héro durant ces derniers jours. C'est forcément autre chose.

— Nan, c'est de l'héroïne, insista Dante. On n'a jamais la sensation d'en avoir assez, tu sais, ça pousse à se shooter super souvent.

— Un peu comme le sérum que se font injecter les types qui tentent de s'infiltrer parmi les vampires », grogna Obéissance. Ses crocs dépassaient de ses lèvres. Fritz et lui savaient qu'ils avaient été dupés. Dante les trompait depuis le début. C'était un imposteur. Cette trahison enrageait plus particulièrement Obéissance. S'il portait ce ridicule tatouage vert sur le front, c'était uniquement à cause de Dante. Le fait de découvrir qu'en fin de compte son nouveau camarade n'était pas l'un des leurs le faisait littéralement bouillonner de colère.

Fritz finit par déclarer haut et (très) fort l'évidence même, afin de faire savoir à Dante (ainsi qu'au reste de la foule qui se pressait au Nightjar) que la partie était terminée.

« C'EST PAS EIN PUTAIN DE VAMPIRE. C'EST UN INFILTRÉ ! SCHWEINHUND ! » aboya l'Allemand d'une voix plus furieuse que jamais.

Obéissance serra un peu plus fort le bras de Dante dans sa main. Il était hors de question qu'il laisse cette taupe lui glisser entre les pattes.

« Ce n'est peut-être pas l'un des nôtres, grogna Obéissance, mais il fera un excellent dîner. »

43

Hunter trouva la grande porte de chêne du Nightjar verrouillée de l'intérieur. Un coup d'œil par l'une des vitres teintées, hautes et étroites, lui permit de constater que le bar était plein à craquer. *Bizarre*, se dit-il.

Il s'approcha plus encore et tapota sur la surface de verre, afin d'attirer l'attention du buveur le plus proche, de l'autre côté de la vitre. La première personne qui posa son regard sur lui fut le clown le plus redouté de tout Santa Mondega : Reuben. Le suceur de sang à la perruque verte, au visage pâle et au large sourire, se trouvait légèrement en retrait d'un groupe de clowns. Hunter l'ignorait bien évidemment, mais ils étaient en train de mettre au point la vengeance qu'ils projetaient envers les Shades, pour laver l'affront qu'ils avaient essuyé la veille au soir, au Marécage. À l'exception des clowns, la totalité de la clientèle semblait n'avoir d'yeux que pour les Psychics, en pleine interprétation chorégraphiée d'un tube à la mode.

Reuben entendit Hunter tambouriner derrière lui en dépit du boucan que faisait le groupe, et se retourna aussitôt pour voir ce dont il s'agissait. À travers la surface de verre, le visage maquillé de blanc considéra longuement le Sale Porc, le saluant d'un acquiescement et d'un énorme sourire peint en rouge qui, très commodément, dissimulait la colère de Reuben. Hunter désigna l'entrée d'un geste de la main et de la tête, faisant comprendre à Reuben qu'il apprécierait de se voir ouvrir les portes du bar. En guise de réponse, le clown se contenta de le fixer droit dans les yeux en lui faisant un doigt d'honneur.

« Une fois que je serai à l'intérieur, tu trouveras ça vachement moins marrant, espèce de putain de phénomène de foire ! » cria Hunter à travers la vitre. Comme pour l'agacer plus encore, Reuben lui tourna le dos.

« Putain d'enfoiré. »

Un autre habitué du Nightjar arriva alors devant la porte close du bar. Il s'était approché sans faire un bruit dans les ténèbres pour se retrouver juste à côté d'Hunter. Il s'agissait de Silence. Il portait le gilet de cuir du clan des Shades sans rien en dessous, avec un jean bleu déchiré et une paire de santiags noires et luisantes. Derrière ses lunettes noires, il fixa le Sale Porc.

« Qu'est-ce qui se passe, mec ? demanda Silence d'une voix rauque. Pourquoi les portes sont fermées ? »

Hunter ne se rappelait pas avoir jamais entendu la voix de Silence auparavant, et était relativement surpris que le vampire habituellement si avare de mots ait choisi de lui adresser de si précieuses paroles. Mais cela ne retint que très peu de temps son attention. Sa priorité absolue était d'entrer à l'intérieur du Nightjar.

« J'en sais rien, mais je vais régler ça tout de suite », répondit enfin Hunter en glissant une main sous sa veste de tweed marron. Il tira de sa poche intérieure un téléphone portable, celui-là même que de La Cruz lui avait passé plus tôt dans la soirée. Celui-là même qui avait jadis appartenu à Casper.

« Je vais appeler Dino. Il nous fera entrer. »

Silence regarda longuement le téléphone d'Hunter alors que le Sale Porc composait le numéro du Nightjar.

« Joli portable. Tu l'as trouvé où ? demanda-t-il.

— Tu t'arrêtes pas de causer, hein ? » répliqua sèchement Hunter en appuyant sur le bouton « appel » avant de porter le téléphone à son oreille. Au bout de quelques sonneries, on décrocha. C'était la voix de Dino.

« Nightjar.

— Putain, Dino. C'est Hunter. Tu peux nous laisser entrer ?

— Vous êtes combien ?

— Y a que Silence et moi.

— Attends une minute. »

Dino raccrocha, et Hunter rangea le téléphone portable dans sa poche pour attendre, impatient, devant l'entrée en compagnie de Silence. Le vampire silencieux retira ses lunettes noires, et les deux hommes se regardèrent dans le blanc des yeux. Hunter n'aimait pas Silence et n'avait aucune envie de tenter vainement de discuter avec un individu réputé pour son sens très limité de la sociabilité. Malheureusement, Dino prenait un temps fou pour arriver à cette fichue porte, et le silence inconfortable irrita vite l'inspecteur.

« Et en fait, c'est quoi le problème avec ta voix ? Ça te fait mal de parler, non, c'est ça ? C'est pour ça que tu parles pas des masses, hein ? »

Silence acquiesça.

« Ouais, ça fait mal de parler.

— Ouais, acquiesça Hunter. On dirait que t'as avalé un seau de graviers. »

Silence plongea une main sous son gilet.

« Eh ! qu'est-ce que tu fous ? » lança Hunter d'un ton agressif. Il était en vérité assez agité. Cette longue attente devant le Nightjar finissait par le rendre parano. Ce qui était tout à fait hors de propos, pensa-t-il, à présent qu'il était plus puissant que n'importe quel autre vampire.

De sa poche intérieure, Silence sortit simplement un paquet de cigarettes souple qu'il tendit à Hunter.

« Clope ? demanda-t-il.

— Ouais. Ouais, merci. »

Hunter en prit une et la cala à la commissure de ses lèvres.

« T'as du feu ? »

Silence acquiesça et, de sa main libre, fouilla de nouveau dans sa poche intérieure. Cette fois-ci, il en ressortit un Zippo. Il tendit le bras, ouvrit le clapet du briquet, et fit tourner la molette afin d'allumer la flamme. Hunter se pencha, cigarette en avant, et inspira à travers le filtre. La cigarette allumée, Silence rangea le briquet dans sa poche.

« Tu vas pas t'en griller une ? » demanda Hunter.

Silence porta le paquet à sa bouche et tira une cigarette avec les dents. Il rangea ensuite le paquet à l'intérieur de son gilet et tira une taffe sur la cigarette, qui s'alluma toute seule.

« Ouah ! s'écria Hunter, très impressionné. Comment t'as fait ça ?

— Un pote m'a appris ce truc. »

Dans un grincement sonore qui venait de l'intérieur du bar, les verrous glissèrent, et la porte s'ouvrit doucement. Jéricho, le videur à l'attelle, jeta un regard aux alentours, avant de considérer d'un air méfiant les vampires qui attendaient.

« Rien que vous deux ?

— Ouais », répondit Hunter. Il poussa la porte afin de pouvoir passer, et entra en bousculant le videur. Silence lui emboîta le pas, en adressant un mouvement du menton à Jéricho en guise de remerciement.

Le videur avait à peine verrouillé la porte qu'Hunter avait déjà réussi à se frayer un chemin jusqu'au comptoir. Les autres vampires parurent sentir sa nouvelle puissance et lui laissèrent spontanément une place. Silence était toujours sur ses talons.

« Dino, une bière ! cria Hunter à l'intention du patron, qui était en train d'aider ses serveurs.

— De quoi ? » Dino avait du mal à entendre ce qu'on lui disait à cause du groupe. Les Psychics, qui reprenaient le tube des Kaiser Chiefs *I Predict a Riot*, s'époumonaient présentement sur le refrain.

« UNE BIÈRE ! » hurla Hunter. Dino secoua la tête en portant la main à son oreille. Il était encore en train de tirer une pression pour l'un des membres du clan des Dreads (les vampires rastafaris), accoudé au bar à quelques mètres d'Hunter. Le rasta blanc surveillait de près le patron afin de s'assurer qu'il ne tentait pas de le gruger sur la quantité. Dino (contrairement à Sanchez) n'était pas du genre à énerver sa clientèle, mais il y avait tant de choses à faire à la fois qu'il lui était impossible de comprendre ce que lui demandait Hunter.

« UNE PUTAIN DE BIÈRE ! » hurla de nouveau ce dernier. En vain. Dino n'entendait rien. Une nouvelle tactique s'imposait. Par chance, Hunter s'aperçut que

Fritz se tenait juste derrière lui. Le vampire teuton était en compagnie de son pote Obéissance et du nouveau membre de leur clan, ce Dante qui, comme Hunter pouvait le voir, n'était même pas un vampire. Obéissance lui tenait fermement le bras et semblait être résolu à ne pas le lâcher. Silence les avait rejoints, et Hunter les trouvait tous assez agités, pour une raison qui lui échappait. Il n'avait du reste aucune envie d'en savoir plus : tout ce qui l'intéressait, c'était d'avoir l'attention de Fritz.

« Hé, Fritz ! cria-t-il à l'Allemand. Donne-moi un coup de main, tu veux ? Commande une bière pour moi, s'il te plaît.

— PAS DE PROBLÈME ! hurla Fritz en réponse. DINO, SERS EIN PUTAIN DE BIÈRE À CE PAUVRE HOMME, TU FEUX ? »

Très étonnamment, étant donné la puissance de la voix de Fritz, cela ne marcha guère plus. La commande passa complètement au-dessus de la tête de Dino. Une énième approche, plus radicale, semblait de rigueur. Hunter dégaina son pistolet du holster qu'il portait sous sa veste, le pointa au plafond et appuya sur la détente.

BANG !

La détonation fut assourdissante, et s'accompagna de la chute de quelques bouts de plâtre et d'un nuage de poussière blanche. Des volutes de fumée bleue tourbillonnèrent au-dessus d'Hunter. Le bar entier fut plongé dans un silence de mort. Les Psychics arrêtèrent même de jouer leur reprise de *I Predict a Riot*. Le seul son audible était l'écho du coup de feu qui résonnait dans les oreilles de tout le monde.

« Et si vous faisiez une pause, bande de cons ? » lança agressivement Hunter au groupe, dont les membres semblaient abasourdis, comme le reste des personnes présentes.

Ce soir, leur formation comptait six musiciens. Mandina, la chanteuse, portait une robe courte et pourpre, tandis que le reste du quasi-girl band, deux guitaristes, une batteuse, le joueur de tuba grassouillet et une danseuse étaient tout simplement vêtus de sous-vêtements noirs, très, très petits. Le spectacle étant en soi assez agréable (à l'exception peut-être du joueur de tuba), la plupart des spectateurs n'avaient même pas besoin de les entendre jouer pour s'estimer heureux. Et à présent qu'ils ne jouaient plus et qu'un silence absolu régnait dans tout le bar, Hunter put à loisir passer sa commande. Il se retourna vers le comptoir : « Et je vais te prendre une bière, Dino. »

Dino saisit un verre derrière le comptoir et se mit à tirer une bière pour Hunter. Le barman avait un bout de plâtre blanc sur l'épaulette de sa veste. Manifestement, Hunter était très énervé : il avait tiré en l'air sans sommation, ce qui impliquait que, dans son propre intérêt et dans celui de son établissement, le patron devait veiller au bien-être et au contentement de ce client. Après tout, Hunter était devenu une pointure, même si rien dans son apparence tout à fait quelconque ne semblait l'indiquer. Ses cheveux étaient toujours aussi impeccablement coiffés que d'habitude, et paraissaient avoir bénéficié assez récemment d'un brushing. Avec son pull marron et sa veste en tweed assortie, il avait tout d'un figurant du *Cosby Show* qui venait de se faire virer. Mais il n'en était pas moins dangereux pour autant.

Dans le silence absolu qui semblait ne pas vouloir s'estomper, Hunter se dit soudain que c'était le moment rêvé pour appeler le numéro du « GRAND FRÈRE ». Il ressortit le portable de sa poche intérieure et consulta le menu pour retrouver le numéro. Lorsqu'il l'eut trouvé, il aboya ses recommandations à l'ensemble des clients présents : « Maintenant, écoutez tous ! Tout le monde va rester bien tranquille pendant une petite minute supplémentaire, OK ? J'ai un appel très important à passer. Ça m'arrangerait vraiment si vous pouviez tous continuer à fermer vos putains de gueules pendant que j'appelle quelqu'un dont vous avez tous entendu parler. » Il passa un regard sur son auditoire qui, dans sa majorité, l'écoutait en feignant l'intérêt. « Eh oui, messieurs dames, j'ai le numéro de téléphone du Bourbon Kid. Et je vais l'appeler de suite, alors on garde bien sagement sa bouche fermée. » Il porta son index gauche à ses lèvres afin d'insister une dernière fois, et, de son pouce droit, appuya sur le bouton d'appel du téléphone portable.

Constatant avec un certain amusement que tout le monde lui prêtait à présent la plus grande attention, il porta le téléphone à son oreille et attendit. Au bout de trois secondes à peine, la tonalité se fit entendre, et, presque simultanément, le silence qui régnait dans le bar fut brisé par la sonnerie d'un autre portable.

Quelqu'un qui se trouvait à moins d'un mètre d'Hunter.

44

Josh travaillait à la bibliothèque municipale de Santa Mondega depuis un mois, et ces quatre semaines avaient été un véritable enfer. La bibliothécaire en chef, Ulrika Price, était excessivement sévère, et tout en elle le rendait nerveux. Et lorsque Josh était nerveux, il avait la fâcheuse tendance de perdre tout contrôle sur ses fonctions biologiques. Cela pouvait se manifester de bien des façons, tantôt une salve soudaine de morve fusant de ses narines, tantôt un long jet de salive giclant en direction de la personne avec laquelle il s'entretenait, et même, à l'occasion, un petit incident urinaire.

Depuis son premier jour, Ulrika avait pris un grand plaisir à le mettre mal à l'aise, en l'écrasant autant que le lui permettait son statut de supérieure hiérarchique. Le fait de dominer un garçon de quinze ans tel que Josh était l'une des rares choses qui, dans son existence triste et solitaire, lui prodiguaient une véritable jouissance.

C'était aujourd'hui un de ces jours où elle était encore plus autoritaire qu'à l'accoutumée, si insupportable en vérité que Josh avait failli quitter la bibliothèque pour de bon. Il avait de toute façon un deuxième boulot : il pouvait sans problème se permettre de laisser tomber son poste de stagiaire ici. La seule responsabilité qui lui incombait était de ranger les livres rendus à leurs emplacements respectifs, et selon Mlle Price, même cela, il était infoutu de le faire correctement. Plus tôt dans la journée, elle lui avait passé un savon pour avoir placé un roman de Dan Brown au rayon « histoire », et, pire encore, une biographie de Barbra Streisand au rayon « humour ». Du point de vue d'Ulrika, Joshua était un incapable patenté. Bien entendu, tout était de la faute de la bibliothécaire en chef, qui lui mettait sans cesse la pression pour qu'il range les livres au moment même où elle enregistrait leur retour. L'une des nombreuses choses qu'elle ne pouvait supporter, c'était de voir grandir une pile de livres retournés sur son bureau, à l'accueil.

Son pantalon noir d'écolier, déjà trop court pour Josh, lui rentrait dans les fesses, à force de passer d'un rayonnage à un autre, et sa chemise blanche imbibée de sueur en devenait presque transparente. Il rangea un ouvrage intitulé *La Diététique pour les nains* sur la plus haute étagère du rayon « gastronomie », et retourna à l'accueil pour voir ce que Mlle Jamais-Contente lui réservait à présent.

Elle était en pleine conversation téléphonique. Sachant que le respect de sa vie privée lui tenait extrêmement à cœur, Josh resta planté à quelques mètres, attendant la fin de l'appel. Elle était assise sur un fauteuil bon marché, face aux portes de la bibliothèque, afin de voir qui entrait et qui sortait. Elle avait l'habitude de guetter chaque usager, à l'affût du moindre individu qui aurait eu la mauvaise idée de sortir avec un livre sans l'avoir emprunté.

Josh savait d'expérience qu'il valait mieux ne pas tendre l'oreille lorsqu'elle était au téléphone. De temps à autre, Ulrika Price recevait des appels très douteux de personnages extrêmement peu recommandables. Un jour qu'elle était occupée à autre chose à l'autre bout de la bibliothèque, Josh avait répondu à un appel en l'imitant. Un homme à la voix profondément désagréable lui avait soumis une liste de quatre noms ainsi qu'une date, avant de raccrocher brusquement. Le jeune stagiaire avait considéré que l'incident était sans importance, mais quelques jours plus tard, quand Ulrika avait appris ce qu'il avait fait, elle était entrée dans une colère noire, allant même jusqu'à le plaquer contre un mur, une main sur sa gorge. Après cela, Josh s'était fait un point d'honneur à ne plus l'imiter au téléphone.

À cette heure assez tardive, Ulrika Price était en train de griffonner quelque chose dans un livre posé sur l'étagère qui se trouvait sous le comptoir de l'accueil, en n'adressant à son interlocuteur téléphonique qu'une série de « hum » et de « aah ». Josh, ne sachant pas trop si elle avait remarqué sa présence, s'éclaircit la gorge afin de lui signifier qu'il était assez près d'elle pour l'entendre. Cette attention ne lui valut qu'un regard sombre de la bibliothécaire, qui remit en place son cardigan gris, et tourna le dos au jeune stagiaire pour qu'il lui soit impossible de lire ce qu'elle était en train d'écrire. Après dix secondes supplémentaires d'acquiescements et de « hum-hum », elle finit par raccrocher le combiné sur le vieux et gros téléphone de l'accueil, avant de se retourner vers Josh.

« Vous avez fini ? » grommela-t-elle à son intention, en fronçant si fort les sourcils que la lisière de sa chevelure claire, attachée en un sévère chignon, se rapprocha dangereusement de ses yeux. Le moins qu'on puisse dire, c'était que cette femme d'une trentaine d'années ne vieillissait pas très bien.

« Oui, mademoiselle Price. Je viens de ranger le bouquin de régime pour les nains.

— L'avez-vous mis sur l'étagère la plus basse ?

— Non, je ne pense pas. Pas du tout, en fait. »

Le visage d'Ulrika se plissa en une grimace de colère, et elle se leva de son siège.

« C'est désespérant, soupira-t-elle. Vraiment. Je vais le ranger moi-même. »

Elle longea la réception jusqu'au mur, souleva la partie amovible du comptoir, et passa du côté de Josh.

« Désolé », dit Josh simplement, alors qu'elle passait devant lui, en direction du rayon « gastronomie », tout au bout de la gigantesque bibliothèque. Elle entendit ses excuses, et s'arrêta, dos tourné vers le jeune homme. Celui-ci aperçut les repoussantes veines bleues qui striaient ses mollets, en dessous de la jupe de même couleur qui lui tombait sous le genou. Elle se retourna.

« Ne vous inquiétez pas pour ça. Vous finirez par vous améliorer un jour… avec un peu de chance. Rangez donc ce livre de la *Rue Sésame* à sa place. Puis rentrez chez vous. J'en ai assez de vous avoir sans cesse dans les pattes.

— Quel livre de la *Rue Sésame* ?

— Celui qui se trouve quelque part sur le bureau de la réception. J'ose espérer que vous n'aurez pas trop de mal à le reconnaître, n'est-ce pas ? *N'est-ce pas ?* »

Ulrika Price était de méchante humeur et ne faisait aucun effort pour le cacher.

« D'accord. Je fais ça et je m'en vais. Merci. Bonne soirée, mademoiselle Price. »

Sans une réponse, Ulrika se dirigea à grands pas vers le rayon « gastronomie », guettant en chemin tout ado qu'elle aurait pu réprimander ou accuser de vol.

Josh se pencha au-dessus du comptoir de la réception, en quête du bouquin de la *Rue Sésame*. Le seul livre qu'il aperçut était un ouvrage relié de noir, posé sur le bureau face au siège qu'Ulrika venait de quitter, non loin du téléphone. Il tendit le bras et s'en saisit. L'ouvrage était particulièrement lourd, et il lui fallut toute la force de son bras pour le soulever dans cette position assez peu commode. Il y arriva cependant, et, par réflexe, jeta un coup d'œil à la couverture, où l'on pouvait lire : *Le Livre de la mort*.

Putain ! pensa-t-il. *Ces bouquins de la* Rue Sésame *ont sacrément changé, depuis le temps où j'étais gamin*.

Soucieux de ne pas énerver plus encore Ulrika, il décida de réfléchir sérieusement à l'emplacement qui conviendrait le mieux pour ce livre. Il semblait assez déplacé de le ranger dans le rayon « jeunesse ». Vu le titre, ça pourrait effrayer les enfants. Alors où ?

« Ouvrages de référence » – *au moindre doute, range le bouquin parmi les « ouvrages de référence »*. Depuis le début de son stage, cette règle lui avait servi à de nombreuses reprises. Pourquoi changer de méthode à présent ? Afin de ne pas croiser Ulrika de retour du rayon « gastronomie », il accourut jusqu'aux rayonnages réservés aux ouvrages de référence. Il glissa le bouquin sur l'une des étagères, puis quitta la bibliothèque à toute vitesse pour manger quelque chose sur le pouce, avant d'enchaîner sur son boulot de nuit.

De retour à la réception, Ulrika constata avec effroi que le *Livre de la mort* avait disparu, de même que Josh. L'heure était grave. Ce livre n'était pas destiné au public. C'était un livre très spécial qu'elle conservait dans un coffre-fort, et qui n'en sortait que lorsqu'elle en recevait l'ordre. Son maître, le grand Ramsès Gaius, lui avait fait l'insigne honneur de la nommer gardienne de l'ouvrage le plus puissant de toute l'histoire de l'humanité. Ce soir même, comme il l'avait déjà fait précédemment, il lui avait ordonné de le sortir du coffre-fort et d'y inscrire plusieurs noms.

Si elle voulait rester la maîtresse de Gaius, et acquérir l'immortalité et la beauté éternelle qu'il lui avait promises en échange de ses services, elle devait à tout prix retrouver cet ouvrage avant qu'il ne tombe entre de mauvaises mains. Et si jamais Gaius apprenait que le livre avait disparu par sa faute, il était à craindre que le séjour terrestre d'Ulrika Price ne s'achève brusquement, et dans des douleurs indicibles.

45

Hunter se retourna. Immédiatement après avoir composé le numéro du « GRAND FRÈRE », il avait entendu la sonnerie d'un portable, tout près. Celui de Casper était toujours collé à son oreille. Et face à lui se tenait un membre des Shades, tenant dans la main un portable qui sonnait. Il s'agissait de ce gros naïf qui suivait toujours à la lettre les ordres qu'on lui donnait, celui qu'on appelait « Obéissance ». En un clin d'œil, Hunter dégaina de nouveau son pistolet de sous sa veste de tweed et le braqua droit en direction de la tête d'Obéissance. Celui-ci leva un index à l'intention d'Hunter afin de lui demander juste un instant, le temps de répondre au téléphone.

« Allô, qui est à l'appareil ? demanda-t-il, son portable à l'oreille.

— Moi, trou du cul », répondit Hunter en raccrochant.

Obéissance, confus, raccrocha également. Toutes les personnes présentes dans le bar avaient les yeux fixés sur cette scène improbable.

« Chers amis, voici le Bourbon Kid », déclara Hunter en désignant Obéissance à la foule.

Dante, qui se tenait juste à côté d'Obéissance, posa la question que tous avaient à l'esprit : « T'es timbré ou quoi ?

— Non, je suis tout ce qu'il y a de plus sérieux. Le téléphone que j'ai ici a en mémoire le numéro du portable du Bourbon Kid. Je viens de le composer, et ce pauvre con vient de décrocher. C'est lui, le Bourbon Kid. Ça fait déjà un certain temps qu'il vit parmi nous, avec le but secret de tous nous tuer. »

Fritz fit un pas en avant afin de défendre son ami, prêt à s'en prendre physiquement à Hunter si le besoin s'en faisait sentir. Tout vampire qui se respectait se devait de toujours soutenir les membres de son clan, et aucune créature du mal n'aurait pu souhaiter allié plus loyal et dévoué que Fritz.

« KONNERIES ! aboya-t-il à la figure d'Hunter, l'aspergeant de quelques postillons.

— Écoute, je ne suis pas le Bourbon Kid, dit Obéissance avec un calme impressionnant. Et ce portable ne m'appartient pas. Quelqu'un m'a demandé de le lui garder. »

Hunter abaissa le chien de son pistolet, qu'il pointait toujours droit sur le catastrophique « CONNARD » tatoué sur le front d'Obéissance.

« T'avise pas de me mentir, putain.

— Je ne mens pas.

— Z'EST FRAI ! hurla Fritz. SA MAMAN LUI A DIT DE NE CHAMAIS MENTIR, ET KOMME IL A TOUCHOURS OBÉI AUX ORDRES, LOGIKEMENT, CE K'IL DIT EST FRAI !

— Alors à qui est ce putain de portable ? demanda Hunter en rapprochant un peu plus le canon de son arme du visage d'Obéissance.

— Je ne peux pas te le dire. Son propriétaire m'a fait jurer de garder ce secret.

— Je vais te laisser trois secondes pour me répondre, et, après ça, je te fous une balle dans la tête !

— Tu sais quoi ? lança Dante. Tu me rappelles ce perso de la *Rue Sésame*…

— Ta gueule, ducon », grogna Hunter en pointant son pistolet vers Dante. Celui-ci leva les mains et recula d'un pas. Il se dit soudain que Kacy n'aurait pas apprécié de le voir sortir une fois de plus sa vanne préférée sur la *Rue Sésame*, et que, en outre, ce n'était pas sa propre vie qui était présentement en jeu, mais celle d'Obéissance. Il était tout à fait inutile qu'il s'implique dans cette affaire, d'autant plus que, avant l'intervention d'Hunter, Obéissance avait été sur le point de le tuer. Et puis de toute façon, Fritz et Silence allaient certainement défendre leur pote.

« ATTENTION ! hurla Fritz comme s'il avait lu dans les pensées de Dante. SI TU FAIS KOI KE CE SOIT À OBÉISSANCE, JE TE JURE QUE NOUS, LES SHADES, NOUS TE TRAKERONS JUSK'À TE FAIRE PAYER TON KRIME !

— Eh ! regarde un peu, dit Hunter en pointant ses pieds. (Le gauche était en train de tapoter tranquillement le sol du bar.) Je tremble comme une putain de feuille. Traquez-moi autant que vous voulez, je m'en bats les couilles en cadence. Je pourrais vous tuer tous les deux les mains dans le dos, si je voulais. Tiens, au fait… ça me donne une idée… » Il tira une paire de menottes de l'intérieur de sa veste et la jeta à Silence, qui l'attrapa calmement de la main gauche. « Toi, le moulin à paroles. Passe les bracelets à ton pote Obéissance. »

Silence lança un regard noir à Hunter, mais finit par obéir, en menottant cependant les mains d'Obéissance par-devant et non dans son dos, afin que son ami soit relativement plus à son aise. Hunter désarma le chien de son pistolet et rangea celui-ci dans son holster, puis se saisit d'Obéissance, le retourna, et le poussa en direction des portes du Nightjar.

Pour Fritz, la loyauté était la vertu suprême. Hunter ayant rangé son arme, il décida de prendre l'initiative. Le vampire allemand s'avança et attaqua l'inspecteur. Son poing droit fusa à une vitesse fulgurante, tout droit vers la mâchoire de son ennemi. Mais Hunter était passé dans une tout autre catégorie, et il vit venir le coup avant même que Fritz ne le lui décoche. Il s'écarta de la trajectoire avec une aisance stupéfiante. Sa contre-attaque fut foudroyante. Durant une infime fraction de seconde, il lâcha Obéissance et frappa Fritz à l'estomac, avec une telle force que l'Allemand, planant à moins de deux mètres du sol, fut projeté à une dizaine de mètres de là. La foule se fendit comme si une boule de feu la traversait, laissant Fritz poursuivre son vol sans entrave. Sa vitesse était telle qu'il aurait pu atterrir au beau milieu de la rue, n'eût été le mur qui se trouvait à l'autre bout du bar, à côté des portes de chêne massif, et qu'il percuta de plein fouet. À l'impact, il rebondit violemment, pour retomber sur la table où étaient assis trois membres du clan des Punk Ladies. La table se brisa en deux, et Fritz heurta violemment le sol, dans les bris des verres renversés de ces dames.

Silence ne se fit pas prier pour intervenir. Il fonça sur Hunter qu'il encercla de ses bras par-derrière. Ses muscles se gonflèrent alors qu'il enserrait de toutes ses forces la poitrine du Sale Porc. Mais en vain. La force d'Hunter était bien supérieure à celle du vampire lambda, et il se libéra très facilement de la violente étreinte. Il se retourna instantanément vers Silence, et, avec un sourire haineux, le saisit à la gorge avant de le lancer dans la même direction que Fritz. Silence suivit exactement la même trajectoire, heurta le même mur, au même endroit, et s'écroula aux pieds des Punk Ladies, sur son ami Fritz, alors que celui-ci tentait de se relever.

Dante se sentit soudain très mal à l'aise : en l'absence de Vanité et de Déjà-Vu, tout le monde allait attendre de lui qu'il s'en prenne à Hunter. Fort heureusement pour lui, Chip, le rasta blanc, apparut derrière lui, vêtu comme toujours de sa tenue de karatéka noire. Il saisit Dante par le bras, que celui-ci s'apprêtait à lancer de toutes ses forces vers le visage de l'inspecteur, et lui murmura à l'oreille : « Pas maintenant. Ne fais pas l'imbécile. »

Cette fois-ci, Dante reconnut cette voix. Il se retourna et scruta avec attention le visage de Chip, dissimulé en grande partie par ses épaisses dreadlocks. C'était bien ce qu'il pensait. Dante aimait bien ce type, en qui il avait confiance (plus ou moins) : il méritait qu'on lui obéisse. En tout cas pour cette fois.

Dante abaissa son poing à moitié serré et se recula. Il avait beau manquer à ses devoirs envers les membres de son clan, personne n'aurait pensé à l'en blâmer. Hunter venait de prouver qu'il était vraiment un putain de dur à cuire. En fait, tous les vampires présents au Nightjar s'inquiétaient du fait qu'un individu aussi déplaisant et sadique ait acquis un tel pouvoir. Les choses risquaient de partir sérieusement en vrille à

Santa Mondega, et pas que ce soir. Hunter était susceptible de représenter un problème sur le long terme.

Le bar tout entier observa Hunter pousser Obéissance dans le dos en direction de la sortie, en lançant des regards agressifs à toutes celles et tous ceux qui semblaient sur le point de lui poser problème. Lorsqu'ils arrivèrent devant la porte, Jéricho la déverrouilla et les laissa sortir, pour la verrouiller aussitôt. La foule poussa un long soupir de soulagement.

Les conversations reprirent très vite. Tous se mirent à discuter des événements auxquels ils venaient d'assister, se demandant si Obéissance était réellement le Bourbon Kid. À voix basse, on s'inquiétait également du fait que ce gros salopard d'Hunter ait acquis un tel pouvoir, qui lui avait permis d'envoyer balader à une dizaine de mètres des types aussi coriaces que Fritz et Silence, et ce, sans le moindre effort.

Au milieu de toutes ces conversations, Dante perdit Chip de vue. Il fouilla la foule du regard, en ayant toujours bien présent à l'esprit le fait que, pour une raison inconnue, le sérum n'avait pas fait effet ce soir. Il devait éviter à tout prix Fritz et Silence, ainsi que tout vampire qui se serait approché de lui tous crocs dehors. Il devait sortir de ce bar. Au plus vite.

Deux minutes n'étaient pas passées que le Nightjar fut de nouveau plongé dans un silence total. Un vacarme infernal venait d'éclater dehors. On entendait des cris dans la rue où, manifestement, une nouvelle bagarre faisait rage. Quelques clients se précipitèrent vers les hautes vitres étroites pour jeter un coup d'œil à l'extérieur. Il se passait quelque chose de vraiment très violent, mais personne n'arrivait à voir précisément ce dont il retournait. Il faisait trop sombre dehors et trop clair à l'intérieur pour qu'on puisse distinguer quoi que ce soit. Une chose était cependant évidente : quelle que soit la nature précise de ce qui était en train de se passer dehors, cela semblait s'enchaîner très vite.

C'est alors qu'un impact phénoménal retentit dans tout le bar.

Quelque chose, ou *quelqu'un*, venait de heurter l'énorme porte en bois massif, faisant trembler violemment le verrou. Les vampires qui se pressaient devant les vitres reculèrent. En fait, même ceux qui ne se pressaient pas devant les vitres se reculèrent.

BAM ! – les deux battants encaissèrent un nouveau choc et tremblèrent encore plus fort. Tout le monde recula d'une quinzaine de centimètres supplémentaires, les yeux écarquillés. Cette porte, cette grosse porte de chêne massif était sur le point de sortir de ses gonds grinçants. Mieux valait s'écarter du seuil. En fait, mieux valait s'écarter le plus loin possible.

Les Psychics, qui étaient incapables de résister à l'envie de jouer un morceau quand il y avait de l'action, tentèrent de détendre l'atmosphère en se lançant tout d'un coup dans une reprise du vieux classique des Animals, *We Gotta Get Out Of This Place*.

BAM ! – la porte vibra une fois de plus dans un effroyable fracas, et ses gros gonds de métal se mirent à plier très franchement sous les assauts répétés qu'ils essuyaient. On aurait dit qu'une douzaine d'hommes particulièrement musclés tentaient de faire céder l'entrée du Nightjar à l'aide d'un bélier. Quelle que soit la nature de ce qui se trouvait dehors, cela voulait entrer.

Tous les clients étaient à présent aussi loin que possible de la porte, qui allait céder d'un instant à l'autre.

BLAM ! – l'instant arriva.

À une vitesse à peine concevable, la porte s'arracha à ses gonds et, toujours verticale, traversa la salle du bar dans les airs. Plaqué au panneau extérieur, Hunter. Quelque chose l'avait frappé si fort qu'il avait le dos collé à la surface de la porte en chêne massif. Celle-ci plana jusqu'à ce que sa moitié inférieure rencontre le comptoir : la porte se retourna violemment vers l'avant et catapulta Hunter par-dessus le bar, le projetant contre les étagères remplies de bouteilles et de verres qui recouvraient le mur. Il s'écroula par terre dans une avalanche de planches de bois et de verres brisés, dans un vacarme évoquant la collision d'un train express et d'un camion de vitrier. La personne la plus proche du sinistre était Dino, qui avait eu la chance, si ce n'est la présence d'esprit, de se réfugier à l'autre bout du bar.

Pendant un moment, les clients restèrent plantés là, bouche bée, les yeux rivés au comptoir, observant Hunter se relever lentement, complètement déboussolé, recouvert de tessons, d'alcool et de menus débris divers et variés. Il se la ramenait beaucoup moins, à présent. Aussi synchrones qu'à un match de tennis, tous tournèrent alors la tête en direction de l'énorme trou béant où se trouvait jadis la porte du Nightjar.

Une silhouette se dessina dans ce qui restait de l'encadrement.

Celle d'un individu plus que patibulaire, particulièrement en rogne, et plus que jamais prêt à en découdre.

Dante ouvrit grand la bouche, aussi grand que l'ensemble des personnes présentes. Peut-être même plus encore. Un an auparavant, durant l'éclipse, il avait vu ce type décimer un bar plein à craquer. Et apparemment, il allait se passer exactement la même chose, ici et maintenant. Cette scène lui était plus que familière.

Déjà-Vu.

Le membre des Shades se tenait sur le seuil, drapé dans une longue cape à manches, capuche rejetée sur ses épaules. Lorsqu'il se fut assuré qu'il avait l'attention de toutes les personnes présentes, il en recouvrit sa tête, afin de signifier très clairement qui il était. Juste au cas où quelqu'un aurait encore eu des doutes à ce sujet.

Mais le doute n'était plus permis. C'était bel et bien le Bourbon Kid. Durant l'éclipse de l'année précédente, Dante n'était pas parvenu à voir clairement son visage, mais à présent que sa face était dissimulée en grande partie par sa capuche, son identité sautait aux yeux. Autant que son désir de se battre.

Hunter croyait pourtant qu'il avait encore une chance de l'emporter. En outre, il ne pouvait pas se permettre de perdre la face en présence de tous ces vampires sur lesquels il entendait régner par la suite. Il s'épousseta et se redressa de toute sa taille, montrant les crocs à tout individu qui avait le malheur de croiser son regard. Puis il se jeta dans la bataille. En un mouvement aussi fluide que rapide, il enjamba le comptoir et se précipita en direction du Kid qui marchait vers le centre de la salle.

« Espèce de putain de raclure ! T'ES UN HOMME MORT ! » hurla Hunter, fondant sur son ennemi encapuchonné avec une vitesse et une force sans précédent, même parmi la gent vampirique. Mais il manqua sa cible. Le Kid parvint à l'esquiver et répliqua par un coup de poing aussi véloce, mais bien plus précis.

Hunter était peut-être aussi rapide et aussi puissant que le Bourbon Kid, mais, en termes d'expérience et de talent naturel au corps à corps, il faisait figure de simple amateur dans un tournoi professionnel.

Le poing du Kid écrasa les côtes de son adversaire dans un craquement répugnant, forçant l'inspecteur à se plier en deux. La ténacité et la résistance à la douleur d'Hunter étaient cependant exceptionnelles, et il se remit presque aussitôt de ce coup. Il se redressa et envoya un nouveau punch en direction du Kid. Encore raté. Et de nouveau, le Kid lui montra, ainsi qu'à l'ensemble de leur public, comment balancer un coup de poing digne de ce nom. Celui-ci fut porté plus haut, mais avec une rapidité et une précision égales au premier.

CRAC ! – nez cassé.

Au mépris de la douleur, Hunter riposta instinctivement. Et rata une fois de plus sa cible.

CRAC ! – un nouveau coup à la cage thoracique. À présent, au moins trois des côtes d'Hunter lui transperçaient l'estomac et les poumons, gênant considérablement l'arrivée d'oxygène, et provoquant diverses hémorragies internes assez copieuses.

Il contre-attaqua de nouveau mais, cette fois, le coup de poing avait perdu toute rapidité et toute force. Comme à son habitude, le Kid esquiva facilement, avant d'avancer d'un pas menaçant vers son adversaire défaillant. Aux yeux de tous, il était évident que ce combat aurait été interrompu à cet instant précis en présence d'un arbitre. Malheureusement pour Hunter, aucun homme au maillot rayé noir et blanc ne se trouvait dans la salle pour siffler la fin du combat, et aucun entraîneur n'était là pour jeter l'éponge.

Le tueur à la capuche plaqua sa main sur la gorge de sa victime blessée et la serra fermement. Il souleva ainsi Hunter et courut de toutes ses forces en direction du comptoir saccagé, tenant devant lui l'inspecteur vampire à présent terrorisé. Approchant à grande vitesse, le Kid sauta soudain sur le comptoir sans lâcher Hunter. Il souleva la tête de celui-ci encore plus haut, la poussant vers les gigantesques pales en métal du plafonnier qui tourbillonnaient au bout du bar. Hunter jeta un coup d'œil au plafond, sachant pertinemment le sort qui était promis à son cuir chevelu. Mais il avait grillé toutes ses cartouches. Il n'avait plus aucun moyen de l'empêcher.

Le Kid trouva un assez bon appui sur le dessus du comptoir, et, en soulevant franchement sa victime, poussa la tête d'Hunter dans les pales véloces. Toutes les personnes présentes dans le bar assistèrent à la scène comme s'il s'agissait d'un accident de la route : tous auraient voulu détourner leur regard horrifié, mais leur curiosité morbide les en empêchait.

Durant une dizaine de secondes, le Kid avança progressivement la tête d'Hunter dans le ventilateur aux pales aiguisées comme des rasoirs. Et observa ce qui en résulta sans la moindre émotion.

Pour commencer, la chevelure claire et dégarnie du Sale Porc fut dispersée dans tout le bar comme autant de fines volutes de fumée. Une fois ses cheveux rasés de près, ce fut au tour du cuir chevelu, entamé par une pale, et scalpé net par la suivante. Le sommet du crâne suivit, puis le cerveau. La tête d'Hunter fut découpée à grande vitesse en fines tranches sanguinolentes par les pales du plafonnier. Sang, bouts de cervelle et d'yeux se répandirent aux quatre coins du bar.

Une fois la tête saucissonnée jusqu'en haut du cou, le Kid lâcha la gorge d'Hunter, et le corps de celui-ci tourna en rond, attaché à l'une des pales. Au terme d'une rotation de 360 degrés, il se détacha enfin et alla voler plus loin sur le comptoir, renversant verres et bouteilles qui s'y trouvaient, et laissant derrière lui une longue traînée de sang.

Les individus qui se trouvaient dans le Nightjar comprirent alors, mais un peu tard, que le massacre du Kid ne faisait que commencer. À présent, il était temps de se débarrasser de *toutes les autres* créatures du mal qui se trouvaient en ces lieux. Sans exception, et sans la moindre pitié. Le Kid tira de sous sa cape ses deux Skorpion, et sauta sur le torse d'Hunter, dont le cadavre glissa lentement sur le comptoir. Ses pistolets-mitrailleurs braqués sur la foule, il se servit du cadavre comme d'une planche et surfa sur toute la longueur du bar en tirant dans tous les sens. *Et en faisant mouche à chaque balle*. Les vampires se ruèrent en masse vers la porte fracassée.

Mais aucun n'en atteignit le seuil. Chaque coup de feu fut tiré en souvenir de Casper. Le tueur à la capuche appuyait sans discontinuer sur les deux détentes, mû par une haine infinie envers les créatures du mal. Le désir d'éradiquer l'ensemble des vampires était gravé dans le visage dissimulé par la capuche. Pour ce qu'une poignée d'entre eux avaient commis, ils allaient payer, tous, jusqu'au dernier.

Arrivé au bout du comptoir, le Kid laissa l'immonde cadavre d'Hunter glisser seul et s'écraser sur une table qui se trouvait dans un coin, projetant contre les murs les verres qu'on y avait abandonnés. Puis le Kid rebroussa chemin le long du comptoir, choisissant de sang-froid ses victimes, les unes après les autres. Une arme automatique dans chaque main, il tirait sur quiconque osait tenter de lui échapper. Arrivé à mi-chemin, au beau milieu du bar, il fut à court de munitions. Il laissa tomber ses Skorpion par terre, et, en un éclair, tira deux autres pistolets-mitrailleurs, plus petits, des holsters qu'il dissimulait sous sa cape. Il quitta le comptoir d'un bond et atterrit au centre de la salle, tirant dans le dos d'un bon nombre de clients en déroute, des vampires pour la plupart. Évidemment, le risque de tomber dans le tas sur un humain innocent existait bel et bien, mais cela ne semblait pas vraiment préoccuper le Bourbon Kid.

Lorsque le massacre arriva enfin à son terme, le bar était entièrement jonché de cadavres fumants, qui tombaient en cendres les uns après les autres, et, ici et là, le corps de quelque mortel infortuné [1]. Les uniques survivants, outre le Bourbon Kid en personne, étaient Dante, Dino le patron (tous deux sous le choc de ce spectacle atroce, et à moitié sourds), ainsi que Chip, du clan des Dreads.

Dante se palpa sous toutes les coutures, en quête du moindre impact, et constata avec soulagement que toutes les balles l'avaient curieusement manqué. De son côté, Chip en avait reçu deux en pleine poitrine, à

1. Il est à noter une curiosité remarquable de la physiologie des vampires, qui est que leur cadavre ne se décompose pas toujours de la même façon. Après le massacre du Nightjar, certaines dépouilles fumèrent, puis prirent soudainement feu, avant d'être réduites en cendres ; d'autres se liquéfièrent dans une puanteur intolérable, fondirent et coulèrent entre les lames du plancher ; d'autres encore se contentèrent de gésir là, attendant que le processus naturel de décomposition fasse son œuvre.

travers son haut de kimono noir, et il saignait un peu, mais, bizarrement, il semblait se porter au mieux. Son large pantalon de karaté était maculé de sang, mais pas du sien.

Le Kid, qui venait de rejeter sa capuche sur les épaules, rangea les pistolets quelque part sous sa cape, puis se pencha pour ramasser ses Skorpion, qu'il fit également disparaître. Il se fraya un chemin entre les bris de verre et les cadavres plus ou moins décomposés, en direction de Chip. Il s'immobilisa à moins d'un mètre de lui, et tous deux se jaugèrent du regard pendant un moment. Le rasta blanc en tenue de karaté ne semblait pas le moins du monde effrayé par l'homme qu'il avait en face de lui. Au moment même où le Kid s'apprêtait à ouvrir la bouche, Chip dégaina un pistolet, dissimulé jusque-là entre la ceinture de son pantalon et le bas de son dos. D'un geste leste, il le braqua en direction de la tête du Kid, et tira. La balle siffla à quelques centimètres de l'oreille gauche du tueur.

Une machette à la main, Reuben le clown venait de se relever juste derrière le Kid. Pendant quelques minutes, le sinistre clown avait fait le mort par terre, dans l'espoir de rester en vie au moins jusqu'à ce que l'assassin à la capuche se retrouve à court de munitions. Son plan avait plutôt bien fonctionné, à ceci près qu'à la dernière seconde, alors qu'il s'était relevé pour en finir avec le Kid en l'attaquant par-derrière, Chip lui avait tiré une balle en pleine tête. En un clin d'œil, le clown se retrouva de nouveau allongé sur le dos. Cette fois, il ne faisait plus semblant d'être mort.

Le Bourbon Kid ne se donna pas la peine de se retourner pour voir qui Chip venait d'abattre. Au lieu de ça, il tira de sous sa cape un paquet souple, le porta à sa bouche, et en tira une cigarette avec les dents.

« Et tu ne me remercies pas pour ça ? demanda Chip en désignant de la tête le cadavre fumant du clown à la perruque verte, juste derrière le Kid.

— J'aurais pu m'en occuper tout seul.

— *Mon cul !* s'écria Chip. Il allait te découper en deux !

— Tu crois vraiment que j'aurais pas vu ses pieds ? »

Le regard de Chip se posa sur les bottes marron dont Reuben était chaussé. Chacune devait bien mesurer quatre-vingt-dix centimètres, et toutes deux se dressaient en un « V » ridicule. Pour que sa proie se trouve à portée de machette, le clown aurait dû se rapprocher encore davantage, et la pointe de ses chaussures ridicules n'aurait pas manqué de dépasser celle des bottes noires du Kid.

« Oh ! je vois », dit Chip d'un air piteux.

Le Kid le scruta de la tête aux pieds.

« Je viens de capter qui t'es, dit-il en acquiesçant. T'es ce moine de l'année dernière.

— Peto, pour être exact, répliqua l'ex-moine d'Hubal aux épaisses dreadlocks.

— Quand j'en aurai fini ici, je vais devoir t'emprunter cette pierre bleue que tu as autour du cou. »

Peto acquiesça à son tour : « Je sais. »

Il observa le Kid allumer sa cigarette en tirant simplement dessus. Peto avait très envie d'apprendre ce tour, mais avant de partager ce genre de trucs avec ce type, il devait lui poser un certain nombre de questions. Par exemple : pourquoi tuait-il des gens innocents ? Ou encore : regrettait-il ses actes ? Peut-être qu'après lui avoir enseigné comment allumer spontanément une cigarette, le Kid finirait-il par entendre raison, et autoriserait-il Peto à lui parler de morale et d'éthique. Le moine espérait de tout cœur sauver l'âme de cet homme. Après tout, même s'il s'agissait d'un tueur sanguinaire, il était le fils d'Ishmael Taos : à ce titre, il ne pouvait être complètement mauvais. Peto savait que Taos aurait voulu que son fils sache distinguer le bien du mal, et soit capable de se repentir de ses péchés. Il voulait enseigner toutes ces choses au Kid : il le devait bien à son ancien mentor. L'Œil de la Lune s'avérerait d'une aide précieuse dans cette tâche. Son pouvoir de guérison parviendrait à laver le Bourbon Kid de tous ses démons personnels. Mais avant toute chose, Peto devait savoir à quel point son esprit était souillé par les ténèbres, et si quelque regret se cachait derrière ce regard inquiétant.

« Il faut que je te dise une chose, mon petit monsieur, lança le moine en secouant son index à l'intention du Kid. Tu n'aurais pas dû assassiner Ishmael Taos.

— Et ? »

La réaction de son interlocuteur l'énerva considérablement. Le Kid se moquait éperdument d'avoir tué le plus grand moine qui ait jamais existé. Peto en avait assez appris à son sujet pour savoir qu'il avait ses raisons d'avoir agi de la sorte, et que sa haine impitoyable des créatures du mal faisait de lui un allié idéal, mais il lui était très difficile d'accepter son absence totale de sens moral.

« Tu n'aurais pas dû le tuer. C'est tout.

— OK. Autre chose ?

— Non.

— Alors, allons boire un coup. » Le Kid se tourna vers Dino, qui venait juste de sortir la tête de sa cachette, derrière le comptoir, et retirait quelques éclats de verre de sa chevelure noire. « Toi. Sers-moi trois bourbons. Et remplis les verres à ras bord.

— Tout de suite », soupira le patron du Nightjar, passablement remué, traînant du pied dans les débris divers derrière le comptoir, à la recherche de bouteilles et de verres intacts. Son bar était dévasté, et tous ses habitués étaient morts. Par miracle, lui ne l'était pas. Il se résolut à considérer cela comme un point positif.

Le Kid se retourna vers Dante et Peto : « Vous voulez quelque chose, tous les deux ?

— Je vais te prendre une bière, Dino, s'il te plaît, lança Dante au patron.

— Une bière pour moi aussi, enchaîna Peto. Et mets-y une mesure de bourbon. »

Dante n'avait fait qu'assister aux événements mortifères qui venaient de s'enchaîner, et qui dépassaient en horreur tout ce qu'il avait pu voir auparavant. Et ce n'était pas peu dire. En contemplant le chaos qui l'entourait, il inspira profondément. Il allait lui falloir pas mal de temps pour intérioriser tout ça. Une chose était sûre, il faudrait tirer au clair pas mal de trucs. Tout d'abord, l'homme à la capuche qui se tenait devant lui venait de tuer une centaine de personnes au bas mot, dont certaines étaient censées être des amis de Dante. Enfin, plus ou moins. Fritz, Silence et une sacrée poignée d'autres créatures du mal venaient d'être éliminés par le Kid. Et puis tiens, ça aussi, ça posait problème : qui était ce putain de malade, au juste ?

« Alors, comment je dois t'appeler, maintenant ? Déjà-Vu, Bourbon Kid, autre chose ? demanda Dante à l'intéressé.

— Rien à foutre. Appelle-moi comme tu veux.

— Ça roule, Dave. Au fait, merci de pas m'avoir tué. »

Le Kid cracha une bouffée de fumée, ramassa un tabouret de bar et alla s'asseoir au comptoir. « Il me semble que je t'avais dit que je te revaudrais ça, après le coup de main que tu m'as donné durant la dernière éclipse. C'était bien toi qui étais déguisé en Terminator, non ?

— Ouais. Merci, mec. On dirait qu'on est quittes, alors ?

— Même pas en rêve. Je t'ai sauvé d'un clown en lui tirant une balle dans la tête, l'autre nuit. Maintenant, c'est *toi* qui as une dette envers moi. » Il observa une pause pour dévisager Dante et Peto d'un regard terrible. Ce qu'il leur dit alors les surprit tous les deux : « J'aimerais que vous m'aidiez sur un coup, une autre connerie que j'ai à régler. Deux putains de vampires vraiment coriaces que je dois supprimer. Vous en êtes ? »

En temps normal, le Bourbon Kid n'était pas vraiment enclin à demander de l'aide à autrui, mais un moine d'Hubal porteur de l'Œil de la Lune et un mec qui avait contribué à la mise à mort de Jessica, la reine des vampires, pouvaient être des alliés très utiles. Et, étant donné sa condition de vampire, il lui était impossible d'avoir recours à sa bonne vieille ruse (dite du « Accroche-toi le *Livre sans nom* au poitrail ») pour éliminer le suceur de sang en chef, dont l'identité restait encore à déterminer.

« J'en suis », répondit Dante. Comme toujours lorsqu'il s'agissait de se battre, il était partant. Par ailleurs, il n'était pas très sûr de la réaction du Kid s'il déclinait sa proposition.

« Est-ce que ça a quelque chose à voir avec Ramsès Gaius ? » demanda posément Peto.

Le Kid fronça les sourcils.

« Quel rapport ça pourrait avoir, putain ? Il est mort il y a des siècles.

— Il l'était, corrigea Peto. D'après ce que j'ai entendu dire, il est revenu d'entre les morts lorsque tu as assassiné Armand Xavier et Ishmael Taos, meurtres qui ont annulé la malédiction qui pesait sur lui.

— Putain, vous, les rastas. Tu ferais mieux d'arrêter la weed, mec.

— Je suis sérieux.

— J'en ai rien à foutre.

— Eh bien, tu devrais t'en préoccuper. Il y a une momie en liberté quelque part dans cette ville.

— Et si tu allais l'enculer un coup, ta momie ?

— Ce n'est pas très gentil, observa Peto sur le ton de la défensive.

— J'ai l'air gentil ? »

C'était une question ouverte qui ne nécessitait pas vraiment de réponse. Le Bourbon Kid était recouvert de sang et déguisé en croque-mitaine, alors, non, effectivement, il n'avait pas l'air gentil.

« Écoute, reprit Peto, c'était simplement pour te mettre au courant. Si tu te fiches de Gaius, c'est très bien. Pour te répondre, maintenant : oui, tu peux compter sur mon aide pour tuer ces vampires, mais une fois cette tâche accomplie, je suggère que nous nous cassions de cette ville avant que cette momie fasse son entrée sur scène.

— Merci, dit le Kid de son ton rocailleux, reconnaissable entre tous. À présent, buvons un coup pour décompresser. Et s'il te plaît, *moinillon*, occupe-toi de ce juke-box. J'ai comme l'impression que j'ai exterminé le groupe. »

Les cadavres des Psychics se réduisaient lentement à l'état de cendres fumantes entre leurs instruments troués d'impacts de balles. Leur disparition peinait Peto, qui appréciait cette habitude qu'ils avaient de jouer une reprise correspondant à chaque circonstance. Tout en regrettant leur décès brutal, il s'approcha du vieux juke-box Wurlitzer qui se trouvait au fond de la scène, dans le coin gauche. Très étonnamment, la machine paraissait n'avoir essuyé aucun coup de feu. C'était un vieux truc en sale état, qui n'avait pas servi depuis le jour où les Psychics avaient débarqué en insistant pour jouer gratuitement chaque soir, il y avait six mois de ça. Dino avait éteint le juke-box en plein milieu d'une chanson, sans intention de le rallumer un jour.

Peto se tenait à côté de l'appareil, tourné vers Dante et le Kid. Soudain, il donna un coup de coude au juke-box, comme il avait vu Fonzie le faire dans la série télé *Happy Days*. La machine se ralluma instantanément, et, lorsque Peto s'assit aux côtés de ses compagnons, Thin Lizzy entamait le refrain de *The Boys Are Back In Town*.

46

On le comprend, de La Cruz était dans un état de panique absolue, en grande partie parce qu'il n'avait toujours pas la moindre idée d'où était passé Benson. Personne n'avait revu son collègue depuis le petit matin, plus précisément lorsqu'il avait quitté le commissariat sans dire à quiconque où il allait. À cela s'ajoutait ce qu'il avait entendu dire à propos du Fawcett Inn, du Tapioca et du Nightjar. Ces trois bars avaient reçu une visite surprise du Bourbon Kid. Les trois avaient été le théâtre d'un massacre. La prochaine étape du psychopathe à capuche serait sans nul doute le commissariat.

De La Cruz était extrêmement tenté de fuir à toutes jambes, mais, il le savait, il se serait alors retrouvé livré à lui-même, condamné pour le restant de ses jours à regarder par-dessus son épaule, à l'affût constant d'une visite du croque-mitaine. Il allait devoir appeler à la rescousse autant de policiers que possible, et faire front à l'adversité, ici même, dans le commissariat. En raison de l'heure tardive, les seules recrues envisageables étaient les flics vampires, les seuls à aimer bosser de nuit. L'un d'eux était l'officier roux de la réception, Francis Bloem, qui faisait des pieds et des mains pour trouver un maximum de collègues disponibles disposés à protéger de La Cruz (et Benson, s'il se décidait enfin à réapparaître).

Rivé au téléphone de la réception, Bloem avait l'impression de devenir cinglé. Il semblait quasiment impossible de mettre la main sur un flic. Beaucoup de ceux qu'il avait essayé de contacter ne décrochaient même plus leur portable ou leur radioémetteur. Les raisons de ce silence étaient peu claires, mais il existait une certaine probabilité pour que beaucoup se trouvent dans l'incapacité de répondre, tout bonnement parce qu'ils étaient morts. Remuant sur son siège, Bloem feuilletait son carnet d'adresses personnel, espérant y trouver d'autres numéros auxquels il aurait pu joindre certains de ses collègues, lorsque de La Cruz fit brusquement irruption. De toute évidence, le capitaine était vraiment terrorisé. Sa belle chemise rouge, imbibée de sueur, était quasiment collée à sa peau, comme s'il venait de prendre une douche tout habillé.

« T'as trouvé quelqu'un ? demanda-t-il d'une voix affolée, incapable de dissimuler sa panique.

— Les seuls à avoir répondu présents sont Goose et Kenny, monsieur, répondit Bloem. Ils sont en chemin. »

De La Cruz demeura un instant hébété. Seulement *deux* hommes ? Et deux bons à rien, en plus. Sa déception était flagrante.

« Goose et Kenny, grogna-t-il.

— Oui, m'sieur.

— On est morts.

— Je vais poursuivre mes recherches de renforts, capitaine, mais personne ne semble vouloir décrocher. J'imagine qu'ils sont déjà au courant de ce qu'il se trame et qu'ils n'ont pas envie de s'en mêler. À moins qu'ils ne soient déjà morts. »

De La Cruz fronça les yeux et attrapa la feuille qui se trouvait sur le bureau de Bloem. Y figurait une liste de policiers, dont les noms précédaient des croix, à l'exception de Goose et de Kenny, marqués d'un simple trait. Et si Benson avait lui aussi décidé de se tenir à l'écart ? Et s'il était déjà mort ? Si les rumeurs qui circulaient déjà étaient fondées, Hunter venait d'essuyer la dernière raclée de sa vie, dûment administrée par l'impitoyable Bourbon Kid. Pour l'immortalité, on pouvait toujours repasser. Malgré ce qu'ils avaient cru, le fait de boire du sang à même le saint calice semblait ne pas changer grand-chose à leur condition de vampires. Si le Kid arrivait à vous mettre le grappin dessus, de toute façon vous vous faisiez baiser. Pas bon, tout ça. Pas bon du tout. *Putain, Benson*, pensa de La Cruz. *T'as intérêt à ne pas me laisser tomber. Pas maintenant.*

Exactement au même moment, Randy Benson se tenait face au bureau de la réception d'une clinique, à trois kilomètres à peine du commissariat. Les portes de l'établissement avaient été rouvertes à sa demande, longtemps après la fermeture quotidienne, fixée à 17 heures très précises. Une poignée d'employés avaient dû retourner sur leur lieu de travail afin d'accéder au souhait de l'inspecteur. C'était loin de les enchanter, mais toute urgence policière exigeait leur pleine et entière coopération.

Benson tenait dans ses mains un livre dont il lisait à haute voix certains détails, à l'intention de l'infirmière chargée de la réception. L'infirmière en question, Jolene Bird, griffonnait les nombres qu'il lui soumettait. Le fait d'être confrontée à un inspecteur aussi aguerri que Benson la rendait un peu nerveuse, et elle s'efforçait de le cacher. De sa main libre, elle tripotait ses boucles blondes, et les rares fois où elle s'interrompait, c'était uniquement pour rehausser la monture bleue de ses lunettes. L'important était de s'occuper les mains. Cela faisait une bonne vingtaine d'années qu'elle travaillait à la clinique, et elle savait reconnaître une visite policière vraiment sérieuse. Ce type de descente était lié la plupart du temps à une affaire d'homicide. Et ça semblait être le cas ici. À la seule idée que, par une simple erreur, elle pouvait définitivement compromettre une enquête pour meurtre, Jolene se sentait à bout de nerfs.

« Pouvez-vous me présenter votre mandat de perquisition, inspecteur ? demanda-t-elle à Benson en fuyant son regard.

— Bien sûr », répondit Benson en souriant, afin de la tranquilliser. Il tira une feuille jaune de la poche avant de sa chemise et la lui tendit.

« Très bien, merci », dit Jolene en souriant nerveusement tandis qu'elle se saisissait du mandat. Elle se concentra de toutes ses forces sur les nombreux points du document officiel afin de s'assurer que tout était en ordre, puis plia la feuille en deux et la rangea dans l'une des poches de sa longue blouse blanche.

« Ça m'a l'air parfait, conclut-elle. Si vous voulez bien me suivre, je vais vous y conduire, et je vous le remettrai. »

Elle ouvrit un petit placard en métal qui se trouvait derrière elle, en inspecta l'intérieur un moment, attrapa une clé qu'elle fit disparaître au fond de sa poche, puis referma le placard et se leva.

Benson suivit l'infirmière Bird à travers une série de portes à double battant et de couloirs, en laissant tout du long un bon mètre entre elle et lui, afin d'admirer son joli postérieur. Si pour une raison ou pour une autre il se voyait contraint de détaler seul en urgence de la clinique, il se retrouverait dans un sacré pétrin. Les yeux rivés aux fesses qui roulaient sous la blouse blanche, il n'avait pas la moindre idée de l'itinéraire qu'ils empruntaient. Ils finirent par descendre plusieurs volées de marches pour accéder au sous-sol, et lorsqu'ils arrivèrent à hauteur d'une chambre forte gardée par deux solides vigiles vêtus d'uniformes bleus, Benson n'avait toujours pas réussi à déterminer si, oui ou non, elle portait une petite culotte.

Sur l'énorme porte grise de la chambre forte se trouvait une pancarte où l'on pouvait lire « CHAMBRE DE CRYOCONSERVATION ».

« Pouvons-nous entrer, s'il vous plaît ? demanda l'infirmière Bird.

— Pas de problème, Jolene », répondit l'un des vigiles. Il se retourna et composa un code à six chiffres sur le clavier numérique intégré dans le mur. Jolene s'avança ensuite pour composer un autre code, puis elle tendit la tête en direction du dispositif de reconnaissance rétinienne qui se trouvait au-dessus du clavier numérique. Il y eut un simple flash, et le logiciel de reconnaissance identifia aussitôt la rétine qui lui était présentée. Dans un léger sifflement, la porte s'entrebâilla très lentement vers l'extérieur, de quelques centimètres à peine. C'était une porte en acier particulièrement épaisse : le mécanisme de déverrouillage était tout juste assez puissant pour l'entrouvrir. L'un des deux gardes l'ouvrit en grand et la retint pour laisser passer les deux visiteurs. Jolene Bird entra en premier, suivie de Benson.

« Brrr, ça caille là-dedans », s'exclama l'inspecteur. Sa sensation de froid venait surtout de la blancheur éclatante des murs et de la réaction des humains autour de lui, puisque sa température corporelle personnelle était si basse qu'elle le prémunissait contre ce genre de désagrément. Portant une simple chemise à manches courtes, il se devait de faire une telle remarque pour ne pas attirer l'attention.

« On peut le dire, répliqua l'infirmière Bird en souriant. C'est vrai qu'on évite de mettre le chauffage ici. »

Elle fouilla dans sa poche et en tira le mandat de perquisition.

La chambre de cryoconservation était divisée en plusieurs petites allées, séparées par des rangées de coffres qui s'élevaient jusqu'au plafond. À gauche de la porte se trouvait un escabeau, au cas où un visiteur aurait voulu consulter l'un des coffres les plus haut perchés. La salle comptait une trentaine d'allées, et chacune abritait de part et d'autre approximativement un millier de petits coffres.

L'infirmière ouvrit une fois encore la marche, Benson sur ses talons. Ils passèrent devant une dizaine d'allées pour s'arrêter enfin devant celle qui portait le code 9N86. Jolene consulta la feuille jaune qu'elle tenait, et, s'étant assurée qu'elle ne s'était pas trompée, s'engagea dans l'allée, longeant la rangée sur une vingtaine de mètres. Elle s'immobilisa de nouveau, cette fois devant le coffre nº 8 447, situé légèrement en dessous du niveau de ses yeux, sur la rangée gauche de l'allée.

Jolene sortit alors d'une autre poche la clé qu'elle avait prise à la réception. En dépit du froid qui lui engourdissait les doigts, elle parvint à l'enfoncer du premier coup dans la serrure du coffre, juste en dessous du numéro. Jugeant qu'elle l'avait poussée assez loin, elle la fit tourner lestement vers la droite, dans un cliquètement qui la soulagea considérablement.

« Pour être franche, je doute qu'on s'en serait servi un jour, dit-elle en ouvrant le clapet pour retirer le compartiment qui se trouvait derrière. C'est un groupe sanguin extrêmement rare. Nous ignorions même son existence jusqu'à ce que cet échantillon atterrisse ici. »

Elle plongea sa main dans le compartiment et en retira une poche plastique contenant un demi-litre de sang congelé, qu'elle tendit à Benson. Il contempla un instant l'objet, avant de sourire une fois de plus à l'infirmière.

« Il faut dire qu'Archibald Somers n'était pas un type comme les autres, pas vrai ? » lança-t-il.

47

Peto tira sur sa cigarette et considéra le chaos qui l'entourait. Le Nightjar était une vraie ruine, éclaboussée de sang. Membres et autres parties de corps jonchaient le sol, s'amoncelaient par endroits entre tables et chaises, arrachés à leurs propriétaires par les balles dum-dum du Kid. Un certain nombre de dépouilles de vampires n'étaient déjà plus que de petits tas de poussière et de cendres. Il s'élevait tellement de fumée des innombrables morceaux de chair éparpillés par terre que le bar commençait à ressembler à un vrai hammam. En réfléchissant à tout ce qui s'était passé, Peto recracha la fumée et se tourna vers l'homme accoudé au bar à côté de lui, le Bourbon Kid en personne.

« Il faut que je sache, dit-il. Est-ce que c'est toi qui as tué Kyle ? Ou est-ce quelqu'un d'autre ? »

Le Kid était assis à gauche de Peto, mais Dante se trouvait entre eux. Il était pourtant évident que c'était au Kid que Peto s'adressait. Sur le comptoir se trouvaient trois verres de bourbon, deux vides, et l'autre à moitié plein. À côté, deux verres de bière, quasiment remplis à ras bord.

« C'est qui, Kyle ?

— C'était mon meilleur ami. Il a été tué au Tapioca pendant l'éclipse. »

Dante s'en mêla :

« Je crois que c'est Gene Simmons ou Freddy Krueger qui a buté Kyle. Les flics ont fait porter le chapeau à notre camarade ici présent, sûrement parce que ça les arrangeait.

— Ouais, lâcha le Kid dans un haussement d'épaules, avant d'inspirer une taffe. Ils m'ont mis des centaines de meurtres sur le dos qui étaient pas vraiment de mon fait. S'il fallait croire tout ce qui se raconte, je serais responsable de la mort de Liberty Valance et de Nice Guy Eddie.

— Qui ça ? demanda Peto.

— Peu importe. »

Dante se décida à aborder un sujet de moindre importance, mais qui le tracassait quand même : « En revanche, tu viens bien de buter les Shades, pas vrai ?

— Ouais.

— C'était pas des amis à toi ?

— J'ai pas d'amis.

— On se demande pourquoi, lança Peto l'air de rien.

— Crois-le ou pas, mais c'est mon choix.

— Bien sûr.

— Écoute, gros malin, tous ceux qui me sont trop proches finissent toujours par se faire traquer par des vampires, des loups-garous, et toutes sortes de pourritures du même genre. J'ai dû prendre de la distance vis-à-vis de toutes les personnes qui comptaient à mes yeux. Et faut croire que j'en ai pas pris assez, parce que mon petit frère s'est fait assassiner. C'était moi que ses meurtriers visaient. Tous les deux, vous pouvez vous estimer heureux que je vous considère pas comme des amis, sans quoi il vous resterait plus qu'une semaine à vivre.

— Ton frère est mort ? s'exclama Dante.

— Ouais. Tué par cet enculé d'Hunter et quatre de ses amis. Reste encore deux d'entre eux à supplicier pour finir le boulot. Alors si tu me demandes si j'étais pote avec certains des vampires que je viens de buter, ma réponse est non. Je les détestais tous, jusqu'au putain de dernier. Ça fait des mois que j'attends que notre ami le moine à la con se pointe avec l'Œil de la Lune, histoire de me débarrasser de tout ce sang de vampire qui me coule dans les veines. Peut-être que, une fois que ce sera fait, je pourrai mener une vie normale. Et peut-être alors envisager d'avoir des amis.

— Donc tu n'avais pas la moindre sympathie pour aucun des membres des Shades ? » insista Dante, bien inutilement.

Le Kid le regarda droit dans les yeux, perplexe. Il se résolut pourtant à répondre à cette question, non sans avoir recraché une bouffée de fumée au visage du jeune homme un peu long à la détente.

« Ces types t'auraient tué sans y repenser à deux fois s'ils s'étaient rendu compte de ton imposture. Et puis au fait, comment t'as réussi à leur cacher ça ? Moi, je t'ai repéré direct. T'étais aussi visible qu'un putain de phare au milieu de l'océan.

— C'est le sérum que je prends. Un mec des services secrets me l'injecte. Ça fait baisser la température de mon sang, ce qui me permet de me faire passer pour un vampire. Même si, apparemment, ça n'a pas très bien marché ce soir. »

Il frissonna en se souvenant de la remarque d'Obéissance, à propos du « dîner » qu'il espérait s'offrir en compagnie de Fritz.

« Tu bosses pour les services secrets ?

— Uniquement tant qu'ils retiendront ma copine en otage.

— Tu veux que je les bute ? proposa le Kid d'un ton décontracté.

— Pourquoi pas, répondit Dante, pour s'empresser d'ajouter aussitôt : mais pas elle, hein.

— Bien sûr. Il me reste encore deux vampires à éliminer, et après on pourra s'occuper de leur cas. Et toi, petit moine ? Comment tu as fait pour t'infiltrer aussi bien ? Même moi, je n'y ai vu que du feu.

— Sans déconner ? » lança Peto, en se grattant l'une de ses blessures par balle presque guérie, juste en dessous de son épaule gauche. J'ai un peu appris à me servir de l'Œil de la Lune. C'est une pierre extrêmement puissante, tu sais. Elle n'a pas que des pouvoirs de guérison.

— Heureux de l'apprendre, dit le Kid en écrasant son mégot sur le comptoir et en expirant la dernière taffe de fumée par le nez. Une fois qu'on en aura terminé ce soir, je vais t'emprunter cette pierre et m'en servir pour guérir quelques petites saloperies que j'ai chopées. Et en tout premier, celle qui me fait me transformer en un putain de vampire toujours au pire moment.

— J'imagine que ça doit être dur de maîtriser un truc pareil, remarqua Dante.

— C'est clair que si on ajoute à ça un petit problème de boisson et une tendance à s'emporter facilement, c'est pas tout à fait une sinécure. »

Le Kid vida d'un trait son fond de bourbon et jeta par-dessus son épaule son verre, qui se brisa par terre. Puis il tira une autre cigarette de son paquet. En entendant le verre se briser, Dino sortit de l'arrière-boutique pour apparaître derrière le comptoir :

« Est-ce que c'était vraiment nécessaire ? demanda-t-il.

— C'est quoi, ta couleur préférée ? répliqua le Kid en plongeant une main sous sa cape.

— Le bleu. Pourquoi ? »

BANG !

Le Kid venait de dégainer un puissant revolver plaqué de nickel, et l'avait braqué sur Dino, pour lui percer un gros trou dans la tête. Le sang éclaboussa Dante et Peto, qui instinctivement se reculèrent. Le cadavre du patron resta debout une ou deux secondes de plus qu'auraient dû le permettre les lois de la physique, en grande partie parce que Dino avait des pieds très grands et très larges, et qu'il se tenait toujours impeccablement droit. Mais après ce court instant, qu'il passa à fixer un point perdu au bout du bar, ses genoux cédèrent et il s'écroula en arrière, fracassant une étagère sur laquelle il venait de ranger quelques verres.

« Putain ! glapit Peto. Mais qu'est-ce que t'as contre le bleu ?

— Rien du tout. C'était juste histoire de faire diversion avant de dégainer. » Le Kid tira sur sa cigarette. « C'est quoi, ta couleur préférée à toi ? »

Peto réfléchit un court instant :

« Je peux répondre plus tard ?

— Bien sûr. » Le Kid rangea son revolver sous sa cape. « Je crois que le moment est venu pour nous de dégager d'ici. J'ai l'impression qu'un petit tour chez Domino's vous ferait pas de mal.

— Génial, dit Dante en se levant de son tabouret de bar. Je me taperais bien une trentaine de pizzas. » La destruction et le chaos, à l'instar du sexe, avaient toujours le don de lui ouvrir l'appétit.

« Je te parle pas de la chaîne de restauration. Je parle de la boutique de déguisements. Histoire de se changer. »

C'était plutôt bien vu. Ses deux compagnons étaient recouverts de sang. Ce n'était du reste pas vraiment de leur faute. En fait, c'était complètement de la faute du Kid. Mais là encore, ce n'était peut-être pas la peine de le lui faire remarquer.

Le Kid ouvrit la marche en direction de la sortie, suivi de Peto et de Dante. Il marqua brièvement le pas pour sortir de nouveau son revolver. Cette fois, il pointa le canon sur le juke-box, au centre duquel il perça un énorme trou. Cela suffit amplement à faire taire le vieux Wurlitzer en plein milieu du *I Fought the Law* des Clash.

Une fois dehors, il s'avança vers une élégante voiture de sport noire, garée de l'autre côté de la chaussée. Les rues n'étaient pas éclairées, et les ténèbres étaient profondes : il fut dans un premier temps impossible de deviner de quel modèle il s'agissait, même si le renflement du capot semblait indiquer un moteur franchement très puissant. La seule source de lumière était la lune bleu clair, en partie cachée par un gros nuage gris et menaçant. Lorsque le Kid ouvrit la portière conducteur, Dante reconnut enfin la voiture..

« C'est bien une V8 Interceptor ? demanda-t-il.

— Carrément. Cool, hein ?

— Putain, tu m'étonnes. Tu sais, j'ai déjà eu une DeLorean, il y a quelque temps de ça. » *Merde !* pensa Dante. *Le Kid et moi en train de faire ami-ami… Qui l'aurait cru ?*

« Tant mieux pour toi.

— Mais je l'ai plantée dans un arbre. Complètement morte.

— T'allais à 140 kilomètres-heure ?

— Putain, ouais. Comment t'as deviné ?

— Au hasard. Maintenant, ferme-la et entre dans cette caisse. »

Dante dit « *shotgun* », gagnant ainsi le droit de s'asseoir à la place du passager, ce qui impliquait que Peto allait devoir se tasser dans le minuscule espace de la banquette arrière. Le moine avait beaucoup appris depuis qu'il avait quitté l'île d'Hubal, mais certains us le prenaient encore au dépourvu. Parfois, il avait l'impression que les gens inventaient certaines coutumes selon leur bon plaisir, comme celle de dire « *shotgun* », uniquement pour profiter de sa naïveté. Fulminant intérieurement, il se tassa sur l'étroite banquette arrière, en se plaçant entre les deux sièges avant afin de profiter au maximum de l'espace dévolu à ses jambes.

Alors que la voiture enfilait la rue déserte à toute vitesse en direction du Domino's, Peto entendit comme un léger coup derrière lui. Le bruit semblait provenir du coffre. Puis il entendit une voix étouffée.

« Il y a quelqu'un dans ton coffre ? demanda Peto au Kid.

— Ouaip.

— Je peux te demander qui ?

— Non. »

48

Bloem avait fini par s'inquiéter autant que de La Cruz du grand nombre de flics totalement injoignables ce soir-là. Aussi fut-il grandement soulagé lorsqu'il vit deux types en uniforme bleu se présenter devant la porte vitrée du commissariat. Le vent soufflait très fort dehors et tous deux semblaient en souffrir, à en juger par leur attitude. Autant ne pas les faire poireauter pour rien. Bloem se précipita à travers le hall de réception et appuya sur le bouton qui se trouvait à côté de la porte pour la déverrouiller. Le policier qui se trouvait devant poussa l'un des battants vitrés que Bloem tint contre lui afin de les laisser entrer.

« Goose et Kenny, je présume ? demanda-t-il.

— C'est ça. Moi, c'est Goose, lui, c'est Kenny », dit le premier policier, un jeune homme aux cheveux noirs ébouriffés. Il pénétra dans le hall et tira son tonfa de la boucle qu'il avait à la ceinture. « Où sont les autres ?

— Benson a détalé, et de La Cruz s'est caché au sous-sol. Mais ça va lui faire sacrément plaisir d'apprendre que vous êtes là. Il me semble qu'au départ l'idée, c'était que chacun de vous serve de garde du corps à chacun d'eux, mais comme de La Cruz est le seul ici présent, vous n'avez qu'à vous occuper de lui. Si Benson arrive, alors l'un de vous assurera ses arrières.

— Parfait, dit Goose. Alors, on descend au sous-sol ?

— Comme vous le sentez. »

Les deux policiers contournèrent Bloem. Alors que celui-ci vérifiait que la porte d'entrée était bien verrouillée, Goose se retourna et abattit son tonfa de toutes ses forces.

BAM !

La matraque percuta la base du crâne de Bloem.

« Aoutch ! *Merde !* Mais qu'est-ce qui te prend ? » souffla Bloem en posant une main sur le haut de sa nuque, à l'endroit même où une énorme bosse commençait déjà à grossir. Goose leva son tonfa au-dessus de son épaule et l'abattit de nouveau violemment, frappant cette fois-ci à la base du cou.

« Aïe ! Putain, mais arrête ! »

Bloem posa une main tremblante sur le pistolet qu'il portait à la ceinture.

L'autre policier, Kenny, s'avança, et, du tranchant de sa main, frappa la nuque de Bloem. Celui-ci s'écroula par terre, inconscient.

« Merci, dit Dante, qui s'était fait passer pour le dénommé Goose. Je comprends pas pourquoi j'ai pas réussi à le mettre K-O avec ce machin, ajouta-t-il non sans amertume en regardant le tonfa inclus dans la panoplie de policier qu'ils avaient achetée chez Domino's.

— Hum, dit pensivement son collègue Kenny (qui n'était autre que Peto). Ça aurait peut-être marché si tu l'avais *frappé* au lieu de le *chatouiller*.

— C'est ce que j'ai fait.

— Non. Tu t'y es pris comme une buse.

— Non.

— Si.

— Non. »

On tapa à l'une des portes de verre. C'était le Bourbon Kid qui, de l'extérieur, assistait avec une certaine impatience à la prise de bec. Leur discussion n'aboutirait à rien, et, comme elle semblait susceptible d'assombrir plus encore l'humeur du Kid, il eût été doublement inutile de la poursuivre. Peto prit la sage décision de ne pas le faire attendre plus longtemps. Il s'empressa d'enjamber Francis Bloem, toujours inconscient, pour appuyer sur le bouton qui déverrouilla la porte.

Le tueur encapuchonné poussa les deux battants et pénétra à l'intérieur du bâtiment. Les lieux n'avaient pas beaucoup changé depuis la dernière fois où il y était venu, pour massacrer tous les policiers qui s'y trouvaient. Somers y compris.

« On dirait que ce type est tout seul », dit Peto en pointant du doigt l'officier qui gisait à terre. Le Kid baissa les yeux sur le rouquin inconscient et dégaina son fusil de chasse à canon scié (l'une de ses armes préférées). « *Hé ! attends un peu*, lui lança Peto en saisissant le bras du Kid. Ce type a perdu connaissance. Pas la peine de le tuer. Bon sang, ça ne sert à rien de tuer tout le temps tout le monde, tu comprends ? Parfois, quand une personne ne représente plus un danger, on peut choisir de la laisser en vie. Elle a peut-être une famille, tu sais ? Une femme, des enfants, des tortues de compagnie, tout le bordel. Respire un grand coup et allons trouver ce de La Cruz. D'après ce type, il est au sous-sol. Et tu veux savoir comment j'ai obtenu l'information ? Tout simplement parce que je ne l'ai pas tué d'abord pour lui poser la question ensuite.

— T'as fini ? » demanda le Kid en fixant des yeux la main de Peto posée sur son bras.

Très sagement, le moine lâcha le Kid.

« Ouais. Maintenant, écoute ça : l'autre type, Benson, a détalé, ce qui veut dire que, pour l'instant, nous n'avons affaire qu'à ce de La Cruz. Alors, reste cool, OK ?

— OK. » Sa voix était un pur torrent de rocailles.

Le moine se détourna et traversa le hall de réception. Dante le suivit et le Kid ferma la marche. Celui-ci était perturbé par le cas de l'officier Bloem, ne parvenant pas à prendre une vraie décision quant à son destin. Laissant les autres prendre un peu d'avance, il finit par se retourner.

BANG !

Le Kid tira dans la tête du policier inconscient.

Peto se retourna aussitôt.

« Mais *merde* ! Quand est-ce que tu vas te calmer, bordel ? T'as pas entendu ce que je t'ai dit il y a quelques secondes ? Je t'ai demandé de rester cool !

— C'est plutôt cool, ce que je viens de faire.

— Non, tout le contraire, putain.

— Écoute, mec, le coup est parti tout seul, dit le Kid d'un ton glacial. Une chance que le fusil était pas pointé sur toi. On dirait que ce truc a son petit caractère à lui. »

Peto observa un court silence pour contempler le tas sanguinolent qui gisait par terre et l'individu armé qui se tenait à côté. « Félicitations », dit-il simplement. Le

Kid parut murmurer quelque chose comme « J'ai jamais pu saquer les tortues de compagnie », mais Peto eut l'intelligence de ne pas relever.

Le standard téléphonique qui se trouvait sur le bureau de la réception, jadis occupé par Bloem, s'illumina soudain, et une sonnerie retentit. Dante fut le premier à réagir : il se précipita pour saisir le casque qui se trouvait sur le bureau en désordre et appuyer sur le bouton « APPEL » du standard.

« Allô, 212… RAS. Euh, commissariat de… ici, c'est…

— Qui est à l'appareil, bordel ? demanda l'homme qui se trouvait à l'autre bout de la ligne.

— Euh, l'officier Goose. Et vous, vous êtes qui ?

— De La Cruz. Où est Bloem ? Il est occupé ? »

Dante jeta un coup d'œil au cadavre qui baignait dans son sang.

« Disparu, m'sieur. Je crois bien qu'il a complètement perdu la tête.

— Ah ! j'étais sûr qu'il allait craquer ! Vous êtes avec l'autre gars, là ? Kenny, c'est ça ?

— Oui, m'sieur. Il faudrait que vous nous rejoigniez ici, à la réception.

— Pourquoi ça ?

— C'est Bender qui veut que vous veniez, m'sieur.

— Qui ça ? »

Peto, qui avait entendu Dante, articula le nom « Benson », en insistant sur la dernière syllabe.

« Benson, m'sieur. Il dit qu'il a trouvé une planque idéale. Mais faut faire vite. Le Bourbon Kid est en route.

— Merde ! J'arrive tout de suite. »

Dante retira le casque et désigna les ascenseurs à l'autre bout du hall. Le Kid s'avança dans leur direction.

Très vite, les numéros lumineux qui se trouvaient au-dessus de l'ascenseur central indiquèrent que la cabine remontait du sous-sol.

49

Ce n'était guère le genre de Sanchez de traîner dans une bibliothèque. Il s'aventurait dans celle de Santa Mondega peut-être deux ou trois fois par an, la plupart du temps pour emprunter quelques livres qu'il offrait ensuite à des amis pour leur anniversaire. La plupart de ses amis étant analphabètes, il pouvait ainsi leur voler ensuite ces cadeaux à leur insu, et les rendre à la bibliothèque sous quinze jours.

L'une des nombreuses choses qu'il n'aimait pas dans cette bibliothèque était la femme qui s'occupait des prêts et des retours. Il s'agissait d'Ulrika Price, la bibliothécaire en chef, et c'était une vraie salope, rancunière et mauvaise, la haine des hommes chevillée au corps, à cause d'une expérience sexuelle, certes très désagréable, qui lui avait été imposée alors qu'elle était encore adolescente.

Assise à son bureau, tout près de la porte de la bibliothèque, elle avait toisé Sanchez d'un air mauvais lorsqu'il était entré, et alors qu'il se dirigeait vers le rayon « documents », il avait senti son regard lui brûler littéralement le dos. Il était tard et c'était Halloween, aussi la bibliothèque était-elle quasiment vide. Sanchez avait par conséquent toute latitude pour déambuler parmi les innombrables rayonnages qui atteignaient le plafond.

Il avait décidé de venir ici un peu à l'instinct. Suite à la disparition de Jessica et au retour du Bourbon Kid, il s'était dit qu'il serait bon de faire quelques recherches. On ne pouvait pas compter sur la police de Santa Mondega pour creuser le passé, et ce, pour deux bonnes raisons. *Primo*, c'était un ramassis de putains de feignants, et, *secundo*, ils étaient tous complètement corrompus : si la bibliothèque renfermait bel et bien quelque chose d'intéressant, ils trouveraient forcément un bon moyen de passer à côté.

Sanchez en l'occurrence cherchait un livre sans nom écrit par un auteur anonyme. Et s'il le cherchait, c'était davantage par pure intuition que par réelle conviction. À la suite du précédent massacre perpétré par le Bourbon Kid, lors de la dernière Fête de la lune, les journaux avaient en effet parlé d'un lien entre les meurtres en série et un livre sans nom écrit par un auteur anonyme. Tous ceux qui l'avaient emprunté à la bibliothèque de Santa Mondega avaient été assassinés, y compris les inspecteurs qui enquêtaient sur cette affaire. Sanchez avait beau être d'une lâcheté peu commune, il avait sacrifié beaucoup de son temps au long des dernières années pour prendre soin de Jessica. Si par un heureux hasard ce livre se trouvait sur l'une des étagères de la bibliothèque, il espérait y trouver assez d'éléments afin de comprendre la raison pour laquelle ce foutu Bourbon Kid en voulait autant aux gens qui l'avaient lu. Plus important encore, il lui permettrait peut-être de comprendre pourquoi le Bourbon Kid avait une dent contre Jessica, voire d'obtenir des informations sur l'identité de celle-ci.

Finalement, ce fut un autre livre que trouva Sanchez. Du même auteur.

Il tomba dessus par hasard. En jetant un coup d'œil aux ouvrages de référence, à la lettre « A » pour « Anonyme », il mit la main sur un ouvrage intitulé *Le Livre de la mort*. Aucun nom d'auteur n'était mentionné. Le livre était très lourd et paraissait extrêmement ancien. Il était si usé par le temps qu'il semblait sur le point de tomber en poussière d'un moment à l'autre.

Il lut la fiche de bibliothèque accrochée au dos, et s'aperçut qu'elle était bien moins excitante que ce que le titre pouvait laisser espérer. La note manuscrite expliquait en effet, d'une encre passée, que le bouquin recensait une liste de personnes, apparemment sans aucun lien les unes avec les autres, avec la date de leur mort à chaque fois précisée. *Le registre d'une morgue quelconque*, se dit Sanchez.

Il en feuilleta le début et lut une série de noms écrits à la main, particulièrement ridicules, à commencer par les deux premières entrées : « Râ » et « Osiris ». Cela aurait dû suffire à lui faire ranger sans plus attendre le bouquin, mais après avoir traversé la moitié de la ville pour venir jusqu'ici, Sanchez n'avait pas l'intention de renoncer aussi facilement. Aussi continua-t-il à feuilleter l'ouvrage un peu plus avant, dans l'espoir de trouver des noms qu'il connaissait. Les pages étaient toujours manuscrites, mais chacune portait à présent une date bien précise, en en-tête.

Il s'apprêtait à ranger le bouquin à sa place lorsque l'envie lui prit soudain de voir quand le livre s'achevait. Il consulta les toutes dernières pages : elles étaient toutes vierges. Alors, il revint un peu en arrière, jusqu'à trouver la date de ce jour précis, le 31 octobre, en haut à gauche d'une page. À son énorme surprise, les décès de la journée y avaient déjà été consignés.

« Putain, ça, c'est du travail sérieux ! » murmura-t-il, un peu fort selon les critères de tolérance d'une bibliothèque.

Conscient qu'il avait dû attirer l'attention, il s'avança un peu plus dans l'allée, sans faire davantage de bruit, et se cacha dans un coin très peu fréquenté par les usagers. Il rouvrit le livre et lut les noms qui figuraient à la date d'aujourd'hui.

Igor et Pedro étaient du nombre, ainsi que quelques autres loups-garous dont Sanchez se rappelait le nom, et qui se trouvaient au Tapioca lorsque le Bourbon Kid y était entré. *Putains de loups-garous. Bande de sacs à merde. Un sacré bon débarras pour toute la ville*, pensa-t-il. Il n'empêche que c'était vraiment très impressionnant. Tous ces clébards avaient trouvé la mort quelques heures plus tôt, à peine. *Comment est-ce qu'on a pu mettre à jour cette liste aussi rapidement ?*

Sanchez poursuivit sa lecture, et un frisson glacial le parcourut soudain.

« Putain, alors ça, c'est vraiment bizarre ! » s'exclama-t-il, bien trop fort. Comprenant aussitôt qu'il avait dû se faire remarquer, il regarda autour de lui. Entre deux rangées de bouquins, il aperçut Ulrika Price. Assise à son bureau, elle regardait droit dans sa direction. Sans le moindre doute possible, elle venait de l'entendre briser la règle d'or du silence. Leurs regards se croisèrent fugacement, et elle grimaça. Puis se leva de son siège. *Eh merde ! Cette espèce de salope m'a repéré !*

Sanchez ne put réprimer une brusque bouffée paranoïaque. Cette vieille célibataire aigrie avait été l'une des suspectes numéro 1 lors des interrogatoires concernant les assassinats des lecteurs du *Livre sans nom*. On l'avait soupçonnée d'avoir communiqué au tueur l'ensemble des noms des lecteurs qui avaient emprunté l'ouvrage, mais on n'était jamais parvenu à le prouver.

Une décision rapide et intelligente s'imposait. Le temps manquait pour ranger le *Livre de la mort* à sa place sans qu'elle le voie, et il était hors de question d'emprunter cette saloperie et de voir son nom associé à ce titre. Il jeta un dernier coup d'œil à la double page avant de refermer le livre. Ses yeux ne l'avaient pas trompé. La liste des noms de défunts allait jusqu'au lendemain, le 1er novembre. Il y figurait les noms de personnes qui n'étaient pas mortes. Pas encore.

Alors qu'il essayait de digérer ce qu'il venait de lire sous la date du lendemain, il entendit Ulrika Price se rapprocher dangereusement de l'allée où il se trouvait. Et à en juger par la cadence de ses pas, elle s'en approchait à grande vitesse. *Eh merde !* Il tenta de trouver la meilleure façon de dissimuler le bouquin. Sous sa chemise ? Non, très mauvaise idée. Faute de temps pour trouver une meilleure solution, il le fourra à toute vitesse contre le bas de son dos. Sanchez se dit que c'était une sacrée chance qu'il ait enfilé un bas de jogging : vu la taille de ce bouquin, il aurait été impossible de le glisser dans un pantalon quelconque, encore moins un jean. En l'état, toute personne qui se serait trouvée derrière lui aurait pu constater qu'il avait un cul énorme, en forme de bouquin. À distinguer du banal cul énorme qu'il promenait au quotidien.

Sachant que la bibliothécaire en chef allait apparaître d'un instant à l'autre au bout de l'allée, Sanchez saisit à l'aveuglette le premier gros bouquin à portée de main sur le rayonnage de gauche et s'avança d'un pas maladroit en direction de l'endroit où, selon lui, Mlle Price avait le plus de chance de montrer le bout de son nez.

Et comme prévu, quelques secondes seulement après toutes ces manœuvres, sa tête surgit au détour de l'allée. Elle paraissait plus énervée que jamais, et dardait un regard féroce par-dessus ses lunettes.

« Sanchez, qu'est-ce que vous faisiez dans le fond ? lança-t-elle d'un ton cinglant. Vous étiez en train de vous masturber ?

— Bien sûr que non ! s'indigna-t-il. Comment osez-vous suggérer une chose pareille ?

— Hum. Bon, alors tout va bien, répliqua Mlle Price, d'un ton néanmoins teinté de suspicion. Nous fermons dans quinze minutes. Si vous pouviez vous *presser* un peu de choisir un livre…

— C'est déjà fait, dit Sanchez dans un sourire, en brandissant l'ouvrage qu'il venait de piocher sur une étagère.

— Très bien. Venez. Je vais consigner votre prêt, et vous partirez aussitôt après. C'est aujourd'hui Halloween, et je veux être rentrée chez moi avant que tous ces ivrognes et tous ces voyous ne descendent dans la rue.

— Pas de problème. »

Sanchez poussa un soupir de soulagement et suivit la bibliothécaire jusqu'au hall d'entrée. Le bouquin coincé entre ses fesses et son fond de jogging lui donnait une démarche très peu naturelle, si peu qu'on aurait pu croire qu'il venait de se chier dessus.

Il fit en sorte de rester à une certaine distance derrière Ulrika Price afin de lui laisser le moins de chances possibles de remarquer sa singulière allure. Elle fit le tour du comptoir de la réception en passant par son clapet amovible, et s'assit à sa place habituelle, à côté de l'ordinateur. Face au comptoir, Sanchez affichait un large sourire et se félicitait intérieurement d'avoir si intelligemment caché ce bouquin. Le seul problème qui se posait à présent, c'était qu'il allait devoir sortir à reculons, afin que Mlle Price ne remarque pas que son cul avait la forme d'un livre.

Il posa sur le comptoir celui qu'il avait pris au hasard et attendit qu'elle entre ses références dans son ordinateur. Jusque-là, il n'avait pas encore pris la peine d'en consulter ne serait-ce que la couverture, et lorsqu'il lut enfin le titre et qu'il vit qu'elle aussi l'avait lu, il eut envie de disparaître à cent pieds sous terre.

Le Plaisir anal à l'usage de l'homosexuel d'aujourd'hui.

Putain. Fallait que je tombe là-dessus, pensa-t-il.

Les lèvres pincées, la bibliothécaire associa dans sa base de données le titre du livre au nom de Sanchez et, maladroitement, poussa l'ouvrage du coude dans sa direction. À son plus grand déplaisir, Sanchez sentit son visage brûler d'embarras. Il n'y avait pourtant plus rien à dire, et plus rien à faire. Aussi, rouge comme une pivoine, il récupéra le livre et, en affichant un sourire idiot, recula lentement jusqu'à la sortie, sans lâcher un seul instant des yeux la bibliothécaire, qui était aussi désagréable que prompte à juger autrui.

Fort heureusement, elle était si atterrée par son choix de livre, et si déconcertée par le fait qu'il lui souriait comme un babouin dément en le tenant entre ses mains, qu'elle ne se demanda à aucun moment pourquoi il marchait ainsi à reculons. Si elle s'était posé cette question, elle en aurait probablement conclu qu'il dissimulait un gros ouvrage derrière l'élastique de son bas de jogging.

Il ne restait à présent plus à Sanchez qu'à rentrer chez lui pour vérifier de nouveau ce qu'il avait vu. Il avait lu dans le *Livre de la mort* les noms de personnes qu'il connaissait. Cela signifiait-il que ces gens allaient bel et bien mourir le 1er novembre ?

Demain ?

50

La sombre silhouette du Bourbon Kid se tenait immobile, le fusil de chasse braqué nonchalamment à hauteur de la taille. Le canon scié était pointé sur les portes de l'ascenseur, attendant que celles-ci s'ouvrent pour dévoiler le visage de Michael de La Cruz. Derrière le bureau de Bloem, Dante observait la scène, nerveux, prêt à se cacher derrière la réception au premier coup de feu. Une brève sonnerie se fit entendre, les portes s'ouvrirent et le doigt du Kid se crispa imperceptiblement sur la détente. La cabine était vide : le Kid n'avait personne sur qui tirer. Où était donc passé de La Cruz ? En principe, il aurait dû être dans cet ascenseur et se prendre une grosse décharge de plombs en pleine poitrine. Le cours des choses ne suivait pas le plan établi.

Tandis que le Kid fronçait les yeux à l'intention de son reflet dans le miroir du fond de la cabine vide, Dante et Peto jugèrent bon de rejoindre leur compagnon.

« Putain, mais où il est ? demanda Dante en inspectant du regard le moindre recoin de l'ascenseur, comme s'il espérait y débusquer le policier.

— Sous-sol », répondit le Kid en pénétrant dans la cabine.

Dante et Peto échangèrent un haussement d'épaules et le suivirent à l'intérieur. L'image du pire assassin de Santa Mondega, fusil prêt à l'emploi, flanqué de deux officiers en uniforme, était loin de correspondre à celle que la police aurait aimé donner aux habitants de la ville, pourtant, c'était bien celle qu'aurait vue à cet instant n'importe quel individu qui serait passé devant le hall du commissariat.

Les doubles battants se refermèrent et le Kid appuya sur le bouton estampillé des lettres « SS » afin de se rendre au sous-sol. Les trois hommes attendirent alors dans un silence absolu que la cabine descende. Le Kid était armé jusqu'aux dents. Il s'était bardé de tout un arsenal, habilement dissimulé dans divers holsters, poches et fourreaux sous sa grande cape. Dante et Peto avaient chacun leur tonfa. Étant donné l'expérience homicide du Kid, il était statistiquement préférable que ce soit lui qui détienne la totalité des armes à feu. Il ne pourrait certes pas en utiliser plus de deux à la fois, mais, même ainsi, leur puissance de feu serait plus efficace concentrée entre ses mains.

Tous trois avaient les yeux rivés aux portes de l'ascenseur, prêts à affronter ce qui les attendait au sous-sol.

BANG !

Un puissant coup de feu retentit dans l'espace confiné de la cabine, assourdissant ses occupants. Dante se dit qu'une bombe ne devait pas faire moins de bruit en explosant. Un cri perçant et un fort martèlement métallique se firent entendre quelque part au-dessus de leurs têtes. Soudain, un pied chaussé d'une botte marron sortit de nulle part et frappa Dante en plein visage.

Le Kid avait tiré au plafond et rechargeait à présent son fusil à canon scié. La décharge de gros plombs avait percé un énorme trou dans la trappe de service fixée au plafond de la cabine. Trente grammes de grains avaient transpercé la cloison, ainsi que le pied de De La Cruz, qui se terrait au-dessus de la cabine, accroupi et silencieux. La trappe, dont le loquet avait été totalement détruit, s'était brutalement ouverte, laissant glisser la moitié inférieure du corps de De La Cruz. L'un de ses pieds se trouvait sous le nez de Dante, tandis que l'autre s'agitait frénétiquement dans tous les sens. La botte avait explosé et tous ses orteils avaient été arrachés. Il ne restait plus qu'un moignon écarlate dont le sang giclait abondamment sur les cloisons de l'ascenseur et le visage du Kid.

Le bas du dos coincé dans l'encadrement de la trappe, le pauvre de La Cruz tentait de se hisser complètement au-dessus de l'ascenseur. Il criait et jurait, en s'accrochant tant bien que mal au câble de suspension. Ayant atteint le sous-sol, la cabine s'immobilisa.

Les portes s'ouvrirent, et Dante et Peto bondirent aussitôt à l'extérieur, pour se retrouver dans le vestiaire abandonné. La paroi secrète du fond des douches était grande ouverte, ne dévoilant rien de plus qu'une étrange salle avec une table et, posée dessus, une coupe dorée. Le reste du vestiaire étant totalement vide, ils se retournèrent pour voir ce qui se passait dans la cabine. Le Kid tentait de faire descendre de La Cruz en tirant de toutes ses forces sur son pantalon. De son côté, le policier s'agrippait de toutes ses forces au câble, ses longs doigts de vampire enserrant le métal aussi fermement que possible. Il était en train de se transformer en créature de la nuit. Peut-être un peu tard, il est vrai.

Sans le moindre égard pour la dignité de son ennemi, le Kid parvint à baisser le pantalon et le caleçon de De La Cruz jusqu'à ses chevilles. Mais le vampire ne suivit pas. Son seul espoir était de se libérer de l'étreinte du Kid et de tenter de remonter comme il le pouvait jusqu'au rez-de-chaussée.

Faute de meilleur choix, et faisant preuve d'un pragmatisme à toute épreuve, le Kid décida de viser la seule cible qui lui était présentée. Sans trop se préoccuper des conséquences de ses actes, il releva son fusil à canon scié pour le pointer sur la raie des fesses de De La Cruz. Il hésita peut-être une demi-seconde avant d'enfoncer le canon aussi loin que possible entre les fesses du malheureux vampire. Celui-ci cessa soudain de hurler, sans doute pour écarquiller les yeux d'effroi.

BANG !

Cette déflagration fut beaucoup moins bruyante que la première. Il faut dire que, cette fois, le Kid avait au bout de son arme un gros silencieux en forme de cul.

SPLATCH !

Sang, tripes, merde, grains de maïs, organes internes, éclats d'os, tout ce salmigondis sanguinolent recouvrit l'intérieur de la cabine. Une bonne partie atterrit sur le Kid, une autre tout aussi conséquente gicla hors de l'ascenseur pour éclabousser Dante et Peto qui assistaient à la scène. Ce qui restait de De La Cruz glissa par la trappe et s'écroula par terre en un tas informe. Le Kid retira le canon de son arme, qu'il secoua afin de la débarrasser des morceaux gluants qui glissaient sur le métal en direction de sa main. La puanteur était intolérable, et la vue des murs dégoulinants l'était encore plus. Comme de bien entendu, ce spectacle n'affectait en rien l'assassin encapuchonné. Il épousseta un grain de maïs collé à son épaule et sortit de la cabine d'ascenseur d'un pas décontracté, pour pointer le bout de son fusil sous le nez de Peto.

« Dégage, putain ! J'ai pas envie de sentir ça ! »

Le Kid passa devant ses deux compagnons. Son regard s'était posé sur la table en bois qui se trouvait dans la pièce secrète, au fond des douches.

« Et de quatre, dit-il, autant pour lui qu'à l'intention des deux autres. Plus qu'un, et nous pourrons tous rentrer chez nous.

— Amen », lança Dante en époussetant sur son épaule un peu de matière marron, qui atterrit sur les épaisses dreadlocks de Peto. Ce dernier lui adressa une moue désapprobatrice et se débarrassa des répugnants vestiges d'un bref revers de main.

« Le dernier sera le plus dur à éliminer, précisa le Kid sans se retourner pour voir s'il avait toute l'attention de Dante et de Peto. Les deux loups-garous étaient de simples crevards, et les deux lieutenants n'existent plus. Il ne reste plus que le chef des vampires. Le nouveau Seigneur des Ténèbres. J'ignore à quel point ce type est puissant, et c'est précisément pour ça que j'ai besoin de votre aide. Quelque part dans ce commissariat se trouve un livre capable de tuer le suceur de sang en chef. C'est un livre sans nom, fabriqué à partir de la croix sur laquelle Jésus-Christ a été crucifié. Il a le pouvoir de tuer n'importe quelle putain de créature du mal, je déconne pas. Le seul problème, c'est que je ne peux pas le toucher, parce que, pour l'instant, c'est du sang de vampire qui coule dans mes veines. » Il finit par se retourner. « Est-ce que vous pouvez remonter pour fouiller les bureaux et retrouver ce bouquin ?

— Bien sûr », répondirent Dante et Peto à l'unisson. Dante ajouta. « Et toi, qu'est-ce que tu vas faire ?

— Je vais rester ici à attendre que ce gros putain de boss de Benson se pointe. Maintenant, grouillez-vous le cul, parce que, quand il arrivera, je ne pourrai le tenir en échec que quelques minutes. Après ça, la situation risque de pas mal se compliquer. S'il est vraiment le nouveau Seigneur des Ténèbres, sans ce livre qui seul peut le tuer, il se relèvera encore et toujours, quel que soit le nombre de fois où je le mettrai sur le carreau.

— Ce qui signifie ? demanda Dante.

— Ce qui signifie, magne-toi le cul d'aller chercher ce putain de bouquin, espèce de con. »

51

Après le départ de Benson, Jessica et son père, Ramsès Gaius, restèrent au Olé Au Lait afin de discuter de leurs plans pour la suite de la soirée. Ni l'un ni l'autre n'avaient commandé quoi que ce soit à boire ou à manger, mais ni Flake ni Rick le cuistot n'avaient l'intention de s'en plaindre auprès d'eux.

À peine Benson était-il sorti du café, fermement déterminé à mettre la main sur le Saint-Graal, que déjà Jessica faisait part de ses sentiments le concernant.

« Je vais te dire une bonne chose, père, bougonna-t-elle à l'intention du colosse qui se trouvait de l'autre côté de la table. Je ne laisserai jamais cette saloperie de pervers me toucher ne serait-ce qu'un cheveu. Je sais bien que nous avons convenu ensemble que ce serait toi qui choisirais mon nouveau concubin, mais si tu crois que je vais le laisser poser ses sales pattes sur moi, tu peux toujours courir. »

Son père se fendit d'un sourire. S'il n'avait pas porté ses lunettes noires, elle aurait pu voir son œil sain refléter sa fierté.

« Tu restes fidèle à toi-même, ma chérie, dit-il. Toujours aussi fougueuse. Rien d'étonnant à ce que tu aies survécu aussi longtemps. Mais n'aie nulle crainte.

Randy Benson est loin d'être le seul candidat sélectionné par mes soins pour être ton futur compagnon et, en toute franchise, c'est celui qui m'enthousiasme le moins. Il me rappelle ton dernier époux, Armand, ce cancrelat répugnant, fourbe et indigne. Et puis j'ai le sentiment qu'il périra des mains du Bourbon Kid avant qu'il ait pu récupérer le Saint-Graal. »

Il réfléchit un instant à la suite de ses propos, puis reprit :

« Tu sais, au final, ces imprévus ont joué en notre faveur. L'assassinat du frère du Kid par ces trois imbéciles de policiers a servi de diversion, et nous vaut de prendre l'avantage sur le fils de Taos.

— Comment ça ?

— Considère un peu les choses, ma chérie. Apparemment, il ignore que tu es de retour parmi les vivants. Et il pourrait me croiser sans se douter de mon identité. Il est bien trop occupé à pourchasser Benson et ses amis pour s'intéresser à nous. Si, comme je le soupçonne, il tue Benson, alors l'un des prétendants que j'ai choisis pour toi se chargera de lui au moment où il s'y attendra le moins.

— Et qui sont les autres nommés, alors ? »

Jessica tenait absolument à le savoir.

« Robert Swann, l'homme à qui j'ai ordonné de surveiller ces deux gamins idiots, Dante et Kacy, sera le deuxième choix. Je l'ai choisi parce qu'il est le descendant direct d'un vieil ami à moi. Il ignore bien évidemment ce détail, mais il n'en demeure pas moins qu'il est de sang royal. Uni à ton sang de vampire, je suis convaincu que vous ferez un couple idéal. »

Jessica s'assit à la table et dévisagea son père en se demandant s'il était sérieux. Son regard de mépris n'échappa pas à Gaius.

« Quoi ? lança-t-il, perplexe.

— Tu te fous de moi ?

— Écoute, c'est un spécimen plutôt séduisant, doublé d'un tueur impitoyable », se défendit Gaius.

Jessica hochait la tête :

« J'arrive pas à y croire. Mon père est un débile mental.

— Je te demande pardon ? »

Jessica se releva pour s'adresser à l'ensemble de la clientèle et du personnel du café : « Mesdames, messieurs, j'ai l'honneur de vous annoncer que cet homme, Ramsès Gaius, est un débile mental. Merci. »

Puis elle sourit à son père.

« Rassieds-toi tout de suite, bordel de merde.

— Rassieds-toi, toi.

— Je *suis* assis. »

Jessica hocha de nouveau la tête.

« Parce que tu sais ce que ça veut dire, "être assis" ? C'est très impressionnant, de la part de quelqu'un qui ne sait même pas ce que signifie le mot "violeur".

— Hein ?

— Tu dois être gaga, je vois pas d'autre explication. Benson et Swann sont tous les deux des violeurs en série, putain de merde ! Tu connais beaucoup de pères qui essaieraient de caser leur fille avec un violeur ?

— Très peu de pères sont en mesure d'offrir à leur fille le cadeau de mariage que je te réserve.

— C'est-à-dire ?

— Les cadavres de tous tes ennemis. Ce soir, à la fin de l'heure des maléfices, le Bourbon Kid sera mort, cet idiot de Dante Vittori qui l'a aidé à te neutraliser l'année dernière sera mort lui aussi, et le tout dernier moine d'Hubal subira le même sort. En échange de tout cela, c'est moi qui choisirai ton époux.

— Oh ! désolée de ne pas danser de joie. Tu ne pourrais pas plutôt m'offrir un simple bouquet de fleurs ?

— Ne fais pas ta maligne.

— C'est plus fort que moi. »

Jessica était plantée face à lui, les mains sur les hanches, à faire sa petite princesse capricieuse comme tant de fois auparavant, et cela commençait à agacer très sérieusement Gaius. « *Jessica Xavier*, asseyez-vous et tâchez de vous comporter en adulte, ordonna-t-il. Je ne vous ai pas recherchée durant ces neuf derniers mois dans le seul but de vous caser avec quelqu'un qui ne vous plairait pas. À présent, ASSEYEZ-VOUS ! »

Contrairement à son habitude, la reine des vampires obéit et se rassit en face de son père. Celles et ceux qui avaient assisté au drame familial, leur café à la main, reprirent leurs conversations dans des chuchotements, à présent que l'orage semblait être passé.

« Je suis très sérieuse, dit Jessica un ton plus bas, sifflant presque entre ses dents. Ce sont des violeurs, tous les deux.

— Allons, répliqua Gaius pour défendre ses choix. Ils ont leurs petits défauts, je l'admets, mais mis à part cette propension au viol, ce sont d'assez bons candidats, tu ne trouves pas ?

— Non, bordel, je ne trouve pas. J'ai consenti à ce mariage arrangé uniquement parce que mon ex-époux t'a trahi. C'est vrai, j'avoue, t'enturbanner et te laisser prisonnier d'un sarcophage durant plusieurs siècles, c'était franchement déplacé. Mais si tu ne prends pas cette affaire un peu plus au sérieux, je vais être obligée de revenir sur mon choix. Si tu t'obstines à vouloir me caser avec l'un de ces deux détraqués sexuels, je peux t'assurer que je serai veuve avant la fin de ma nuit de noces. »

Gaius soupira.

« Tu es vraiment trop difficile. Mais fort heureusement, il existe un troisième candidat, et celui-ci n'est pas un violeur.

— C'est un bon début.

— En fait, poursuivit son père, lui et toi avez quelque chose en commun. » Il observa un court silence afin de ménager son effet. « Une haine irrépressible envers le Bourbon Kid. »

Curieuse malgré elle, Jessica haussa un sourcil :

« Continue. Mais je te jure que si tu me dis qu'il s'agit de Sanchez le barman, je sors immédiatement.

— Et alors, où est le problème avec Sanchez ? Il t'aime, non ?

— Tu plaisantes, pas vrai ? Ce n'est pas Sanchez ? Dis-moi que ce n'est pas Sanchez.

— Non. Ce n'est pas Sanchez, ma chérie. C'est quelqu'un qui correspond bien mieux à tes goûts. Un individu très respecté. Et très musclé, au demeurant. Ça te dirait de voir une photo de lui ?

— Bien sûr. »

De la poche intérieure de sa veste, Gaius tira une photographie format 15 × 10, qu'il tendit à Jessica. Elle la lui arracha des mains et l'étudia un moment. Son expression trahit ses pensées.

« Hmm, oui, *ce type-là* me plaît, confirma-t-elle dans un sourire.

— Fort bien, parce que j'ai toutes les raisons de croire que c'est lui qui tuera le Bourbon Kid ce soir, répliqua Gaius.

— Comment peux-tu être aussi sûr que le Kid mourra ce soir ?

— Je m'en suis assuré, ma chérie. Le Kid et son complice, Dante Vittori, mourront ce soir, ainsi que ce moine d'Hubal.

— C'est ce que tu n'arrêtes pas de répéter, mais comment peux-tu en avoir la certitude ?

— Parce que, très chère, pendant ces longs mois que tu as passé à dormir, j'ai un peu voyagé. J'ai récupéré mon vieil ouvrage, le *Livre de la mort*. Leurs noms y figurent à présent. Ils mourront donc ce soir. La seule inconnue, c'est *comment* ils mourront, et peut-être aussi, *qui* les tuera. »

Jessica demeura bouche bée. On aurait dit qu'elle était à deux doigts de serrer son père dans ses bras, tant sa joie était grande.

« Est-ce que je pourrais tuer l'un d'eux ? » demanda-t-elle.

Gaius secoua lentement la tête en souriant. Sa fille était vraiment la reine des salopes, et c'était bien pour ça qu'il l'aimait tant.

« On va se mettre d'accord. Je t'autorise à t'occuper du moine. Si tu parviens à le tuer avant que quelqu'un d'autre s'en charge, tu pourras du même coup récupérer mon Œil, qui se trouve en sa possession. Si tu fais cela pour moi, je te laisserai choisir toute seule ton compagnon. Qu'en dis-tu ?

— Marché conclu, père, sans hésitation.

— Parfait. »

Gaius glissa un doigt sous ses lunettes noires et tapota son œil d'émeraude.

« Plus tôt je me serai débarrassé de cette foutue pierre pour la remplacer par mon Œil, plus vite nous pourrons nous débarrasser de cette maudite lumière du jour, à jamais. Alors les créatures du mal pourront enfin régner sur la Terre. Et, à nouveau, je serai leur tout-puissant souverain. »

52

Randy Benson arriva au commissariat en s'attendant à y voir un tapis de cadavres menant jusqu'au sous-sol. Il ne trouva en fait qu'un seul corps. Francis Bloem (amputé d'une bonne partie de sa tête) était la seule victime en vue. Il ne l'avait jamais beaucoup aimé, de toute façon. Pas une grosse perte.

Mais la piste sanglante ne s'arrêtait pas à Bloem. Des traces de sang s'étalaient par terre, jusqu'aux ascenseurs, à l'autre bout du hall. Benson prit cette direction, à petits pas prudents, à l'affût d'une éventuelle embuscade. La cabine du milieu l'attendait, portes ouvertes. Il vit que ses parois étaient recouvertes de sang, et de quelque chose d'autre qui ressemblait énormément à de la merde. Et qui puait la merde. Pour la simple et bonne raison que *c'était* de la merde. Fraîche, en plus de ça.

Benson n'avait *a priori* aucune envie de pénétrer dans la nauséabonde cabine. *Comment vais-je descendre pour récupérer le Graal ?* se demanda-t-il. *Le Bourbon Kid est tout sauf un imbécile. C'est peut-être un piège. D'un autre côté, c'est lui qui a un compte à régler. Il doit savoir que je suis arrivé. Suivre sa piste jusqu'au sous-sol, ce serait se précipiter de soi-même dans ses griffes. Mieux vaut attendre ici.*

Son instinct de survie très développé lui avait été fort utile au long des années. De toutes les saisies de drogue et fusillades auxquelles il avait pu participer, il était toujours sorti sans la moindre égratignure, principalement parce qu'il avait l'habitude de toujours rester en retrait, de préférence à l'abri dans une cachette improvisée. Le Bourbon Kid devait savoir qu'il viendrait chercher le calice sacré, cela, Benson en était un peu plus convaincu à chaque seconde qui passait. Mais le Kid voulait le tuer, il devait avoir hâte de lui régler son compte, aussi, s'il attendait assez longtemps, son ennemi ne manquerait pas de venir le chercher.

De fait, Benson avait raison. Au bout d'une dizaine de secondes à peine, les portes de l'ascenseur méphitique se refermèrent. Les numéros lumineux indiquèrent bien vite que la cabine avait atteint le sous-sol. Quelques bruits provenant du niveau inférieur se firent entendre, puis la machinerie de l'ascenseur s'ébranla dans des chuintements, et la cabine amorça sa remontée vers le rez-de-chaussée, où Benson attendait toujours. La peur et l'appréhension qu'il éprouvait avaient fait pousser ses crocs de vampire jusqu'à leur taille optimale, et sa peau se mit à durcir tandis que ses veines palpitaient à la seule idée du bain de sang qui s'annonçait. Benson resta planté là, en braquant son pistolet droit sur les portes de l'ascenseur central, impatient de les voir s'ouvrir.

La cabine s'immobilisa, et les portes coulissèrent. Devant lui se dressait la silhouette encapuchonnée qu'il s'était attendu à voir. Comme toujours, la capuche dissimulait en grande partie le visage, et la silhouette se tenait au beau milieu de la cabine, devant le miroir brun-rouge. Beaucoup de sang avait déjà été versé. Peu importait. Benson était fin prêt. Il s'était agenouillé, au cas où le Kid aurait ouvert le feu dès l'ouverture des portes. Tout se passait comme prévu. *Putain, je suis bon*, se dit-il. Le bras tendu loin devant lui, il tira deux fois, puis deux fois encore, très rapidement, en direction de l'ascenseur.

Les quatre balles s'enfoncèrent dans la poitrine de la cible, en plein dans le mille. Le sang gicla, avec une telle puissance qu'un jet atteignit les pieds de Benson. Avec un plaisir malsain, il vit son ennemi glisser dos au miroir et s'écrouler en tas. Les halètements qui provenaient de sous la capuche indiquaient qu'il avait le plus grand mal à respirer.

Emporté par sa joie, Benson lui-même avait de grandes difficultés à maîtriser son souffle. Il avait l'impression d'avoir fait un sprint d'un kilomètre. Son cœur battait à tout rompre, et un flot d'adrénaline se répandait dans tout son corps. Avait-il réussi là où tant d'autres avant lui avaient échoué ? Avait-il blessé mortellement l'homme le plus recherché de tout Santa Mondega ?

Au comble de l'euphorie, le flic pourri et néanmoins vampire en chef s'avança prudemment vers la cabine de l'ascenseur. Le corps sanguinolent de l'homme à la capuche gisait au sol. Seule sa poitrine bougeait. Elle se gonflait et se contractait très irrégulièrement. Il respirait toujours. Il étouffait, plutôt. Benson entra dans la cabine et baissa les yeux sur sa victime qui agonisait, en pointant son pistolet sur le visage qui, sous la capuche, était tourné dans sa direction.

« Je pensais que tu allais me donner un peu plus de fil à retordre », dit-il. Son ennemi, le Bourbon Kid, dont il avait tellement entendu parler, était bel et bien mortel, en fin de compte. « Tu sais quoi ? C'est carrément trop facile. Même ton débile de frère s'est plus défendu que toi. Tu mérites moins le surnom de "Bourbon Kid" que celui de "Milkshake Kid". »

Un bref instant, Benson réfléchit aux mots qu'il venait tout juste de prononcer. *C'est vraiment trop facile. Il y a quelque chose qui cloche. Allez, pas le temps de philosopher. Fous-lui une balle en pleine tronche et finissons-en.*

POUM !

Quelque chose lui tomba sur la tête. Quelque chose de lourd. Qui venait de tomber d'en haut. *Quelque chose de brûlant.* Il entendit un chuintement, puis ce qui venait d'atterrir sur son crâne glissa et tomba lourdement par terre, à ses pieds. Il s'agissait d'un livre.

Le livre.

Celui qui n'avait pas de nom.

De la trappe de service ouverte au plafond, quelqu'un venait de le lancer sur sa tête, et ce simple contact avait suffi à lui brûler les cheveux. Il tapota les flammèches qui dansaient sur le haut de son crâne, puis leva les yeux pour voir qui avait lâché le livre : une botte de cuir noir s'enfonça alors en plein dans son visage, suivie aussitôt d'un homme revêtu d'un uniforme de police, qui se laissa glisser par la trappe pour atterrir dans la cabine.

Benson fut complètement pris de court. Qui était ce mec ? Avant qu'il n'ait eu le temps de réagir, le policier lui décocha un coup de pied entre les jambes, et la douleur l'obligea à se plier en deux. Les portes se refermèrent alors, et l'ascenseur amorça une nouvelle descente. Sa tête brûlait encore. C'était comme si on lui avait collé un fer à repasser chauffé à blanc sur le crâne, et qu'il lui était impossible de l'écarter. Sa seule consolation était que les flammes semblaient s'être éteintes.

Le type encapuchonné écroulé par terre respirait toujours, mais paraissait ne plus étouffer. Aux yeux de Benson, le plus inquiétant était cependant la position agressive du policier qui se tenait devant lui, dans l'espace confiné de la cabine. Cet individu, un jeune homme d'une vingtaine d'années aux cheveux noirs et forts, portait un uniforme de police recouvert de sang et de merde. Et on aurait dit qu'il s'apprêtait à transformer un essai. En fait, il se préparait à décocher un deuxième coup de pied dans les couilles de Benson. Avant que celui-ci n'ait pu réagir, le pied droit décrivit un arc de cercle plus rapide et plus puissant que le premier, et le vampire se vit propulser contre l'une des parois de l'ascenseur. Il perdit pied, et la seule chose qui empêcha ses fesses de toucher le sol fut tout bonnement le *Livre sans nom*, sur lequel il se retrouva carrément assis.

« AOUTCH ! PUTAIN ! »

Son cul prit feu, et il bondit aussitôt sur ses pieds en tapotant les petites flammes qui brûlaient son pantalon. Son assaillant ne semblait pourtant pas en avoir fini avec lui. Loin s'en fallait. Il se mit de nouveau en position, et, avant que Benson n'ait pu reprendre ses esprits, lui envoya un troisième coup de pied entre les cuisses. La douleur fut encore plus insupportable que précédemment : Benson eut la sensation que ses testicules venaient de déménager sur la côte sud de son estomac. Horriblement affaibli par le livre, prêt à vomir d'un instant à l'autre, et absolument groggy de douleur, le pauvre inspecteur et néanmoins vampire tomba à genoux aux pieds de son assaillant.

« Putain de merde ! Vous voulez bien arrêter ça, bordel ? » glapit-il dans un haut-le-cœur, en empêchant tant bien que mal le contenu de son estomac de lui remonter à la gorge.

Arriva alors le moment qu'il craignait le plus. La cabine s'immobilisa et les portes s'ouvrirent sur un troisième homme. Il portait un débardeur blanc et un pantalon large et noir, et Benson comprit sur-le-champ que ce putain de type était vraiment de méchante humeur. Tout ce temps, il avait attendu dans le vestiaire abandonné l'arrivée de l'inspecteur. Il ne perdit pas une seconde de plus et saisit ce qui restait de la chevelure de Benson, jadis grisonnante et huileuse, et à présent sèche et roussie, pour le traîner hors de l'ascenseur. Telle la carcasse d'un animal dans un abattoir, le corps de Benson fut projeté vers le centre du vestiaire et glissa sur les fausses dalles de linoléum gris. La scène ressemblait assez à ce qui était arrivé récemment, lorsque Benson et ses amis, hilares, avaient jeté un jeune homme terrifié du nom de Casper sur ce même lino, avant de mettre un terme à son existence. Benson finit par heurter un mur, la tête la première.

CRACK ! L'impact du visage de Benson contre la surface de béton produisit un son répugnant. Il sentit ses gencives vibrer, et, avec horreur, cracha deux de ses crocs de devant dans un torrent de sang. Ce fut particulièrement douloureux. Rien à voir avec la banale torture du dentiste. À moins que votre dentiste ne vous refuse toute anesthésie, ne foute le feu à vos cheveux et à votre cul, et ne vous balance quelques coups de pied dans l'entrejambe avant de vous arracher les dents.

Benson parvint à réunir assez de force pour rouler sur lui-même et lever les yeux en direction de son nouvel assaillant. Le costaud au débardeur qui venait de le tirer de l'ascenseur en le lançant aussi violemment était celui des trois que Benson craignait le plus. Il baissa son regard brûlant de colère sur le vampire et lui parla lentement, en pesant chacun de ses mots.

« Quand on était gamins, débuta-t-il, les gens disaient que mon frère et moi, on se ressemblait tellement qu'il était impossible de deviner qu'on n'avait pas le même père. Bien sûr, dès que l'un de nous deux ouvrait la bouche, tout le monde comprenait qui était qui. Mon frère était ce qu'on pourrait appeler un simplet. Un naïf et un innocent qui aurait fait n'importe quoi pour se faire aimer. Beaucoup en abusaient, et j'ai passé une grande partie de mon enfance à le protéger des pourritures qui lui voulaient du mal. »

L'homme s'interrompit, et son regard se perdit au fond de la salle secrète.

« Toute ma vie, reprit-il, j'ai dû entendre les pleurs de mon frère, à chaque fois que quelqu'un s'en prenait à lui. Je pouvais l'entendre même si je me trouvais à des milliers de kilomètres : le lien qui nous unissait était à ce point puissant. Mais ce que tu lui as fait subir, toi, espèce de putain de dégénéré, je l'ai entendu du début jusqu'à la fin, en direct. Je l'ai entendu implorer votre pitié, je l'ai entendu crier pour que je vienne le sauver. Je l'ai entendu hurler de douleur et vous supplier, toi et tes putains de potes morts de rire, de l'épargner. Et je continuerai à entendre ces cris jusqu'à mon dernier souffle. La seule chose qui arrive à couvrir ces cris dans ma tête, ce sont les hurlements de ses assassins, deux minutes par-ci, trois minutes par-là. Et tu es le dernier. *Alors il va falloir que tes hurlements durent un peu plus longtemps.* »

Cet homme qui le dominait de toute sa taille, avec son débardeur maculé de sang, cet homme musclé, bronzé, dont la voix charriait un flot épais de rocailles, n'était autre que le Bourbon Kid. Aucun doute n'était permis.

Benson ravala son propre sang, avec des restes de vomi qu'il avait fini par déglutir. Il évitait le regard de l'homme qui se tenait face à lui. Il était en train d'avoir un avant-goût de la douleur et de la terreur que ses amis et lui avaient infligées à son frère. Il ne savait pas trop où poser ses yeux qui s'emplissaient peu à peu de larmes amères. Soudain, il perçut un mouvement dans la cabine de l'ascenseur. L'homme qu'il avait criblé de balles, celui qu'il avait pris à tort pour le Kid, venait de se relever en rejetant sa capuche sur les épaules.

« Chip ? » articula Benson, la voix coupée par la surprise et le menton dégoulinant de sang. Il avait rencontré le membre le plus récent des Dreads lors d'un récent passage au Nightjar. Le visage du policier qui se trouvait à côté de Chip dans l'ascenseur, ce type, qui à plusieurs reprises lui avait envoyé des coups de pied aux parties, lui était totalement inconnu : Benson n'avait en effet jamais croisé Dante. Mais le visage qui l'inquiétait le plus, c'était celui qui, tourné vers lui, le dominait de toute sa taille. Celui-ci, il le reconnaissait bel et bien. Il lui était plus que familier.

« *Déjà-Vu ?*

— La situation te rappelle quelque chose ? lui lança le Kid. La seule différence, c'est que la dernière fois, c'était toi qui frappais. »

Benson ravala de nouveau un peu de vomi qui venait de lui remonter à la bouche.

« *Oh ! putain…* C'est pas moi qui ai eu l'idée, je te le jure. J'ai essayé de me montrer clément. »

Le Bourbon Kid se pencha vers sa victime en proie à une peur panique : « La dernière fois que mon frère m'a appelé, je t'ai entendu le torturer pendant cinq minutes et vingt-cinq secondes, jusqu'à ce qu'il finisse par mourir. »

Sur la droite du Kid, Benson vit s'approcher la silhouette de Peto, hérissée de dreadlocks. Il était en train d'ouvrir la longue cape sombre du Kid qu'il portait toujours, comme pour la retirer. Sous le tissu, deux choses attirèrent l'attention de Benson. *Primo*, les quatre impacts de balles en pleine poitrine cicatrisaient aussi proprement que rapidement, grâce à la pierre bleue que Peto portait au cou. Et *secundo*, et cela inquiétait considérablement Benson, la doublure de la cape à manches était recouverte d'une pléthore d'objets tranchants de formes et de tailles variées.

Peto se campa à côté du Kid, qui, un bref instant, détourna son regard du pitoyable Randy Benson. Sous la cape que portait encore Peto se trouvait une arme spécialement prévue pour cet instant, une baïonnette à poignée de bois de la Seconde Guerre mondiale. Il la retira de la petite poche dans laquelle elle était passée, et se retourna vers sa victime. Cette arme serait la première d'une très longue série avec laquelle il torturerait, et finirait par achever Randy Benson.

Le visage absolument impassible, le Bourbon Kid tendit le bras et attrapa Benson par les cheveux.

« Ton ami Igor, ce gros con, m'a raconté dans le détail ce que vous aviez fait. Je crois me rappeler que ça a commencé par une main tranchée au niveau du poignet.

— C'est Hunter qui a fait ça ! C'est pas moi !

— Comme si j'en avais quelque chose à foutre.

— C'est vrai, je te le jure. J'ai supplié les autres de l'épargner. Je savais que c'était mal.

— Avoue ce que tu as fait.

— J'ai rien fait du tout, je te le jure ! » Benson essayait de sauver sa peau par tous les moyens. Mais ça ne prenait pas. Malgré lui, il était en train de s'assurer qu'il quitterait ce monde sans le moindre vestige de dignité et d'amour-propre.

« Alors, tu es un innocent ?

— Oui, oui ! Je suis innocent, je te le jure. »

Le Kid considéra son propre reflet sur la lame acérée de la baïonnette.

« T'es innocent, hein ? Tu sais quoi ? Mon frère aussi était un innocent. Et il y a tellement de façons de torturer un parfait innocent en cinq minutes et vingt-cinq secondes. Passons-les en revue tous les deux. Quand nous tomberons sur l'une de celles que tu as fait subir à mon frère, tu n'auras qu'à me l'indiquer en hurlant un bon coup. »

53

À plusieurs reprises au cours du supplice et de l'exécution finale de l'inspecteur Randy Benson, Dante fut obligé de détourner les yeux. Le moins qu'on puisse dire, c'est que ce fut la chose la plus cruelle, la plus ignoble et la plus intolérable à laquelle il eût jamais assisté.

Peto et lui avaient espéré que leur implication ne serait pas requise, mais dès que le Kid eut sectionné l'une des mains de Benson au niveau du poignet à l'aide de sa baïonnette, leur participation s'avéra indispensable. Suivant les instructions du Kid, ils avaient maintenu Benson étendu sur le dos tandis que leur compagnon lui faisait payer son crime. Il avait débuté avec un petit couteau, grâce auquel il avait soulagé le vampire hurlant de ses paupières, sans doute pour qu'il ne perde pas une miette de ce qu'il devait endurer par la suite. Le sang s'était mis à gicler aussitôt, et Dante avait tourné la tête lorsque la lame avait découpé les lèvres de Benson. Il jetait un coup d'œil en direction de la victime à chaque changement dans le niveau sonore de ses hurlements. En tout et pour tout, il dut manquer une bonne moitié de la séance. De toute évidence, le vampire se fit arracher les mamelons, mais la pire torture que vit Dante fut l'amputation des ongles de la main qui lui restait : consciencieusement, le Kid plantait son couteau sous les ongles, et, d'un coup sec sur le manche, les faisait sauter un à un. Ce fut ensuite au tour du nombril. Il parut alors évident que le Kid entendait à présent œuvrer en dessous de la ceinture de Benson. À partir de là, les hurlements d'agonie de ce dernier poussèrent Dante et Peto à ne plus jamais tourner leur regard dans sa direction.

Dante savait bien que Benson était un être maléfique, un vampire et tout, mais ce qu'il avait fait au frère du Bourbon Kid ne justifiait en rien le fait de lui infliger ce genre de châtiments dégradants et immondes. Tout du moins, c'était ce que Dante avait tendance à croire. D'un côté, il aimait bien le Bourbon Kid, autant qu'on puisse apprécier un individu qui était susceptible de vous tuer à tout moment sans la moindre raison, et qui avait probablement tué un nombre considérable de personnes qui ne l'avaient pas mérité. Des personnes qui, elles aussi, avaient probablement des parents, des frères et des sœurs. Mais d'un autre côté, Dante avait vraiment hâte de dégager de là pour arracher Kacy des griffes des services secrets. Il n'aimait pas la savoir seule en compagnie de Swann et Valdez. Surtout en compagnie de Swann. À quoi cette raclure pouvait-elle bien s'occuper, pendant que Dante faisait le sale boulot à sa place ? Peut-être que le fait d'avoir emmené Kacy au restaurant et de l'avoir fait boire n'était que la première phase d'un vieux plan pourri visant à la séduire. Plein d'optimisme en dépit de tout, Dante se dit que, de toute façon, il ne se passerait pas longtemps avant qu'il n'arrive avec la cavalerie et ne sauve sa pauvre Kacy.

Au terme des cinq minutes et vingt-cinq secondes d'enfer que lui avait promises le Kid, l'existence du vampire et inspecteur Randy Benson toucha à sa fin. Les trente dernières secondes, les seules armes utilisées furent les poings du Kid, qui, en un rythme implacable, réduisirent le visage de la victime en une masse de chair informe. En guise de touche finale, le Kid ordonna à Peto d'enfoncer le *Livre sans nom* dans la poitrine du vampire. Tous trois virent sa dépouille s'enflammer, puis se réduire à un tas de cendres fumantes. Lors de ses ultimes instants sur terre, les cris de Benson laissèrent place à de fugaces soupirs de soulagement.

À présent que leur mission semblait accomplie, Dante et Peto avaient hâte de quitter les lieux. Inutile de traîner au sein du commissariat quand on est tueur de flic, pas vrai ?

Peto tira une poche plastique remplie de sang de la veste de Benson, qui avait été mise de côté avec le reste de ses vêtements durant son supplice.

« Qu'est-ce que tu comptes faire de ça ? » demanda-t-il au tortionnaire apparemment assez las, qui venait de retirer son débardeur blanc pour nettoyer les divers ustensiles et lames qu'il avait souillés de sang durant l'exécution de Randy Benson.

« C'est quoi ? répliqua le Kid.

— Une poche de sang, apparemment. Comme celles qu'on utilise pour les transfusions, ce genre de trucs.

— Rien à foutre. Laisse ça là.

— Ah oui ? Et si c'est important ?

— Si ça te chante, tu peux toujours la rapporter chez toi et la mettre au congélo. »

Peto encaissa la vanne et jeta la poche par terre. Elle rebondit une fois avant de glisser sur le linoléum, disparaissant sous l'un des bancs de bois qui longeaient une rangée de casiers.

« Et maintenant ? » demanda le moine.

Le Kid l'ignora et se dirigea vers la salle secrète. Le calice doré brillait d'une lumière chaude au centre de la table de bois ancien. Il se saisit de la coupe et la lança à Peto, qui l'attrapa d'une main.

« Je suis censé faire quoi avec ça ? demanda le moine aux dreadlocks.

— Cache ça et le *Livre sans nom*, quelque part où personne ne pourra les retrouver. Enterre-les. En fait, pourquoi est-ce que tu te casserais pas à Hubal avec ? C'est là-bas que devraient être gardés l'Œil de la Lune, le Saint-Graal et toutes ces conneries. C'est là-bas qu'est leur place, et c'est aussi là-bas qu'est la tienne. »

Peto se cabra. Il était hors de question que quiconque, même le Kid, lui parle comme ça. Il avait dû lutter pour faire son trou à Santa Mondega, et le fait qu'on sous-entende qu'il n'y avait pas sa place lui déplaisait fortement.

« Tu penses que je ferais mieux de retourner à Hubal, hein ?

— Ouais.

— Tu veux parler d'Hubal, l'île qui est présentement inhabitée parce que quelqu'un…, son regard, planté dans celui du Kid, s'assombrit soudain, … *quelqu'un* y a débarqué il y a un an de ça pour exterminer tous les moines qui y vivaient ?

— Ouais, c'est bien de cette Hubal que je parle.

— Merci, mais je crois que je vais décider tout seul de ma destination. Je n'ai pas besoin de ton putain d'avis à deux balles. Au fait, il pleuvait comme vache qui pisse tout à l'heure. Je ne peux pas sortir sous ce déluge avec ce foutu bouquin.

— T'as qu'à le fourrer dans un de ces casiers et venir le chercher demain, quand l'averse aura cessé. »

Peto poussa un profond soupir.

« Comment as-tu réussi à terrasser les moines d'Hubal ? Est-ce que ça t'arrive de réfléchir un peu à tes actes ? Ce livre est d'une valeur incomparable. Il est capable de venir à bout du plus puissant des vampires, bordel de merde.

— Ouais, mais là, c'est justement le nouveau vampire en chef qu'on vient de crever. Le bouquin ne sert plus à rien. En fait, j'ai même l'impression qu'on aurait pu le tuer sans le livre. Il était quasiment déjà mort quand tu le lui as enfoncé dans la poitrine.

— Soit, mais même si… »

Lassé par la prise de bec, Dante ramassa le *Livre sans nom* qui se trouvait encore au milieu des restes calcinés de Randy Benson et alla le ranger dans le casier numéro 65, tout en haut de la rangée. Les deux autres le regardèrent, légèrement déçus de voir leur querelle brisée de la sorte.

« Voilà, déclara Dante. On peut y aller ?

— C'est quand vous voulez, répondit le Bourbon Kid dans un haussement d'épaules.

— Attends, juste une dernière chose, lança Peto à l'assassin torse nu. Tu voulais pas m'emprunter cette pierre bleue que j'ai autour du cou ?

— Si, si. Allons faire ça dehors », répondit le Kid. Il ramassa sa cape, la passa autour de son bras, et fourra son débardeur maculé de sang dans l'une des nombreuses poches intérieures. Puis il passa devant Dante et pénétra dans l'ascenseur.

Dante s'éclaircit la voix. Le temps était venu de rappeler à ses compagnons un détail qui, à ses yeux, était d'une importance absolue.

« Euh… t'as pas oublié qu'on allait sauver ma petite copine, hein ? »

Le Kid soupira.

« Bien sûr que non. Laisse-moi juste le temps de me débarrasser de mes pulsions de vampire grâce à la pierre, parce que là, au moment précis où je te parle, j'ai sacrément envie de croquer l'autre con, là, dit-il en désignant Peto d'un mouvement de la tête. Tu viens, moinillon ? »

Peto haussa les épaules.

« Ouais. Mais que ce soit bien clair : je vais simplement te prêter la pierre. Je te la reprends dès que tu en auras fini. »

Dante et Peto rejoignirent le Kid dans la cabine, et les trois hommes montèrent au rez-de-chaussée. Plus que jamais, Dante avait hâte de retrouver Kacy. Elle avait besoin de lui, et lui avait besoin d'être aux côtés de la femme qu'il aimait.

Et qui, à cet instant précis et au vu des circonstances, était probablement la seule personne saine d'esprit qu'il connaissait.

54

Sanchez se sentait vraiment d'une humeur de merde, et pour quelqu'un d'aussi peu réputé pour sa jovialité, ça voulait tout dire. Entre le retour du Bourbon Kid et le long trajet jusqu'à la bibliothèque, ç'avait été une journée complètement pourrie. Il avait tout juste nettoyé le Tapioca du sol au plafond, effacé le sang sur les murs et renvoyé Sally pour le restant de la soirée, que quatre putains de clients étaient entrés dans son bar.

Le barman grassouillet n'avait aucune envie de servir qui que ce soit, mais, d'un autre côté, il avait renvoyé Sally chez elle, au cas où des flics seraient passés le voir. Inutile qu'elle leur soumette son témoignage, et cause encore plus de problèmes à son patron. Comme de bien entendu, aucun flic ne s'était pointé pour un quelconque interrogatoire ou un quelconque relevé d'empreintes. Mais ce qui énervait Sanchez plus que tout, c'était de ne pas avoir encore trouvé cinq minutes pour feuilleter de nouveau ce *Livre de la mort*. Plus précisément, pour relire les noms qui figuraient à la date du lendemain.

Il était donc planté là, derrière son comptoir (plus ou moins) propre, face aux quatre hommes assis sur des tabourets de bar. De gros salopards musculeux et intimidants, par-dessus le marché. Pas le tout-venant du salopard intimidant qu'on trouvait à Santa Mondega. Ces types étaient des militaires, Sanchez l'avait senti dès qu'ils avaient mis un pied à l'intérieur. Ils avaient cette façon de rouler des mécaniques et ce charisme qui aurait intimidé n'importe quel client, s'il y en avait eu ne serait-ce qu'un à ce moment-là. Leur présence avait suffi à convaincre Sanchez de laisser le *Livre de la mort* à sa place, bien caché sous le comptoir.

Dès leur entrée, ils s'étaient comportés bizarrement. L'un d'eux était allé tout droit au comptoir, tandis que les trois autres étaient restés légèrement en retrait, inspectant du regard le moindre recoin de la salle du bar, à la recherche du moindre danger susceptible de se terrer dans les ténèbres.

En fait, Sanchez avait reconnu l'un d'eux, un type qui avait vécu à Santa Mondega, et avait quitté la ville alors qu'il n'était encore qu'un très jeune homme. Il s'appelait Bull, et c'était le chef du groupe. Cette équipe, mais Sanchez l'ignorait, était la Shadow Company, une unité de soldats lourdement décorés, spécialisée dans les opérations secrètes derrière les lignes ennemies. Durant leurs permissions chèrement gagnées, ils se tenaient à la disposition de n'importe quel client potentiel qui avait besoin de leurs muscles et de leur expérience, et était prêt à débourser la somme requise. Tous les quatre étaient liés par une loyauté farouche, et c'était justement cette loyauté qui les avait guidés jusqu'à Santa Mondega. Ils avaient un contrat très spécial à honorer.

Un contrat non rémunéré.

Une vengeance que Bull avait juré d'exercer de nombreuses années auparavant.

Et le grand soir était enfin arrivé.

Les quatre hommes étaient tous habillés de la même façon veste de treillis, pantalon noir, ceinture marron, T-shirt noir moulant, lunettes noires aux verres complètement opaques, et rangers noirs. La seule partie de leur anatomie qui les distinguait les uns des autres était leur tête. Les cheveux de jais de Bull étaient taillés en une brosse très courte. Assis au bout du bar, il mâchonnait un cigare cubain.

À sa droite se tenait Silvinho, le plus excentrique. Son crâne était totalement rasé à blanc, à l'exception de la crête rose fluo de dix centimètres qui courait au milieu, du haut du front à la base de la nuque. Il portait en outre une larme tatouée sous son œil gauche, et un petit anneau d'or pendait à sa narine droite.

L'homme qui se trouvait à côté de lui se faisait appeler Razor, et ce qui frappait lorsqu'on le voyait, c'étaient moins ses cheveux coupés uniformément à trois millimètres que la cicatrice qui traversait son visage en diagonale, de son sourcil droit jusqu'au coin gauche de sa bouche, en passant bien entendu par son nez. Il devait cette blessure à un combat à mort qui l'avait jadis opposé à un terroriste armé d'un sabre de samouraï.

Le dernier homme, le plus éloigné de Bull, mais le plus proche de Sanchez, s'appelait Tex. Dépassant les deux mètres, carrure assortie, c'était un géant aux longs cheveux bruns et sales, muni d'un bouc dont la pointe tombait à quelques centimètres de son menton. Même si Tex était le plus grand des quatre, la taille de chacun était assez impressionnante. Silvinho était le plus petit, du haut de son mètre quatre-vingt-huit, mais si l'on prenait en compte sa crête, il mesurait plutôt un mètre quatre-vingt-dix-huit.

Chacun des quatre soldats avait devant lui un verre de bière. À chaque fois que Bull buvait une gorgée, les trois autres l'imitaient. C'était clairement lui qui donnait le *la*, et son verre était toujours le moins rempli des quatre. C'est lui qui finit en premier sa bière, et les autres en firent autant aussitôt après. Ils étaient à présent en train de fumer leur deuxième cigare de la journée. Là encore, lorsque Bull avait allumé le sien, tous l'avaient imité.

Au plus grand déplaisir de Sanchez, cela faisait plus d'une demi-heure qu'aucun mot n'avait été prononcé. Bull avait commandé les bières, et tous les quatre étaient restés assis là, à regarder fixement droit devant eux. En temps normal, cela aurait suffi à foutre les boules à Sanchez, mais à présent qu'il avait survécu à son troisième massacre du Bourbon Kid, il n'était plus prêt de se faire dessus en public pour si peu.

C'était la nuit d'Halloween, et, par-dessus le marché, le temps était exécrable : il était donc normal que les rues soient vides, et que personne ne se soit encore approché du Tapioca pour voir s'il était ouvert. Pourtant, une femme seule entra. À en juger par sa démarche et sa silhouette, elle paraissait avoir une petite vingtaine d'années, mais l'expression lasse de son visage suggérait qu'elle était âgée d'une bonne poignée d'années supplémentaires. À l'exception de ses longs cheveux châtains, elle semblait trempée jusqu'aux os. La jupe bleu sombre qui lui recouvrait les jambes jusqu'aux chevilles ne les avait que bien peu protégées de la pluie. Sanchez remarqua que le sweat assorti à sa jupe était pourvu d'une capuche qui avait manifestement gardé ses cheveux au sec, et qu'elle avait eu la présence d'esprit de rabattre en entrant dans le bar.

Même s'il n'aimait pas particulièrement cette femme au passé mouvementé et à la blessure faciale si hideuse qu'il était difficile de lui parler sans la fixer, Sanchez décida de lui réserver un bon accueil (dans la faible mesure où il en était capable), tout simplement parce que le silence qui régnait au Tapioca commençait à lui taper sur le système.

« Qu'est-ce que ce sera ? demanda-t-il.

— Un jus d'orange, s'il vous plaît, Sanchez, répondit-elle.

— Désolé. Y en a plus.

— Alors un jus d'ananas, s'il vous plaît.

— Y en a plus non plus.

— Oh ! très bien. Alors que vous reste-t-il, comme boissons non alcoolisées ?

— Y en a plus.

— De l'eau, peut-être ?

— Pas de problème. Mais elle est un peu jaunâtre.

— Alors je ne prendrai rien, merci. » Elle tira à elle le tabouret de bar qui se trouvait à côté de Tex. « Ça vous dérange si je reste ici, le temps que l'averse se calme un peu ? »

Les quatre soldats ne lui prêtaient pas la moindre attention. Sanchez lui sourit :

« Pas du tout. Du moment que vous respectez la loi sur la tabagie.

— Aucun souci, répondit-elle en lui adressant un sourire poli. Je ne fume pas.

— Alors dehors. C'est la loi du Tapioca. Seuls les fumeurs sont acceptés. Le bar est interdit aux non-fumeurs. »

Elle jeta un regard aux quatre hommes accoudés au comptoir, sur sa gauche. Ils regardaient tous droit devant eux en fumant de gros cigares bruns.

« Vous êtes sérieux ? demanda-t-elle.

— Bien peur que oui, répondit Sanchez.

— Vraiment ?

— Vraiment. Il va falloir soit que vous vous mettiez à fumer, soit que vous sortiez d'ici. »

Tex se retourna vers elle et lui cracha une taffe au visage. Il la toisa ensuite de la tête aux pieds, puis, la regardant droit dans les yeux, dit avec un accent traînant du sud des États-Unis :

« Sacré dilemme, m'dame. »

Elle descendit de son tabouret de bar et recouvrit sa tête de la capuche. Elle jeta un dernier regard déçu à Sanchez et sortit sous la pluie.

Sanchez vit là une occasion d'égayer un peu ses quatre clients.

« Vraiment bizarre, cette nana », commenta-t-il en espérant les faire réagir. Ils l'ignorèrent tous, mais il persévéra. « Beth la Schizo, qu'on l'appelle. »

À l'autre bout du comptoir, Bull tourna la tête pour envoyer un regard noir au barman. Il était censé lui signifier de la fermer, mais le serveur de breuvages douteux, assez peu finaud, l'interpréta comme une marque d'intérêt, et poursuivit son récit.

« Elle est devenue schizo quand elle était adolescente, parce que sa mère voulait lui interdire de voir un garçon. Elle a assassiné sa mère de sang-froid, un soir d'Halloween. Lui a tranché la gorge d'une oreille à l'autre. »

Silvinho, le type au crâne hérissé de pointes roses qui était assis à droite de Bull, posa son regard sur Sanchez, comme si son histoire avait piqué sa curiosité.

« D'où à où ? demanda-t-il.

— D'une oreille à l'autre, répondit Sanchez en traçant du doigt une plaie imaginaire sur la largeur de sa gorge, d'une oreille à l'autre.

— D'où à où ?

— D'une oreille à… oh, ça va ! »

Sanchez avait surpris les infimes tremblements de la crête rose, et avait compris que l'homme se riait de lui, bouche close, sans un son. Pourtant, l'atmosphère se détendit un peu. Plongés dans une transe collective quelques instants plus tôt, les quatre hommes échangeaient à présent des sourires suffisants et des regards complices.

« Finis ta putain d'histoire, barman », s'écria Bull à l'autre bout du comptoir. Il y avait eu bain de sang : tout naturellement, les quatre soldats ne pouvaient réprimer un certain intérêt pour le récit de Sanchez.

« Eh bien, elle a tué sa mère en lui tranchant la gorge d'une oreille à l'autre…

— D'où à où ? demandèrent les quatre hommes à l'unisson.

— Ah-ah-ah, très drôle. Enfin bon, sa mère refusait qu'elle aille retrouver ce garçon au bout de la jetée, cette nuit-là. Alors la fille devient complètement schizo, parce qu'elle a promis au type d'être au lieu de rendez-vous à une heure précise et, prise de folie, elle assassine sa mère. Après ça, cette petite conne court de toutes ses forces pour arriver sur la jetée, et le garçon n'y est même pas. Il est jamais venu. C'est là qu'elle se fait arrêter, et, après ça, elle passe dix ans en prison pour meurtre. Depuis qu'elle est ressortie, à chaque fête d'Halloween, elle reste au bout de la jetée jusqu'à la fin de l'heure maléfique, dans l'espoir que ce garçon viendra. C'est pour ça que tout le monde l'appelle Beth la Schizo. J'imagine que le petit gars a dû se rendre compte qu'elle était complètement chtarbée et qu'il a préféré prendre le large. Même comme ça, faut avouer qu'elle est pas mal foutue.

— Moi, je me la ferais bien, déclara Tex.

— Cette cicatrice est quand même pas très excitante, non ? » fit remarquer Razor. Les trois autres membres de la Shadow Company observèrent une courte pause, puis acquiescèrent de concert.

« Je me rappelle avoir lu tout ça dans le journal, dit Bull, comme s'il se parlait à lui-même. Il y a dix-huit ans de ça. La même nuit où mon père a été assassiné. »

Sanchez sentit que l'ambiance se dégradait de nouveau. *Merde !* Que pouvait-il faire pour empêcher le retour de ce silence inconfortable ? Un trait d'esprit semblait s'imposer. « L'a tranché la gorge de sa mère d'une oreille à l'autre », répéta-t-il sur le ton de la plaisanterie, en traçant de nouveau la plaie imaginaire.

Mais l'effet de comique de répétition tomba à l'eau. Les quatre hommes hochèrent la tête pour lui faire comprendre que la plaisanterie ne les faisait plus du tout marrer. Puis, comme s'ils avaient été programmés pour le faire, tous retombèrent simultanément dans leur attitude de statue, le regard fixe et vide droit devant eux.

Cette fois-ci, le silence ne dura pas longtemps. Une minute n'était pas passée que le téléphone portable de

Bull sonna, faisant sursauter Sanchez. Personne ne lui prêtait plus la moindre attention. Bull s'empressa de tirer son portable de la poche et décrocha dès la deuxième sonnerie.

« Ouais, ici Bull… Bien reçu… Merci. »

Il déconnecta son téléphone, le rangea dans sa poche, et quitta son tabouret.

« C'est bon, les gars. À nous de jouer. »

[illegible] sont [illegible] pas [illegible]
[illegible] plus [illegible]
[illegible] de la [illegible]
[illegible]

[illegible]

[illegible]

[illegible]

[illegible]

55

Dante, Peto et le Bourbon Kid sortirent du commissariat sans avoir à tuer personne, *et ça, c'est plutôt cool*, pensa Dante. Apparemment, tout Santa Mondega était au courant que le Kid était de retour en ville et qu'il tuait tout ce qui bougeait, parce que ça le faisait marrer, mais également pour des raisons plus personnelles (et cela, c'était une nouveauté). L'homme le plus recherché de tout Santa Mondega avait renfilé sa cape à manches. La capuche reposait sur ses épaules, laissant pour une fois son visage et ses cheveux tachés de sang à découvert. Dante et Peto n'avaient guère meilleure mine, dans leurs uniformes de police recouverts de merde et de sang.

L'Interceptor V8 noire était toujours là où l'avait garée le Kid, à une cinquantaine de mètres du commissariat. Les rues enténébrées étaient désertes, en partie parce que personne ne souhaitait prendre le risque de se faire tirer dessus, voire tuer sans raison, et en partie parce que la pluie redoublait à chaque instant. Face au commissariat, de l'autre côté de la chaussée, plusieurs pots suspendus à la devanture d'un fleuriste se balançaient violemment dans les sautes de vent. Un grand nombre de plantes et une quantité non négligeable de terre, tombées des pots, étaient emportées au loin, à l'instar des habituels journaux et détritus que les bourrasques balayaient sur la route et le trottoir humide en direction du centre-ville. De temps à autre, la lune, ronde et bleue, faisait une courte apparition entre les épais nuages qui sillonnaient le ciel à une vitesse impressionnante. Mais même lorsqu'elle se montrait, la pluie n'en faiblissait pas pour autant.

Les trois hommes s'approchèrent de la voiture, l'humeur considérablement plombée par les événements violents qu'ils venaient de vivre. Ce fut Peto qui allégea un peu l'ambiance. « Hé ! Déjà-Vu, ou je sais pas trop quoi, il vaudrait mieux que tu utilises la pierre maintenant, hurla-t-il pour se faire entendre par-dessus les rafales de vent. La lune est bien dégagée, autant en profiter avant qu'elle disparaisse derrière un nuage pour le reste de la nuit. »

Le Kid, qui s'apprêtait à ouvrir la portière conducteur, hésita, la main déjà posée sur la poignée, prêt à l'ouvrir d'un rapide revers. Il finit par se détendre et écarta son bras.

« Ouais, carrément. Rien à foutre. Faisons ça maintenant.

— Génial. Mais écoute bien : je te la prête à la seule et unique condition que tu me laisses m'asseoir à la place du passager, cette fois-ci.

— Marché conclu. »

Dante s'était déjà posté du côté passager, et, à ces mots, il lança un regard en direction de Peto, qui se tenait toujours sur le trottoir.

« Putain, mais t'as huit ans ou quoi ? demanda-t-il d'une mine dégoûtée.

— Hé ! c'est minuscule à l'arrière. Il y a tout juste assez de place pour un chien sur cette banquette. »

Dante hocha la tête : « Espèce de gros pédé.

— C'est ça, ouais, répliqua Peto en souriant. Je suis peut-être un gros pédé, mais moi, je vais m'asseoir devant ! »

Le Bourbon Kid scruta Peto de la tête aux pieds : « T'es pédé ?

— Non.

— Alors pourquoi tu viens de dire que tu l'étais ? »

Peto en eut presque le souffle coupé. Le fait de bosser avec ces deux abrutis commençait sérieusement à l'agacer.

« Tu veux l'Œil de la Lune, oui ou non ? lança-t-il d'un ton sec.

— Bien sûr, répondit le Kid. Passe. »

Peto retira le pendentif qu'il avait autour du cou, et la pierre bleue sortit, resplendissante, de sous l'uniforme de police. Aussitôt à l'air libre, elle se mit à luire d'un bleu plus clair, comme si une flamme venait de s'allumer en son cœur. Le Bourbon Kid s'approcha de Peto en tendant la main. Le moine n'eut qu'une infime hésitation avant de lui passer la pierre magique.

« Tu sais quoi faire avec ? »

Le Kid lui envoya un regard perplexe :

« Quoi ? Tu veux dire, est-ce que je sais comment me mettre un collier autour du cou ?

— Non, soupira le moine. Regarde. Tiens-toi là, au milieu de la rue, et brandis la pierre au-dessus de ta tête, afin de la positionner bien en face de la lune. Pour laver tes veines de la moindre trace de sang de vampire, tu dois la pointer droit sur une lune bleue.

— Comment tu sais tout ça ? demanda le Kid d'un ton suspicieux.

— Par les enseignements des anciens. Je n'ai évidemment pas testé ce pouvoir spécifique, mais il y a des siècles de cela, un type du nom de Ramsès Gaius (la momie dont je t'ai parlé tout à l'heure) a mis au jour un grand nombre de ses potentialités. L'essentiel de ces pouvoirs dépend de l'état de la lune. Si tu veux purifier ton sang et redevenir mortel, tu dois la pointer en direction d'une lune bleue. Mais il faut que je te prévienne : cette opération va également éliminer ton problème de boisson, ainsi que la totalité de tes putains d'idées impures. Tu deviendras un mec normal. »

Le Kid considéra la pierre d'un air grave.

« Un mec normal, hein ? »

Peto, regrettant déjà de s'être énervé contre cet homme aussi étrange que dangereux, posa une main sur son épaule.

« Hé ! je suis vraiment fier de toi. Ça doit pas être évident, je te comprends. »

Le Kid lui lança de nouveau un regard suspicieux :

« Eh ! mais t'es vraiment pédé, en fait ? »

À cette réplique, Dante ne put réprimer un ricanement puéril, et, bien qu'il se trouvât à quelques mètres en retrait, Peto l'entendit.

« Vous êtes pitoyables, tous les deux », grommela le moine.

Le Bourbon Kid releva le pendentif au-dessus de sa tête et passa la chaîne autour de son cou, avant d'aller se positionner au beau milieu de la rue. Le vent fouettait toujours tout sur son passage, et la pluie tombait plus fort que jamais. Le Kid se tint là, immobile, les bras en croix, la tête relevée en direction de la lune.

Dante et Peto virent la pierre bleue luire d'un éclat plus vif, et soudain, comme si elle avait pompé toute l'énergie des rayons bleus du satellite, briller si intensément qu'elle en devint quasiment blanche.

Le Kid se retrouva nimbé de faisceaux bleus et blancs, si puissants que Peto et Dante durent détourner le regard. Pendant une dizaine de secondes, leur camarade resta au milieu de la chaussée, tremblant et s'efforçant de rester debout, alors que le pouvoir de la pierre le consumait et aspirait toutes les impuretés et les influences maléfiques présentes aussi bien dans son système sanguin qu'au plus profond de son être. L'âme de JD, l'ado innocent qui dix-huit ans plus tôt, durant la nuit d'Halloween, avait été témoin du mal à l'état pur, était enfin lavée.

Les cieux au-dessus de leur tête laissèrent entendre un délicat coup de tonnerre. Le bref éclat de foudre qui l'avait précédé passa quasiment inaperçu dans l'aura éclatante qui entourait le Bourbon Kid. L'éclat de la pierre bleue se résorba alors, jusqu'à ce qu'il ne subsiste plus en son cœur qu'un faible scintillement, pareil à celui d'une braise qui meurt, seul vestige du pouvoir qui venait d'être invoqué. Le Kid se retrouva là, clignant des yeux, interdit, si ce n'est complètement abasourdi par ce qu'il venait de s'infliger à lui-même.

« Ça va ? » lui lança Dante.

Pendant quelques instants, le Kid ne parvint pas à lui répondre. Il semblait complètement désorienté. Tout d'un coup, il afficha une mine dégoûtée, comme s'il venait de boire une gorgée de lait tourné.

« Mec, je me sens vraiment au fond des chiottes, lâcha-t-il enfin d'un ton hésitant.

— Tu te sens guéri ? » demanda Peto.

Le Kid haussa les épaules.

« Je crois, ouais. Je me sens assez faible. Les pulsions vampiriques ont disparu, mais j'ai aussi l'impression que toutes les autres pulsions sont parties avec. C'est ça, ce que vous ressentez constamment ?

— Bienvenue dans la réalité, déclara Peto dans un sourire. Voilà ce que c'est que d'être un mec normal. »

Le Kid retira le pendentif et le lança au moine.

« Tiens, tu peux le reprendre. Je crois que je vais rentrer chez moi.

— Hé ! intervint Dante. Oublie pas qu'on doit aller chercher ma copine. Elle est retenue en otage par les services secrets, tu te souviens ?

— Rien à foutre, de ces conneries, répliqua le Kid en se dirigeant vers la portière conducteur de la voiture. Mes jours d'assassin sont révolus. Désolé, mec. J'ai pas envie d'être mêlé à tout ça. C'est un nouveau départ pour moi. Pas envie de relancer la machine en me remettant à tuer. Tu t'en sortiras parfaitement sans moi.

— QUOI ? »

Dante n'en croyait pas ses oreilles. Il décida de passer sa déception sur Peto.

« Espèce de, espèce de putain d'enfoiré ! explosa-t-il. Tu pouvais pas attendre qu'on ait récupéré Kacy, hein ? Il fallait absolument que tu lui passes cette putain de pierre maintenant, hein ? Espèce de sale con. Comment on va faire, maintenant ? Tu viens de le transformer en une putain de mauviette alors qu'on était censés arracher ma copine des griffes des services secrets. T'es vraiment qu'une pauvre merde !

— Oh, ferme-la, tu veux ? Tout va bien se passer. Je vais t'aider à sauver ta petite amie.

— T'as intérêt, putain. »

Ni l'un ni l'autre n'avaient prêté attention au Bourbon Kid durant cet échange. Celui-ci était passé derrière le volant et avait refermé sa portière. Le ronronnement du moteur leur fit tourner la tête à tous les deux.

« Bon, dans ce cas, c'est moi qui m'assieds devant », dit Dante en s'avançant vers la portière passager. Malheureusement pour lui, avant qu'il ait pu poser la main sur la poignée, le Bourbon Kid lâcha le frein à main et, d'une forte pression sur l'accélérateur, démarra en trombe.

Peto et Dante coururent après l'Interceptor sur une bonne vingtaine de mètres, alors que la pluie et le vent redoublaient encore de violence. En vain. La voiture noire ne s'arrêta pas. Le Bourbon Kid était parti pour de bon.

« Putain, génial, gémit Dante. Bien joué, super bien joué ! »

Il applaudit Peto.

Le moine lui lança un regard désolé.

« Hé ! pas de quoi s'inquiéter. On va simplement y aller à pied. C'est pas si loin que ça. Je te promets de me faire pardonner. Et puis, on a toujours l'Œil de la Lune, mes poings mortels et ton tonfa. Ça va être une vraie partie de plaisir. On n'a pas besoin de ce mec et de sa putain de bagnole. Pas vrai ? »

Dante poussa un soupir désespéré.

« On vient vraiment de toucher le fond, là. »

Comme pour le contredire, la foudre déchira alors le ciel, suivie quelques secondes plus tard d'un coup de tonnerre d'une puissance incroyable. Ce qui juste avant semblait être une averse extrêmement copieuse fit figure de léger crachin comparé à la tempête diluvienne qui s'abattit tout de suite après le tonnerre. Ni Peto ni Dante n'avaient connu de pluie aussi violente de toute leur vie. Dante jeta un dernier regard meurtrier au moine, avant de se mettre à courir au beau milieu de la chaussée, en direction de l'Hôtel international de Santa Mondega. Peto lui emboîta le pas. Tous deux étaient d'ores et déjà trempés jusqu'aux os, et Peto, avec ses dreadlocks fanées, ressemblait étonnamment à Tahiti Bob. Le sang et la matière fécale dont étaient barbouillés leurs vêtements, leur visage et leurs cheveux, lavés par la pluie, se mirent à glisser le long de leur corps, pour disparaître dans le caniveau.

« Hé ! Dante, ne t'inquiète pas, s'écria Peto. Tout sera fini dans moins d'une heure. »

56

Kacy était assise sur le confortable sofa crème de la suite, à côté de Roxanne Valdez, face à la télévision. Robert Swann était dans la salle de bains depuis déjà une quinzaine de minutes. Il s'était plaint de douleurs à l'estomac pendant le plus clair de la soirée et, apparemment, ses problèmes de digestion l'avaient emporté. Discrètement, sa collègue avait légèrement augmenté le volume de la télévision, dans le but de couvrir les claironnements qui provenaient de la salle de bains.

Les deux femmes étaient en train de regarder un film avec George Clooney, *Burn After Reading*. Valdez semblait y prendre un certain plaisir, mais Kacy était incapable de se concentrer. Elle n'arrivait pas à penser à autre chose qu'au fait que ce soir, peut-être, serait le dernier qu'ils passeraient à l'hôtel. Si Dante parvenait à revenir en un seul morceau avec les informations que souhaitaient obtenir les agents spéciaux, alors peut-être les autoriserait-on à rentrer chez eux. *Ou peut-être que non ?* Kacy n'en savait rien. Elle n'aimait pas Valdez, dont elle se méfiait comme de la peste, et Swann s'était mis à la fixer en permanence, en souriant à chaque fois que leurs regards se croisaient, et cela commençait à la faire flipper pour de bon.

Cela faisait déjà une heure qu'elles regardaient le film lorsque le téléphone portable de Valdez retentit. Elle décrocha presque instantanément, ne laissant la sonnerie se faire entendre qu'une demi-seconde, bien trop peu pour que Kacy puisse l'identifier.

Elle avait espéré qu'il s'agissait de Dante, mais apparemment ce n'était pas le cas. La personne qui se trouvait à l'autre bout de la ligne semblait avoir des informations cruciales à communiquer, car Valdez se leva et alla dans la plus petite chambre de la suite afin que Kacy n'entende pas ce que son interlocuteur était en train de lui dire. D'un naturel très curieux, Kacy saisit la télécommande et, au beau milieu d'une phrase, plongea George Clooney dans le mutisme le plus complet. Puis elle tendit l'oreille de toutes ses forces, afin d'entendre ce que disait Valdez.

« Déjà-Vu ?... C'est vrai ?... Ouais, je le connais... Je peux vous trouver son adresse en cinq minutes... Je sais qu'il habite dans le sud de la ville... Bien sûr. Je m'en occupe. »

Kacy ne comprenait rien à toutes ces phrases, mais elle tâcha de les garder dans un coin de sa tête au cas où Dante, à son retour, parviendrait à en tirer un sens quelconque. Soudain, Valdez dit quelque chose qui semblait digne d'intérêt :

« Et pour le couple ?... Merci... Et la fille ?... Très bien. Je lui dirai. »

Kacy entendit l'agent spécial quitter la chambre, et s'empressa de remettre le son. Par chance, il n'y avait aucun bruit violent à ce moment du film, aussi la transition du silence au son se fit relativement en douceur.

En tout cas, Valdez parut ne pas s'en apercevoir en arrivant dans le salon.

« J'ai raté un truc ? demanda-t-elle.

— Non. Il ne s'est pas passé grand-chose.

— Bon, dans ce cas, je vais sortir faire un tour. Vous me raconterez la fin, hein ?

— Bien sûr. »

Roxanne Valdez enfila sa veste de cuir marron moulante, qu'elle avait rapportée de la chambre, et se dirigea vers la porte de la suite. Avant de l'ouvrir, elle sortit de nouveau son portable de la poche et se mit à pianoter sur ses touches. Puis, sans même un regard à Kacy, elle sortit et referma la porte derrière elle.

Kacy était au bord de la crise d'angoisse paranoïaque. Elle sentait que quelque chose de vraiment terrible allait arriver. Elle jeta un coup d'œil au téléphone de la suite, l'esprit en ébullition. Elle aurait pu appeler Dante, lui dire que la mission était accomplie, et lui demander de la retrouver autre part. Avec Swann enfermé dans la salle de bains et Valdez partie faire Dieu sait quoi, elle avait une chance de pouvoir s'échapper. Et pour la première fois depuis qu'elle était entrée dans cet hôtel, elle envisageait très sérieusement cette possibilité, parce que la situation semblait l'imposer. Si, comme elle le soupçonnait, Valdez venait d'être informée par téléphone que la mission était accomplie, Dante et elle pourraient s'échapper à la dernière minute sans trop de problème. Si en revanche ils ne saisissaient pas cette chance, alors, dans la plus pure lignée des séries B, les deux amoureux allaient certainement se faire éliminer. La mission étant accomplie, ils étaient tous deux parfaitement inutiles.

Sur la pointe des pieds, elle s'approcha du téléphone qui se trouvait sur la petite table, juste à côté de la porte de la salle de bains, et s'en saisit le plus précautionneusement possible. En portant le combiné à son oreille, elle n'entendit aucune tonalité. Elle appuya sur les boutons et comprit que la ligne avait été coupée. *Merde.*

Sa paranoïa lui fit éprouver un bref instant de vertige. Puis elle entendit un faible « bip » qui provenait de la petite chambre. Le portable de Swann venait de recevoir un SMS. Il avait dû laisser son téléphone dans la chambre avant de tenter de battre le record mondial du temps passé aux chiottes. Elle s'avança vers la chambre, de nouveau sur la pointe des pieds, mais cette fois-ci nettement plus rapidement. Le portable de Swann se trouvait sur le bord de la coiffeuse, entre les deux lits.

Elle s'en approcha, le cœur tambourinant de peur et d'appréhension. Elle inspira profondément, et s'en saisit d'une main, tremblante à l'idée de se faire prendre en flagrant délit par Swann. Sur l'écran du téléphone, un court message indiquait la réception d'un SMS de Valdez. *Ça vaudrait peut-être le coup d'y jeter un œil*, se dit Kacy.

Effectivement, ça en valait le coup.

Kacy ouvrit le SMS et le lut :

« Mission akomplie. La fille est a toi. Fais disparaître corps ensuite. »

Kacy faillit en vomir. Elle avait plus que jamais besoin de Dante (chose qu'elle ne pouvait s'empêcher de se dire à chaque fois qu'elle se retrouvait en danger). S'il était là, il pourrait résoudre tout ça. Plus vite il arriverait à l'hôtel, mieux ce serait. Peu importait que l'agent Swann soit un gros costaud : Dante était capable de battre un char d'assaut au corps à corps si la sécurité de Kacy était en jeu.

Elle consulta à toute vitesse le menu du portable, sachant que Swann avait enregistré le numéro de Dante quelque part. Elle le retrouva très rapidement et appuya sur le bouton d'appel. Elle inspira de nouveau très profondément, et porta l'appareil à son oreille. *Me laisse pas tomber, mon cœur. Réponds, je t'en supplie.* Ces mots se répétaient en boucle dans son esprit, comme un vinyle rayé.

Le téléphone sonna trois fois, et la voix de Dante se fit alors entendre, tonnante :

« Tu veux quoi, vieille merde ?

— Mon cœur, c'est moi ! gémit Kacy.

— Merde ! Désolé, Kace, je croyais que c'était Swann.

— Il est aux toilettes. J'appelle de son portable.

— OK. Accroche-toi, ma puce, parce que j'arrive à la rescousse ! Et j'ai trouvé de l'aide, en plus. On va se sortir de ce merdier. Tu m'as entendu ? »

Kacy était si heureuse d'entendre la voix de Dante qu'elle éclata en sanglots en exposant toutes ses craintes :

« Mon cœur, je suis terrorisée. J'ai entendu Valdez dire que la mission était accomplie. Je crois qu'ils vont nous tuer. Elle a quitté la suite, et elle vient d'envoyer un SMS à Swann où elle lui dit de faire disparaître mon… »

Sa peur panique l'emporta, et sa voix se brisa net. Le fait de décrire la situation à Dante lui faisait prendre conscience de sa dangerosité. Et c'était plus qu'elle ne pouvait en supporter. Ses sanglots devinrent incontrôlables.

À l'autre bout de la ligne, son amoureux avait parfaitement compris qu'elle était dans une impasse, et qu'elle avait besoin qu'on la tire de là. Il savait que lorsqu'elle paniquait, elle devenait indécise, aussi opta-t-il pour un ordre franc et direct, dans l'espoir de l'aider à se ressaisir : « Kace, écoute-moi. Fous le camp de la suite et attends-moi à la réception, là où il y a du monde. Je suis à deux minutes de l'hôtel. Je viens te chercher. »

La voix de Dante trahissait le fait qu'il était en train de courir : sa phrase avait été ponctuée de profondes inspirations et déformée par des fluctuations du niveau sonore.

« Je t'aime, sanglota Kacy.

— Moi aussi, j't'aime. Maintenant, dégage de là ! »

Dante raccrocha, et, presque aussitôt, Kacy entendit le bruit de la chasse d'eau dans la salle de bains. Ce son fit instantanément cesser ses pleurs, mais la plongea dans une panique plus considérable encore. Allait-elle pouvoir sortir de la chambre, puis de la suite, avant que Swann ne sorte de la salle de bains ? Et le téléphone ? Devait-elle le reposer là où elle l'avait trouvé au prix de précieuses secondes ?

Son hésitation lui coûta cher. Swann n'était pas le genre de type à se laver les mains avant de sortir des toilettes. Kacy entendit la porte de la salle de bains se déverrouiller. Elle se souvint alors de ce que Dante venait de lui dire. *Dégage de là !* Il savait toujours quoi faire en temps de crise. *Fais ce que Dante t'a dit de faire*, pensa-t-elle. Une énième fois, elle inspira profondément par le nez pour se calmer, et courut en direction de la porte de la suite.

Malheureusement pas au bon moment. Swann, sortant de la salle de bains, la vit se précipiter vers la porte, et, instinctivement, tendit la main et lui attrapa le bras gauche.

« Et tu crois aller où, là ? demanda-t-il, un peu désarçonné.

— Hum. »

Kacy avait perdu tous ses mots.

« Où est-ce que Roxanne est passée ?

— Hum.

— Et qu'est-ce que tu fous avec mon portable ? »

Le visage de Swann refléta une certaine inquiétude. Il sentait que quelque chose n'allait pas. Il attrapa la main droite de Kacy, et, au prix d'une courte lutte, se saisit de son téléphone. Le regard de Kacy la trahissait. Elle était terrorisée, c'était évident.

Sans lâcher son bras, Swann consulta son téléphone portable. Il trouva très rapidement le message de Valdez, et, alors qu'il le lisait, Kacy vit une lumière s'allumer dans ses yeux, tandis que ses mâchoires se détendaient. Son visage s'illumina alors d'un large sourire. Un sourire répugnant.

« Tiens donc, dit-il à Kacy. Eh bien, j'espère que tu t'es rasé les jambes… »

57

De la fenêtre de ses appartements, dans le petit bâtiment attenant à l'église, le père Papshmir vit une V8 Interceptor noire s'immobiliser juste en face du perron de la maison de Dieu. Le conducteur coupa le moteur et, plongé dans ses pensées, fixa un long moment son volant. La pluie n'avait pas cessé, et les vitres du véhicule étaient légèrement teintées : il était impossible de distinguer clairement son visage. Les rues de Santa Mondega s'étaient considérablement vidées depuis que la rumeur avait couru selon laquelle un tueur en série se livrait à un véritable massacre en ville, et depuis que la tempête avait éclaté, plus personne n'avait montré le bout du nez. Alors qui pouvait être cet individu ? Et pourquoi était-il venu ici ?

La portière du conducteur s'ouvrit et une silhouette encapuchonnée sortit sous la pluie battante. Les rues n'étaient pas éclairées, et aucune fenêtre des environs n'était illuminée. Vue du ciel, on aurait dit que la ville était en plein black-out. Mais c'était loin d'être le cas. À Santa Mondega, la tradition voulait que, par les nuits de lune bleue, le seul éclairage autorisé soit celui du satellite naturel de la Terre. De plus, l'heure maléfique n'était pas encore passée : toute personne qui ne se trouvait pas bien sagement couchée au fond de son lit était forcément quelqu'un qui cherchait les ennuis, en s'offrant de lui-même en pâture aux vampires, loups-garous et autres créatures de la nuit. Agir de la sorte était tout sauf malin. Surtout la nuit d'Halloween.

La sombre silhouette referma la portière et marcha jusqu'aux portes de l'église, tête baissée afin de se protéger au mieux de la pluie. Il n'était pas entré dans cet édifice depuis de nombreuses années. Cette nuit était d'une importance cruciale. L'heure était venue de se confesser.

D'une légère pression, les portes de l'église s'ouvrirent. Il ne faisait pas plus chaud dedans que dehors, mais au moins il faisait sec, et les lieux étaient accueillants. Le Kid emprunta l'allée centrale de la nef, passant devant les rangs de bancs jusqu'à l'autel. Il connaissait parfaitement ce bâtiment, depuis cette époque révolue où, très souvent, il y escortait son petit frère. Comme si sa dernière visite remontait à la veille, il prit sur sa gauche et contourna une colonne massive pour se diriger vers le confessionnal. Il entra dans le compartiment réservé aux pénitents, et y attendit l'homme d'Église qui se trouvait de service ce soir.

En l'occurrence, il ne patienta qu'une minute à peine avant d'entendre la porte du compartiment réservé au prêtre s'ouvrir. Le rideau qui recouvrait la grille séparant les deux compartiments fut ensuite tiré. Il faisait bien trop sombre pour distinguer les traits du confesseur, mais, à travers la grille, une voix douce se fit entendre, presque dans un murmure.

« Bonsoir, mon fils. Je suis prêt à entendre votre confession.

— Merci, mon père, répondit la voix rocailleuse. Par où commencer ?

— À quand remonte votre dernière confession ?

— Putain, j'en sais rien. Une vingtaine d'années, je crois.

— Une vingtaine d'années ? »

Le prêtre laissa s'échapper un petit rire poli.

« Vous avez dû être très occupé.

— Oui, mon père. J'étais occupé à tuer.

— Je vous demande pardon ?

— Des meurtres, mon père. Des massacres. J'ai tué beaucoup d'hommes. Beaucoup, beaucoup d'hommes.

— Bigre, comme c'est fâcheux. Est-ce pour cela que…

— Et des femmes.

— Et des femmes ?

— Et des enfants, aussi. Des vampires, des loups-garous, des mioches, des animaux. J'ai tué à peu près toutes les espèces de la Création. Et j'ai fait tout cela sans le moindre remords. Pendant de très nombreuses années. Et je suis venu me confesser. »

Il y eut une pause, durant laquelle il sembla que le prêtre retenait sa respiration. Il finit cependant par expirer, aussi lentement et aussi calmement que possible, et reprit la parole : « Est-ce une plaisanterie ?

— Non, mon père. J'ai commis tous les péchés que vous pourriez imaginer, et un tas d'autres dont vous ne pourriez même pas rêver.

— Je vois. Et selon vous, qu'est-ce qui vous a poussé à faire toutes ces choses répréhensibles ?

— Tout a commencé quand j'ai tué ma mère.

— Votre mère ?

— Oui. Je lui ai tiré dessus une demi-douzaine de fois après avoir bu une bouteille de bourbon. »

Il y eut une nouvelle pause, au cours de laquelle le seul bruit audible était le martèlement implacable de la pluie sur le toit de l'église et ses vitraux.

« De bourbon ? Vous avez dit "une bouteille de bourbon" ?

— Oui, mon père. » Un soupir rocailleux. « C'est bien moi. »

Durant une seconde, il y eut un véritable silence de mort, suivi d'un pet, très sonore et quelque peu humide, provenant du côté du prêtre.

« Je vous prie de m'excuser, marmonna-t-il nerveusement de l'autre côté de la grille. Vous m'avez pris totalement au dépourvu. Veuillez me pardonner.

— Je vous pardonne, mon père, répondit calmement la voix rocailleuse. Mais êtes-vous en mesure de me pardonner ? Est-ce que Dieu peut me pardonner pour toutes ces choses horribles que j'ai commises ?

— Éprouvez-vous des remords pour les péchés que vous commettez ?

— Commettiez, mon père. *Commettiez*. Mes jours d'assassin sont révolus. J'ai l'intention de mener une vie dénuée de péché, dans la mesure du possible, mais je dois savoir si Dieu me pardonnera d'avoir détruit tant d'âmes, et pour tout le mal que j'ai pu faire. »

Le bruit d'une porte s'ouvrant au fond de l'église les interrompit et réussit à faire éprouver aux deux hommes le même sentiment d'urgence. Tous deux voulaient en finir au plus vite avec cette conversation. L'arrivée d'une tierce personne était plus qu'il n'en fallait pour abréger les choses.

« Oui, mon fils, allez dans la Lumière. Le Seigneur vous pardonnera.

— Vous êtes sûr ? Est-ce que je suis censé me sentir mieux, maintenant ?

— Vous vous sentirez mieux demain matin, mon fils. Si vous vous réveillez demain matin, alors vous saurez que Dieu vous a pardonné.

— Merci, mon père.

— Que la paix soit avec vous, mon fils. »

Un courant d'air sifflait dans l'église alors que le père Papshmir se dirigeait vers le confessionnal. Il aperçut la silhouette encapuchonnée quitter la maison de Dieu par les portes qu'il avait franchies seulement quelques minutes plus tôt. Papshmir laissa s'échapper un profond soupir d'agacement. Il s'était donné la peine de revêtir toutes ses robes, et l'homme n'était même pas resté pour se confesser. À moins que…

Sous l'ourlet du rideau du compartiment réservé au confesseur, Papshmir vit une paire de baskets blanches. Une paire qu'il ne connaissait que trop bien.

« Josh, lança-t-il d'un ton las. Sors de là. »

Le rideau s'écarta, et le visage pâle et terrifié d'un jeune garçon d'une quinzaine d'années se tourna vers lui. Bien qu'il tremblât, il parvint à se hisser sur ses pieds et à quitter le confessionnal. Le gamin était presque incapable de parler. Il avait réussi à maîtriser sa peur lorsqu'il avait eu confirmation que celui qui était assis à côté de lui, de l'autre côté de la grille, n'était autre que le tueur en série le plus prolifique de Santa Mondega, mais, à présent, la terreur absolue qu'il éprouvait avait pris le dessus. Il paraissait littéralement en état de choc. Le fait de voir ce prêtre à moitié chauve qu'il connaissait bien suffisait pourtant à le rassurer un peu.

« Tu as encore entendu la confession de quelqu'un ? demanda Papshmir, sans parvenir à dissimuler l'agacement qui perçait sous son ton. Combien de fois t'ai-je dit de ne jamais faire cela ? Les enfants de chœur ne peuvent pas absoudre un pénitent. Si c'est toi qui l'écoutes, la confession de cet homme ne vaut rien.

— Désolé, mon père. »

Planté là, tremblant dans son pantalon et sa chemise d'écolier, le jeune garçon avait l'air tout à fait abject.

« C'est toi qui devrais te confesser. C'est un péché d'imiter un homme de Dieu, tu le sais.

— C'était le Bourbon Kid ! » Les mots lui étaient soudain sortis de la bouche, sans crier gare.

« Quoi ?

— Cet homme. C'était le Bourbon Kid. Il a confessé tous ses meurtres et tous les autres trucs, mon père.

— Oh ! Dieu tout-puissant ! Tu as entendu la confession du Bourbon Kid ? Espèce de sale petit con ! » Il leva les yeux aux cieux, et murmura un « Pardonnez-moi, Seigneur » avant de reporter son attention sur Josh : « Qu'est-ce que je t'ai dit, hein ? Tu vois à quoi ça mène ? Tu viens d'entendre la confession d'un individu totalement dénué d'âme. J'ose au moins espérer que tu ne lui as pas dit que ses péchés lui seraient pardonnés. Cet homme est au-delà de toute rédemption.

— Eh bien…

— Tu l'as absous ? Espèce de sale petit connard de merde ! *Pardonnez-moi, Seigneur*. Tu veux dire que cet homme, que dis-je, ce monstre se balade à présent dans les rues convaincu que Dieu lui a pardonné tous les meurtres qu'il a commis ? Eh bien, tu sais quoi ? S'il croit ça, il se trompe très lourdement.

— Je lui ai dit que s'il se réveillait demain matin, ça voudrait dire que Dieu l'a pardonné. Alors techniquement, c'est entre les mains de Dieu, non ? »

En baissant les yeux, le prêtre croisa le regard apeuré de l'adolescent et se laissa un peu fléchir.

« Je suppose que oui », répondit-il en secouant la tête. Puis il huma l'air. « Qu'est-ce que c'est que cette odeur ?

— Je me suis chié dessus, mon père.

— Dans *mon confessionnal* ?

— Oui, mon père.

— Sainte Marie Merde Dieu ! »

58

Robert Swann était un homme extrêmement fort. Il était également très versé dans l'art de maîtriser une captive qui se débattait. Et comme captive qui se débattait, Kacy ne valait pas grand-chose. Il n'eut aucune difficulté à la traîner dans la chambre où il avait passé ces dernières nuits. Très violemment, il la jeta sur le lit d'une place le plus proche, telle une poupée de chiffon. Kacy tomba sur le dos, s'enfonçant dans la couette orange, et sa tête s'enfouit dans l'oreiller blanc. Le côté droit du lit était collé au mur, ce qui signifiait que, pour s'échapper, elle devrait rouler sur la gauche et passer par l'espace large d'un mètre quatre-vingts tout au plus qui séparait les deux lits. Dans cet espace se trouvait la coiffeuse, surmontée d'un miroir. Mais avant que Kacy n'ait pu rouler sur le lit, Swann s'était déjà jeté sur elle, son corps lourd et musculeux la clouant de tout son poids sur la couette. Elle en eut le souffle littéralement coupé, au point de ne même pas pouvoir crier. En voyant son visage approcher du sien, les yeux écarquillés, brillant d'une lueur concupiscente, et la langue tirée, Kacy détourna la tête. Incapable de l'embrasser sur la bouche, Swann se contenta de sa joue, qu'il lécha d'une façon immonde.

Ses mains bougeaient à une vitesse surprenante, l'une se saisissant du sein gauche de Kacy, l'autre glissant jusqu'à son entrejambe. Kacy se sentait prise de nausée, mais parvint à refouler cette sensation, sachant pertinemment qu'il lui serait impossible de se défendre si elle se laissait gagner par ses haut-le-cœur. La seule partie de son corps qui n'était pas immobilisée par le poids de Robert Swann était son bras gauche. Elle le tendit en direction de la coiffeuse, où elle espérait trouver quelque chose qui aurait pu faire office d'arme. Elle tomba sur une lampe de chevet. Ce n'était pas une arme de choix, mais c'était tout ce qu'elle avait à sa disposition. Elle l'attrapa à la base et l'abattit sur la tête de Swann, qu'il continuait à presser contre son visage. La lampe percuta son oreille, et le fragile abat-jour orange se désolidarisa pour tomber à terre. Swann ne sentit presque pas le choc. Comme si de rien n'était, il se redressa, tenant Kacy prisonnière entre ses genoux. Il la dévorait des yeux, s'imaginant la chair nue qu'il verrait bientôt, et, sans perdre plus de temps, attrapa le sweat gris de Kacy pour le tirer au-dessus de la tête de la jeune femme. Celle-ci fut contrainte de lever les bras et lâcha la lampe de chevet qui tomba par terre. L'ampoule se brisa dans un bruit sec et bref.

Tandis que Kacy tentait de toutes ses forces de libérer ses bras et sa tête du sweat afin de se défendre, Swann saisit cette opportunité pour enlever sa propre ceinture et ouvrir sa propre braguette. Kacy ne pouvait naturellement pas s'en apercevoir, mais sa vitesse d'exécution était vraiment impressionnante. Elle avait encore la tête prise dans son sweat lorsqu'il baissa son pantalon et son caleçon au niveau de ses genoux. Son pénis était déjà en érection : il ne lui restait plus qu'à retirer le jean et la petite culotte de la jeune femme pour pouvoir enfin s'en servir. Il s'attaqua à la fine ceinture de cuir noir, et, dans des gestes fébriles, s'efforça de la défaire. Sa maladresse digne d'un collégien dénotait son manque de pratique. Le temps qu'il en vienne à bout, alors qu'il s'apprêtait à lui retirer violemment son jean, Kacy était parvenue à dégager le bras gauche de sa manche. Swann était si subjugué par cette peau douce et fine, et si excité à l'idée de voir le reste de son corps, qu'il n'avait pas remarqué que Kacy tâtait le sol de sa main gauche. Elle attrapa la lampe, qui se terminait à présent par les tessons de l'ampoule brisée, et frappa son agresseur avec, en faisant décrire à son bras le même mouvement que le poing d'un boxeur décochant un *uppercut*. À la différence près qu'elle ne visait pas le menton de Swann. Elle visait son entrecuisse.

« AAAAAAARGH ! » hurla Swann comme jamais il n'avait hurlé alors que les pointes acérées de l'ampoule tranchaient à vif dans ses fesses et une partie de son scrotum. Il porta aussitôt ses mains à la zone lésée, espérant dans sa panique que les blessures ne seraient pas trop graves. Kacy lâcha la lampe et se débattit pour se libérer. Cela s'avéra beaucoup plus facile qu'elle ne l'espérait : dans sa douleur, Swann perdit l'équilibre et s'écroula par terre, criant et tenant son cul et ses couilles entre les mains. Kacy s'empressa de se redresser, rabaissa son sweat en un clin d'œil, remit sa ceinture et bondit hors du lit.

Elle était sur le point de quitter la chambre à toute vitesse lorsqu'elle aperçut le pistolet de Swann dans le holster qu'il portait sous son aisselle gauche. Cette sale pourriture lui tournait le dos, à genoux par terre, son cul poilu en l'air. Profitant de l'occasion, elle se jeta dans sa direction, bras tendu, et attrapa le pistolet pour le pointer sur la nuque de son agresseur.

« Bouge plus, putain ! » lui cria-t-elle.

Swann ne l'entendit presque pas, tout occupé qu'il était à inspecter ses testicules dans des gémissements de douleur.

Que faire ? Kacy se souvint de tous les films et de toutes les séries qu'elle avait pu voir. *Assomme-le avec le flingue*, se dit-elle. Elle saisit l'arme par le canon et frappa de la crosse.

BOUM ! En plein à la base du crâne. Le violeur en série poussa un cri perçant de douleur, et l'une de ses mains quitta son entrecuisse pour se poser sur sa nuque, à l'endroit où Kacy venait de le frapper. Puis il tourna la tête et lui lança un regard noir par-dessus son épaule.

« Sale pute », grinça-t-il d'un ton haineux.

Kacy en avait eu assez comme ça. Le coup à la nuque ne l'avait pas mis K-O : ça n'avait servi qu'à l'enrager plus encore.

Et merde. Autant dégager de là sans chercher à finasser.

59

Lorsqu'ils arrivèrent à l'Hôtel international de Santa Mondega, Dante et Peto étaient complètement trempés. Ils étaient en outre assez répugnants, à cause des uniformes de police tachés de sang qu'ils portaient. Ni l'un ni l'autre ne s'attardèrent devant le bâtiment haut de dix étages. Dante gravit le premier les marches de pierre qui menaient à l'entrée, tout tremblant sous la pluie glaciale. Peto était sur ses talons, secouant la tête afin d'éliminer le surplus d'eau qui imprégnait ses épaisses dreadlocks.

Ils franchirent les portes vitrées et se retrouvèrent dans le hall d'entrée. Ce fut pour eux un soulagement indicible que de sentir enfin de l'air chaud sur leurs corps. Le hall était propre, sec et distingué, comme toujours. En voyant ces deux hommes habillés en policiers se dégorger d'eau de pluie sur le riche tapis égyptien de l'entrée, la jeune femme qui se trouvait à la réception, sur leur gauche, ne put réprimer un murmure de réprobation. Elle était fort jeune, la toute petite vingtaine, mais le fait de voir Dante et Peto s'ébrouer ainsi, tels deux chiens qui viennent de se rouler dans la boue, était très loin de l'amuser, et ça se voyait. Non pas qu'aucun des deux hommes s'en aperçût, tous deux étaient tout à leur joie d'avoir échappé à la tempête.

L'ambiance apaisante qui régnait dans le hall de l'hôtel les requinqua considérablement. L'éclairage subtil, le tapis d'un rouge chaleureux et la moquette beige en dessous, les canapés de cuir marron répartis aux quatre coins de l'entrée, tout cela les réconforta. De plus, une musique légère jouait en sourdine. Peto reconnut le fameux *Con te partirò* interprété par Andrea Bocelli. Depuis qu'il avait quitté Hubal, il avait développé un goût certain pour la musique classique, et il adorait particulièrement Bocelli, même lorsqu'il interprétait le tube d'opéra pop de Sartori.

Dante, lui, ne remarqua même pas la musique de fond. Il n'avait qu'une idée en tête : sauver Kacy au plus vite.

« En principe, elle est au deuxième étage, dit-il à Peto d'un ton qui trahissait son impatience. Je prends l'escalier, et toi l'ascenseur. Comme ça, on est sûrs de ne pas la manquer si elle descend.

— Ça roule. »

Dante se précipita dans l'escalier aux larges marches recouvertes d'un tapis beige, et Peto appuya sur le bouton d'appel de l'ascenseur. Il vit son compagnon disparaître au bout de la première volée, et attendit une bonne quinzaine de secondes avant que la cabine n'arrive au rez-de-chaussée. Il prenait tellement de plaisir à écouter la musique qu'il aurait bien volontiers attendu un peu plus longtemps. Bocelli chantait en duo avec une femme qui avait la voix la plus belle et la plus angélique que Peto ait jamais entendue.

Il baissa les yeux sur sa chemise souillée et tira dessus afin de la décoller de sa peau. Les portes d'acier poli de l'ascenseur s'ouvrirent, et il fit un pas dans la cabine. *Puis il leva les yeux.*

Une ombre profonde lui barrait le chemin. L'individu, tout vêtu de noir, s'avança vivement vers lui, en pointant dans sa direction une épée à double tranchant étincelante. La réaction de Peto fut extrêmement rapide, mais pas assez pour esquiver l'attaque surprise. L'individu habillé de noir qui surgit de la cabine n'était autre que Jessica. Avec une vitesse et une précision incroyables, elle plongea son épée dans la poitrine de Peto. La lame transperça son cœur et sortit dans son dos, déchirant la chemise bleue de son uniforme. Grâce à sa force inhumaine, elle souleva le moine trempé jusqu'aux os. Avec un sourire abominable, les yeux plongés dans ceux de Peto, écarquillés de surprise, elle lui décocha un puissant coup de botte au ventre, libérant ainsi la lame de son épée. L'acier étincelant était totalement recouvert de sang.

Peto tomba à genoux sur la moquette du hall d'entrée, pris de vertiges, abasourdi. Ses poumons s'emplirent de sang et, très vite, il en fut de même pour sa gorge, puis sa bouche. La violence de l'attaque l'avait complètement pris au dépourvu. L'Œil de la Lune qu'il portait autour du cou avait le pouvoir de guérir cette blessure en principe mortelle, mais il lui faudrait un certain temps pour ce faire. Et le temps ne jouait pas en faveur de Peto. Une blessure pareille, ça ne se soignait pas en trente secondes.

La seule chose qui l'empêchait de hurler de douleur était la surprise qu'il éprouvait. Il releva la tête, et croisa le regard plein de vice de Jessica, qui se dressait face à lui. Voyant son sang couler le long de son épée, elle ne put réprimer sa soif : elle la porta à sa bouche et lécha autant de sang qu'elle put tout le long de la lame, d'un seul coup de langue. Sa soif quelque peu apaisée, elle agit en véritable professionnelle et reporta son attention sur le moine en état de choc, à genoux devant elle.

« Alors, c'est donc toi. Le dernier moine d'Hubal », dit-elle sans se départir de son sourire. C'était un sourire plein de suffisance et de supériorité, un sourire qui révélait sa nature maléfique et sa profonde haine pour les vivants. « Eh bien, ta dernière heure a sonné. »

Tel un batteur de base-ball se préparant à un coup, elle saisit son épée à deux mains, la releva au-dessus de son épaule, et, presque dans le même mouvement, lui fit décrire un arc de cercle véloce comme la foudre, en direction du cou de Peto.

Sa tête fut tranchée net. Elle tomba par terre dans un bruit sourd, à un mètre de là, figeant d'effroi la jeune fille qui se trouvait à la réception, et observait la scène, la bouche grande ouverte, muette d'horreur. Le corps sans tête de Peto s'écroula. L'Œil de la Lune tomba de son cou tranché et roula aux pieds de Jessica. C'était précisément ce qu'elle cherchait. Cette pierre précieuse qu'elle convoitait depuis si longtemps était là, à portée de main. Elle se pencha et la ramassa pour la soulever à hauteur de son visage. Ses yeux étincelèrent, tel un feu d'artifice dans la nuit noire.

« Enfin », murmura-t-elle entre ses dents.

Mais ce n'était pas tout. Lorsqu'elle parvint à arracher son regard de l'Œil de la Lune, elle aperçut un calice doré qui dépassait d'une des poches du pantalon du moine défunt.

Double jackpot !

⁂

Assis derrière le comptoir du Tapioca, enfin seul, Sanchez retrouva la page du *Livre de la mort* qu'il recherchait. Celle où figuraient les trois noms qui avaient particulièrement attiré son attention. Ces trois individus étaient censés mourir ce 1er novembre. Un rapide coup d'œil à sa montre lui confirma que minuit était passé. Le premier jour de novembre venait de débuter.

Sanchez relut une énième fois les trois noms :

Peto Solomon
Dante Vittori
John Doe

60

L'Hôtel des Cœurs brisés au sud de Santa Mondega n'était pas le plus agréable des établissements de la ville. Il abritait toutes sortes de raclures très peu recommandables. Les flics évitaient ce coin – nom de Dieu, disons-le carrément, même les vampires se tenaient à l'écart de ce bâtiment. Et dans cet hôtel se trouvait une chambre que les résidents eux-mêmes évitaient.

Cette chambre au fond du couloir du premier étage avait toujours fait flipper tout le monde. Anvil ne s'en était jamais approché à moins de deux mètres, et pourtant il habitait depuis près de quatre ans la chambre voisine. Quand on passait devant la chambre 23, on sentait l'air se rafraîchir considérablement. La chambre 24 se cachait aux yeux du monde derrière une épaisse porte noire, particulièrement sinistre. L'éclairage du couloir mourait à un mètre vingt de cette porte, ce qui rendait ce bout de couloir d'autant plus terrifiant. À un pas de la porte, l'air était empli de poussière : les fines particules semblaient ne jamais vouloir tomber à terre et dansaient sans cesse comme mues par un mouvement continuel. Même si cette poussière se décidait un jour à tomber au sol, aucune femme de chambre saine d'esprit n'aurait eu l'idée de s'approcher de la porte 24 avec un aspirateur.

Sans aspirateur non plus.

Putain.

L'homme qui vivait là-dedans disparaissait souvent pendant des semaines, voire des mois d'affilée. Personne n'avait jamais vu son visage, et personne n'avait tenté de le voir. Sa capuche était toujours rabattue sur la tête, qu'il fasse chaud, froid ou beau, qu'il pleuve, qu'il vente ou qu'il neige. Tous les résidents savaient qui il était. Personne ne prononçait son nom. Jamais. Et à quoi ça aurait bien pu servir ? Il ne fallait pas parler de cet homme. C'était l'homme qui tuait. Qui tuait pour gagner sa vie. Qui tuait pour s'amuser. Qui tuait pour passer le temps. *Et qui tue le temps aussi probablement.*

Plus tôt dans l'année, sa chambre était restée vide durant plus de six mois, six mois de bonheur absolu. Personne ne savait où il était parti, et personne n'avait envie de le savoir. Tout ce que les résidents auraient voulu, ç'aurait été qu'il ne revienne plus jamais. *Mais il était bel et bien revenu.*

Il y avait de cela trois mois, il était réapparu sans crier gare. Et cela avait valu à Anvil une série de nuits blanches dont il ne voyait toujours pas le bout. Le fait de savoir qu'un tueur en série vivait sur le même palier, juste à côté, c'était un aller simple pour la charmante bourgade d'Insomnie. Comment trouver le sommeil à moins d'une longueur de cercueil d'un assassin psychopathe ? Résultat des courses, Anvil avait à présent sous les yeux des poches assez profondes pour y stocker suffisamment de noisettes pour l'hiver.

Mais ce n'était pas le simple fait de savoir que le psychopathe était de retour qui le tenait éveillé toute la nuit. Il y avait également les cris. Nom de Dieu, ces cris. Nuit après nuit, quelqu'un se faisait torturer par cet homme. Nuit après nuit, c'étaient les mêmes cris sourds. Pas tout à fait humains, mais pas tout à fait animaux non plus. Quelqu'un avait récemment fait remarquer à Anvil que ça ressemblait au cri d'un wookie, mais la vérité, c'était que ça ressemblait bien plus à quelqu'un à qui on avait arraché la langue, et qui hurlait de toutes ses forces. Cela expliquait pourquoi aucun mot n'était jamais articulé. Ce n'étaient que de simples cris.

Et nuit après nuit, cela durait des heures entières, sans interruption. Pourquoi est-ce que cette personne, ou du moins cette créature, hurlait-elle au juste ? Qu'est-ce qu'on pouvait bien lui faire ? Et pourquoi ?

La réponse à toutes ces questions se trouvait derrière cette porte. Cette porte terrible, cette porte de cauchemar. Les rares fois où elle s'ouvrait, il n'y avait jamais personne dans le couloir pour jeter un bref coup d'œil à l'intérieur. Quand l'homme à la capuche se trouvait dans l'hôtel, chacun se barricadait chez soi.

Jusqu'à aujourd'hui.

Il se trouvait qu'Anvil était l'un des résidents les plus courageux. Et, à cet instant précis, il se trouvait à l'autre bout du couloir, en haut de la volée de marches, prêt à courir comme un dératé si quoi que ce soit arrivait. *Quoi que ce soit*. En principe, l'homme à la capuche était parti pour la journée. Faire des courses, peut-être ? Est-ce que les hommes à capuche faisaient leurs courses ? Ils devaient forcément faire leurs courses, *non* ? Anvil ne s'était jamais posé ces questions auparavant, et le moment ne semblait pas très choisi pour y réfléchir.

Quatre hommes vêtus de noir et lourdement armés se tenaient devant la porte 24 tant redoutée. La partie supérieure de leur corps était protégée par une tenue antiballes assortie au reste de leur uniforme. Et tous les quatre braquaient leurs armes automatiques sur le battant. Ces mecs sortaient de l'ordinaire. Des bérets verts ? Anvil réfléchit un instant à la question. Nan, ils ne portaient pas de bérets verts, ça ne devait pas en être. Ces types-là devaient sûrement se faire appeler « la Shadow Company », ou un truc cool du genre. Et le gros baraqué qui se tenait derrière les autres, celui qui avait une brosse militaire, ça devait sûrement être le chef de la Shadow Company.

Venant d'un demeuré tel qu'Anvil, cette réflexion était tout bonnement miraculeuse. Car c'était bel et bien la Shadow Company. Le chef de l'unité était Bull, et les trois autres étaient ses frères de sang, Tex, Silvinho et Razor. Une bande particulièrement effrayante, au sein de laquelle se distinguait celui qui arborait sur son crâne rasé une imposante crête rose.

Bull était le chef de l'équipe, et, en tant que tel, il allait faire ce qu'on attendait de lui. Diriger. Anvil vit les trois hommes qui se trouvaient devant Bull s'écarter simultanément d'un pas sur le côté, sans que, apparemment, aucun ordre ait été donné. Bull fonça alors vers la porte numéro 24, qu'il arracha de ses gonds en abattant l'une de ses grosses bottes noires en plein milieu du battant. La porte tomba à la renverse sur le modeste parquet de la chambre, et, aussitôt, une puanteur intolérable, odeur de rance et de renfermé, envahit tout l'étage. Anvil fut pris de haut-le-cœur. Les soldats qui se trouvaient devant lui ne réagirent pas à l'odeur. Ils se baissèrent insensiblement, en position de combat, prêts à ouvrir le feu au moindre mouvement dangereux. Quelque chose bougeait bel et bien dans la chambre. Quelque chose qu'on pouvait voir à travers le trou béant où s'était jadis dressée la porte noire.

Anvil ne posa son regard dessus qu'une infime seconde. C'était sans doute la chose la plus répugnante qu'il ait jamais vue. Un corps était suspendu à l'envers au plafond. Un corps humain, écorché vif, en grande partie. Ses bras pendants touchaient presque le sol. Anvil l'ignorait encore, mais cette pauvre créature était un vampire du nom de Kione. Cela faisait maintenant dix-huit ans que, nuit après nuit, il était maintenu en vie et torturé sans la moindre pitié.

Anvil détourna les yeux, tâchant tant bien que mal de ne pas vomir. *Regarde autre part, n'importe où*, se chuchota-t-il à lui-même. Son regard se fixa en contrebas des marches, et Anvil fit alors ce qu'il avait toujours redouté de faire. *La seule chose qu'il s'était jurée de ne jamais faire de toute sa vie.*

Il regarda droit dans les yeux de l'homme à la capuche, qui gravissait les marches dans sa direction.

61

Kacy tremblait comme une feuille. Le fait d'avoir une arme à la main suffisait en temps normal à la rendre nerveuse, mais à l'idée qu'elle devrait peut-être s'en servir, elle était tout à fait terrorisée. Où était donc passé Dante ? *Il ne doit pas être loin*, pensa-t-elle. Elle avait raison. Quel que fût le danger qu'ils rencontraient, ils s'en sortaient toujours mieux quand ils étaient ensemble. Seuls, ils étaient vulnérables, mais lorsque le courage et la ténacité à toute épreuve de Dante se conjuguaient à l'intelligence et à la raison de Kacy, ils étaient à même de surmonter n'importe quelle épreuve qui se présentait en travers de leur chemin. Ensemble, ils formaient une équipe redoutable.

Kacy avait laissé Swann patauger seul dans son sang, son pantalon aux chevilles, dans la deuxième chambre de la suite. Elle marchait à présent à pas de loup dans le couloir du deuxième étage, en proie à une paranoïa et une anxiété à peine supportables. Le fait d'être seule était en train de lui faire perdre tous ses moyens. Elle allait devoir prendre des décisions seule, sans pouvoir les soumettre à qui que ce soit. Les choix qui se présentaient à elle étaient simples, comme par exemple le fait de prendre à droite ou à gauche, mais pouvaient entraîner des conséquences gravissimes, à savoir, la vie ou la mort. Et elle n'avait aucune envie de faire ce genre de choix. À tout moment, quelqu'un pouvait surgir de l'une des chambres, ou bien apparaître au détour du couloir, ou, pire encore, arriver derrière elle. En suivant une logique parfaitement irrationnelle, qui se basait exclusivement sur la peur et la détresse qu'elle éprouvait, Kacy décida de ne pas emprunter l'ascenseur, uniquement parce que le fait d'imaginer les portes en train de s'ouvrir sur un vampire ou un flic corrompu lui foutait une frousse effroyable. La meilleure chose à faire, c'était de prendre la direction de l'escalier qui menait au hall d'entrée. *Marche d'un pas détendu, comme si de rien n'était*, se dit-elle.

Et soudain, tout alla pour le mieux dans le meilleur des mondes possibles. Dante apparut à l'autre bout du couloir. Il venait manifestement de gravir les marches de l'escalier quatre à quatre, parce qu'il était totalement hors d'haleine et, en outre, il était complètement trempé. Pour une raison qui échappait à Kacy, il était vêtu d'un uniforme de police, avec une chemise bleue imbibée d'eau et manifestement tachée de sang. Cela ne l'inquiéta pas outre mesure. C'était sûrement le signe qu'il venait de se tirer d'une de ces embrouilles légendaires dont il sortait toujours miraculeusement, sans la moindre égratignure.

Sur ses lèvres se dessina un gigantesque sourire, qu'elle fut incapable de contrôler. Le simple fait de voir Dante lui renvoyer son sourire effaça d'un coup toutes ses craintes. Il n'était peut-être pas le mec le plus balèze au monde, et certainement pas le plus malin, mais c'était *son* mec. Toujours là pour elle en temps de crise. Toujours prêt à faire ce qu'il fallait, qu'il s'agisse de quelque chose de particulièrement dangereux ou de particulièrement stupide, pour s'assurer qu'il ne lui arriverait rien, à elle, la femme qu'il aimait. Et ce n'était là qu'une des nombreuses raisons pour lesquelles elle l'aimait.

« Tu peux pas savoir ce que ça fait de te revoir enfin ! » s'écria-t-elle. Il était à une bonne trentaine de mètres, une distance que quelques secondes réduiraient à néant. En abaissant le pistolet qu'elle tenait à la main, elle se mit à marcher vers lui. Elle se sentait un peu plus faible qu'auparavant : les effets de l'adrénaline sécrétée par la terrible agression de Swann s'estompaient déjà. Tout allait rentrer dans l'ordre, à présent. Dante se mit à trottiner dans sa direction, arborant toujours son sourire.

« Ramène-toi, il est temps de se tirer d'ici ! » lui cria-t-il en réponse.

Kacy coinça le pistolet derrière son jean et ouvrit grand les bras :

« Viens me chercher, mon cœur ! » lança-t-elle, resplendissante. Dante accéléra sa course, se préparant à une embrassade en épaulé-jeté, de celles que l'on voit sur fond de plage ensoleillée dans les films bien kitch.

C'est alors que BAM ! Juste au moment où il passait à hauteur d'un embranchement avec un autre couloir, une silhouette revêtue d'une combinaison moulante en peau de léopard surgit du carrefour pour le plaquer contre le mur. C'était Roxanne Valdez, en plein mode suçage de sang. Kacy observa toute la scène, hébétée, avec la sensation que les événements s'enchaînaient au ralenti. Elle vit l'expression de Dante passer de la joie à la surprise, puis à l'horreur absolue. Valdez l'avait percuté à la vitesse d'un train express. Sa tête heurta le mur avec une telle violence qu'il était sidérant qu'il ne soit pas tombé K-O sur le coup. La force de l'agent vampire était véritablement phénoménale, et le fait qu'elle l'ait pris totalement par surprise rendait futile toute résistance.

Pétrifiée de confusion, Kacy vit alors Valdez ouvrir grand sa bouche, révélant ainsi d'énormes crocs qu'elle planta profondément dans le cou de Dante. Un ignoble bruit de craquement résonna dans le couloir, et Kacy vit le sang gicler de la plaie de son amant. Il était cloué au mur, incapable de se débattre ou de se défendre. Et lorsque Valdez bascula sa tête en arrière afin de laisser son sang couler le long de sa gorge, Dante sembla ne plus être en mesure de se battre. Son sang s'épanchait abondamment, ses genoux ployèrent, et il jeta un regard vide à l'autre bout du couloir, en direction de Kacy, avec une expression désolée, comme s'il avait voulu s'excuser.

Kacy finit par crier : « DANTE ! »

Elle avait l'impression d'avoir attendu des siècles entiers avant que sa bouche ne laisse enfin passer ce hurlement de désespoir.

Cela attira l'attention de Valdez qui, ivre de sang, relâcha sa victime pour darder un regard mauvais sur Kacy. Le corps de Dante, flaccide et ensanglanté, glissa mollement à terre, telle une poupée de chiffon dont on ne voulait plus, en laissant sur le mur une épaisse traînée de sang.

Valdez fit un pas en direction de Kacy, fixant du regard ce qui de son point de vue devait assez ressembler à un appétissant dessert pour vampire. Des filets de sang dégoulinaient de sa bouche et maculaient sa combinaison en peau de léopard. Kacy resta figée, et, durant un court instant, les deux femmes se toisèrent. Puis le vampire prit les devants, en se ruant sur l'innocente aux yeux écarquillés qu'elle avait devant elle.

Cette initiative fit sortir Kacy de sa léthargie. Instinctivement, elle tira son pistolet de derrière son jean. D'une main tremblante, elle agrippa la crosse le plus fermement possible et pointa le canon en direction du vampire qui approchait à une vitesse confondante. Alors, pour une raison qui lui échappa, elle ferma les yeux, tourna la tête et tira à l'aveuglette.

BANG !

Un silence assourdissant suivit l'écho du coup de feu. Grimaçant comme si elle s'était attendue à recevoir une tarte à la crème en pleine figure, Kacy ouvrit un œil, puis un autre. Gisant à terre devant elle, à moins d'un mètre, se trouvait le cadavre ensanglanté et fumant de l'agent spécial Roxanne Valdez.

Dante était toujours effondré au pied du mur, à une quinzaine de mètres de Kacy. Il la regardait avec des yeux de chiot triste, la tête reposant dans une flaque de sang. Celle-ci grossissait à vue d'œil sur la moquette. Du sang coulait de sa bouche, mais la principale source de cette mare était la plaie béante qu'il avait au cou.

Les membres de Kacy étaient lourds, mais son esprit fusait à toute vitesse. Elle lâcha le pistolet de Swann à côté de la dépouille de Valdez qui continuait à se consumer, et courut vers Dante de toute la force de ses jambes, ou du moins ce qu'il en restait. Elle s'agenouilla à côté de lui, plaqua une main sur la profonde blessure afin d'endiguer le flot de sang, et, de l'autre, souleva sa tête pour la tourner vers elle.

« Mon cœur, me quitte pas », bredouilla-t-elle. À ces simples mots, ses larmes coulèrent, ces larmes inévitables depuis la chute de Dante. Pendant deux minutes, elle resta ainsi, agenouillée à côté de lui, soutenant sa tête et le suppliant de ne pas la quitter. De ne pas la laisser seule dans un monde plein de haine, de méchanceté et de fausseté. Mais Dante était dans l'incapacité de lui répondre. Il avait déjà perdu l'usage de sa voix lorsqu'elle avait accouru auprès de lui. Tout ce qu'il pouvait faire, c'était la regarder, impuissant, en espérant qu'elle parvienne à lire dans ses yeux qu'il était désolé d'avoir tout foutu en l'air, juste à la fin. Il avait chuté au dernier obstacle, après avoir survécu à trois soirées consécutives passées en infiltration dans un repaire de vampires.

Kacy fut secouée de sanglots lorsque Dante roula des yeux blancs, signe que son combat contre la mort touchait à sa fin, mais elle continua néanmoins à caresser ses cheveux et à essuyer le sang qui recouvrait son visage. S'il était vraiment en chemin pour l'autre monde, elle tenait à ce qu'il soit le plus présentable possible, afin de donner une bonne impression dès son arrivée. Dans sa désolation, et alors qu'elle tâchait de lui redonner une apparence convenable, elle se mit à se souvenir de tous les bons moments qu'ils avaient vécus ensemble. Elle se rappela certaines des conneries qu'il avait faites. La fois où il était rentré à la maison avec un camion plein de DVD du capitaine Crochet, souriant comme s'il venait de gagner à la loterie. La fois où il l'avait terriblement embarrassée en traitant de « vieil enculé » le professeur Cromwell. La fois où il avait volé une Cadillac jaune pour l'impressionner, alors qu'ils avaient déjà la moitié de la ville à leurs trousses. La fois où il l'avait emmenée en lieu sûr, au beau milieu du massacre du Tapioca, durant l'éclipse de l'année précédente, quand il s'était déguisé en Terminator. Et plus que tout, elle se souvenait de ce moment, moins d'une semaine auparavant, où il lui avait demandé sa main. C'était la plus belle chose qui lui était arrivée de toute sa vie.

Dante était mort depuis déjà une bonne minute lorsqu'un cri l'arracha à ses souvenirs. « Espèce de sale pute ! » tonna une voix au bout du couloir. Il s'agissait de l'agent Swann, qui se baissait pour attraper le pistolet qu'elle avait laissé tomber par terre.

« Cette fois-ci, tu vas vraiment le regretter. »

62

L'homme à la capuche gravit une autre marche dans sa direction, et Anvil baissa aussitôt les yeux pour fixer ses chaussures, en espérant de toutes ses forces que cela le rendrait invisible. Inutile de se lancer dans un concours de regards avec le Bourbon Kid. À quoi bon le titiller ? Tout le monde savait parfaitement que ce n'était pas le genre de mec qui avait besoin d'une excuse pour tuer quelqu'un. Si les rumeurs étaient vraies, il n'hésiterait pas à tuer Anvil juste à cause d'un regard bizarre. À moins bien sûr qu'il n'ait eu une révélation et ne se soit décidé à ne plus jamais tuer qui que ce soit. Dans un cas comme dans l'autre, quelqu'un allait se faire réduire en miettes. Cela, Anvil en avait la certitude la plus absolue.

Alors que le Kid lui passait devant, le frôlant délicatement de sa cape, Anvil se débrouilla pour descendre discrètement d'une marche dans l'escalier, juste ce qu'il fallait pour se mettre à couvert du pandémonium qui allait sans le moindre doute éclater.

Bull et ses hommes se retournèrent juste à temps pour voir la silhouette encapuchonnée mettre un pied sur le palier où ils se trouvaient. Il se tenait à six mètres tout au plus, et dès qu'il les vit se retourner, leurs armes de guerre pointées dans sa direction, il plongea une main sous sa cape pour en sortir de quoi se défendre. Avec une rapidité inhumaine, il dégaina l'un de ses pistolets semi-automatiques (un Beretta 9 mm, rien de moins), et le braqua sur Bull et ses trois camarades. Il ne put tirer qu'une seule fois.

Les gars de la Shadow Company étaient loin d'être manchots. Bull, en particulier, n'avait aucune intention de laisser passer une pareille occasion de se venger. Il tira à vue, son fusil automatique d'assaut cracha sa salve, en plein dans la poitrine de son ennemi.

Anvil eut tout juste le temps de voir que la balle tirée par le Kid avait raté Bull et ses hommes. Avec une précision mortelle, elle avait traversé le seuil de la chambre 24 et s'était logée au milieu du front de la pauvre créature pendue au plafond. Kione avait tellement souffert, et si longtemps, qu'il dut assurément éprouver une joie immense en se voyant soulagé de son supplice aussi promptement. L'enfer serait une vraie partie de plaisir, comparé aux tortures ignominieuses qui lui avaient été infligées au cours de ces dix-huit dernières années. Car c'était bel et bien en enfer qu'il allait. Ce qui restait de cet être pitoyable venait enfin de mourir.

Lorsque Bull et ses hommes ouvrirent le feu, Anvil eut la présence d'esprit de se recroqueviller dans l'escalier en se bouchant les oreilles. Le chef de la Shadow Company avait été presque aussitôt imité par ses trois camarades qui se mirent à tirer sans la moindre pitié sur leur cible. Quasiment roulé en boule sur une marche, Anvil vit l'individu encapuchonné chanceler à reculons, chaque pas ne faisant que confirmer qu'il perdrait pied d'un instant à l'autre. Anvil se dit qu'en vérité, si les soldats cessaient le feu sur-le-champ, leur cible s'écroulerait bien plus vite, au lieu d'être maintenue ainsi à la verticale par le puissant impact de chaque nouvelle balle dans son corps. L'individu finit néanmoins par tomber, et la fusillade s'acheva aussitôt. Il avait dû recevoir une trentaine de balles au bas mot. De grosses volutes de fumée sortaient des canons des soldats, et un imposant flot de sang sourdait des blessures de l'ancien voisin de palier d'Anvil.

Anvil ne put profiter du silence qui s'ensuivit : même s'il s'était bouché les oreilles, il ne pouvait rien entendre d'autre que le terrible bourdonnement provoqué par ce tir de barrage assourdissant.

Bull fit signe à l'un de ses hommes de s'approcher du cadavre qui gisait devant eux, à côté de l'escalier.

« Vérifie qu'il est mort », ordonna-t-il.

Le géant mal rasé avec l'horrible cicatrice en travers du visage (Razor, mais Anvil ignorait leurs noms) obéit aussitôt, et posa ses doigts sur le cou de la victime afin de vérifier son pouls. Au bout d'une poignée de secondes, il releva les yeux en direction de Bull et opina du chef.

« C'est bon, il est mort », dit-il.

Bull poussa un soupir de soulagement. Enfin. Après toutes ces années, il venait de se venger, comme il l'avait jadis promis.

« Redresse-le, jeta-t-il dans un rictus de haine, tout en tirant sa machette du fourreau fixé à sa jambe gauche. Je veux sa tête. »

Razor qui, à l'instar de ses compagnons, était d'une force hors du commun redressa le cadavre comme il put. Il parvint à le faire s'agenouiller, puis saisit à pleine main la capuche de la victime, maintenant la tête droite afin que son chef puisse la trancher d'un seul coup.

Dans un geste ressemblant fort à celui de Jessica lorsqu'elle avait exécuté Peto, Bull fit décrire un ample arc de cercle à la lame. L'instant d'après, Razor ne tenait plus qu'un pan de capuche vide : la tête qu'elle avait contenue était tombée des épaules du cadavre et avait roulé par terre, jusqu'à buter contre le mur, aux pieds de Bull. Elle était recouverte de sang, et toute sa partie postérieure avait été arrachée, sans doute par la balle qui, manifestement, avait transpercé l'un des deux yeux.

Bull saisit la tête par les cheveux et la releva à hauteur de son visage.

« On fait moins le gros dur, tout d'un coup, hein ? Je t'avais bien dit que je te tuerais, espèce de fils de pute. » Puis il jeta la tête au soldat à la crête rose qui se trouvait derrière lui. « Fous ça dans un sac avec un peu de glace et cassons-nous d'ici. »

63

Kacy n'aurait accepté de se séparer si tôt du cadavre de Dante que pour une bonne raison. Et l'agent spécial Swann braquant son pistolet sur elle, c'était une excellente raison. Il titubait et semblait tout juste tenir sur ses jambes, sans doute à cause de l'importante perte de sang causée par les blessures que Kacy lui avait infligées.

Grâce à son entraînement militaire et son seuil de tolérance à la douleur particulièrement élevé, il était pourtant en mesure de reléguer sa douleur dans un recoin de son esprit, et continuer à pourchasser la jeune femme qu'à la fois il convoitait et voulait tuer. Il s'était fait un pansement de fortune avec des serviettes qu'il avait trouvées dans la salle de bains. Le bandage rudimentaire avait jugulé en grande partie l'hémorragie, ce qui, en plus de l'adrénaline que sa colère lui faisait sécréter, lui permettait de tenir le choc. Il avait mentalement écarté la douleur : la blessure n'était déjà plus à ses yeux qu'une légère irritation. Aussi, lorsque Kacy se précipita vers le bout du couloir, dans le but de disparaître au détour de l'escalier qui menait au hall de réception de l'hôtel, il parvint à appuyer deux fois sur la détente. La première balle siffla à l'oreille de Kacy et vint se loger dans le mur qui se trouvait plus loin devant elle. La deuxième suivit une trajectoire nettement moins précise, à cause des soubresauts du bras de Swann qui courait après la jeune femme. Elle ricocha au plafond avant d'aller se perdre dans l'une des parois latérales. Dans des jurons extrêmement vulgaires, Swann rangea l'arme dans son holster et poursuivit sa course, cahin-caha.

Tout en descendant en trombe les marches de l'escalier, Kacy pouvait entendre Swann derrière elle, qui la couvrait d'insultes en faisant tout son possible pour la rattraper. Il faut dire qu'elle n'allait pas aussi vite qu'elle aurait pu. Ses yeux étaient si pleins de larmes qu'elle était presque aveuglée, et son nez était tout à fait bouché. Son cœur battait à tout rompre, et, tout au fond d'elle, elle se demandait si cela valait vraiment la peine de fuir. Dante était mort. Il ne lui restait plus rien. Si elle parvenait à s'échapper, que pourrait-elle bien faire ? Elle n'avait nulle part où aller, et personne pour l'accompagner.

Pourtant, quelque chose la poussait à ne pas abandonner. Peut-être était-ce le fait que la mort de Dante s'avérerait totalement inutile si elle ne s'en sortait pas. Il aurait voulu qu'elle parvienne à s'échapper. Et bien sûr, même si elle avait un peu envie de mourir, convaincue qu'elle était de n'avoir plus aucune raison de vivre, elle n'avait pas la moindre envie de se faire mettre en pièces et violer par Swann avant de trépasser. S'il se débrouillait pour lui loger une balle en pleine tête, et en finir ainsi une bonne fois pour toutes, sans douleur, et sans même qu'elle s'en rende compte, alors ce serait parfait. Mais tout portait à croire qu'un certain lot de violences et de souffrances précéderait le moment où elle irait rejoindre Dante dans l'autre monde. Aussi, elle courait, aussi vite que sa tristesse le lui permettait.

Lorsqu'elle atteignit enfin le rez-de-chaussée, elle trouva le hall d'entrée en proie à une vague de panique. À droite de l'escalier, un corps sans tête gisait par terre, en face des ascenseurs. En principe, la vue de ce cadavre aurait plongé Kacy dans une crise d'hystérie, mais, en l'occurrence, cela ne suscita en elle qu'une impression légèrement désagréable. Il se passait vraiment quelque chose de terrible, et ce corps décapité n'en était qu'une des nombreuses manifestations. Les personnes qui se trouvaient dans le hall criaient, et un exode massif semblait se préparer. Le seul problème, c'est que personne ne paraissait aller dans une direction précise et déterminée. En tout et pour tout, une vingtaine d'individus (clients et personnel confondus) poussaient des cris d'orfraie en courant dans tous les sens, comme des poulets sans tête. La personne qui avait étêté ce cadavre semblait avoir disparu depuis un certain temps déjà. Peut-être était-elle sortie par l'accès principal ? Ce qui expliquerait pourquoi la foule hurlante hésitait à en faire autant…

En entendant Swann atteindre le dernier entresol, dans son dos, Kacy prit une décision. *Sors-toi de là. Allez, ma vieille* !

Elle poussa les portes et, aussitôt dehors, regretta de ne pas avoir trouvé une autre issue. Il pleuvait à torrents et le vent tempêtait. Elle s'engagea sur les marches qui reliaient le trottoir au perron de l'hôtel, et se retrouva confrontée aux bourrasques démoniaques qui soufflaient dans les rues. Elles étaient si puissantes qu'elles ralentirent considérablement sa descente. On aurait dit que le vent travaillait sciemment à sa perte et tentait de la repousser en direction de l'hôtel. Tout droit dans les bras de Swann qui, justement, fit soudain irruption dehors. Alors que Kacy s'efforçait de quitter la dernière marche pour poser le pied sur le trottoir, il se jeta violemment sur elle, ses mains de géant se saisissant d'elle, en se plaquant comme par hasard sur ses seins.

Plutôt que de la retourner pour lui faire face, il en profita pour écraser sa poitrine à travers son sweat déjà très humide, tout en la poussant sans ménagement en direction d'un taxi jaune garé juste en face de l'hôtel. Il la plaqua violemment sur le flanc du véhicule, et Kacy se retrouva immobilisée, le visage pressé contre la vitre arrière, du côté du conducteur.

La tempête avait totalement vidé les rues de la ville : personne ne viendrait lui porter secours. De plus, les gens avaient d'autres sujets d'inquiétude, bien plus importants que les intentions de Swann à l'égard de Kacy, quelles qu'elles soient. En fait, le chauffeur du taxi fut la seule personne à se préoccuper du sort de la jeune femme. La vitre électrique de sa portière s'abaissa dans un léger bourdonnement.

« Hé ! mon gars… » commença-t-il à dire.

Swann lâcha momentanément le sein droit de Kacy pour retirer son pistolet du holster qu'il portait sous l'aisselle.

BANG !

La balle toucha le chauffeur en pleine face. La cervelle du pauvre homme gicla par la partie postérieure de son crâne pour recouvrir toute la surface intérieure du pare-brise. Swann rangea calmement l'arme dans son holster et reporta son attention sur Kacy, qui était à présent trop faible et trop désespérée pour se défendre. Elle n'était plus qu'un petit tas sanglotant plaqué contre le flanc du taxi, incapable de s'arracher à la surface jaune et luisante pour repousser son assaillant.

De ses seins, les mains de Swann glissèrent vers son entrecuisse. Tout le poids de son abdomen reposait sur le dos de Kacy, l'immobilisant contre la portière arrière. Il se mit alors à tirer sur le jean de la jeune femme.

Kacy était prisonnière de la pluie autant que de Swann. Ses vêtements gorgés d'eau pesaient des tonnes, et son visage était recouvert de ses propres cheveux mouillés. Sa seule consolation était que la bave immonde qui dégoulinait de la bouche de son agresseur pour tomber sur sa nuque se voyait immédiatement effacée par les trombes de pluie.

Alors qu'elle sentait son jean glisser brusquement de quelques centimètres, elle entendit un lointain fracas, comme une fenêtre qu'on aurait brisée. Au milieu des cataractes reflétées par la vitre du taxi contre laquelle son visage était pressé, Kacy aperçut quelque chose. D'énormes éclats de verre se fracassèrent sur le trottoir, derrière l'agent Swann.

Et quelque chose d'autre atterrit dans son dos.

Une masse sombre. De la taille d'un homme.

[illegible] trop faible et trop désarmée pour se défendre. L'île n'a guère qu'un petit [illegible] contre le [illegible] de [illegible] une rage [illegible] sur son flanc.

[illegible]

[illegible]

[illegible]

[illegible]

64

Beth contempla la lune qui venait d'apparaître entre deux épais nuages. Elle semblait occuper exactement la même place dans le ciel que dix-huit ans auparavant. Le souvenir de cette nuit où elle avait été attaquée par Kione était toujours aussi vivace. Immobile au bout de la jetée, elle espérait presque que l'ignoble vampire surgirait de nouveau pour s'en prendre à elle. Cette nouvelle agression aurait peut-être fait apparaître son sauveur, JD.

Depuis qu'elle était sortie de prison, huit ans auparavant, chaque nuit d'Halloween, elle avait attendu au bout de la jetée le retour de JD. Chaque année, elle restait jusqu'à la fin de l'heure maléfique, et, chaque année, elle rentrait chez elle, déçue et esseulée. Pourtant, c'était pour elle l'heure la plus agréable de toute l'année. Elle tirait un plaisir un peu pervers à se convaincre qu'il finirait par revenir, comme il l'avait promis, et comme (feu) cette timbrée de Dame Mystique l'avait prédit.

Les nuages gris sombre semblaient encercler la lune bleue, comme pour la cacher aux yeux de Beth. Et lorsque l'heure maléfique toucha à sa fin, trop tôt comme chaque année, elle porta son regard par-delà les vagues de l'océan. La tempête se calmait progressivement. Le vent avait poussé les nuages en direction du centre-ville, après avoir traversé la zone portuaire. Le chaos de ces dernières heures avait laissé des traces derrière lui. La promenade était jonchée de débris, détritus de poubelles renversées et bris de pots de fleurs. Mais la pluie s'était réduite en une fine bruine, et les rafales s'étaient apaisées en une douce brise qui soulevait tout juste la longue robe bleue de Beth à mi-mollet. Le sweat à capuche que lui avait offert Bertram Cromwell était complètement trempé, mais elle n'avait pas froid. L'eau de pluie qui collait le sweat à sa poitrine était chaude, réconfortante même, et, face au léger brouillard qui flottait au-dessus des flots, elle avait la sensation d'être dans un gigantesque hammam en plein air.

À l'approche d'Halloween, Beth était encore plus excitée que n'importe quel gamin de Santa Mondega. Malheureusement, lorsqu'elle se retrouvait sur la jetée, cette joie laissait la place à une tristesse infinie, à mesure que son espoir de voir réapparaître JD pâlissait avec les étoiles. À chaque fois, le moment où elle avait assassiné sa belle-mère lui revenait en tête. Ces images ne passaient cependant que fugacement dans son esprit. C'était surtout le sourire chaleureux et l'assurance tranquille de JD qui obnubilaient ses pensées. Durant les ultimes minutes, elle éprouvait un dernier sursaut d'espoir et de tristesse en priant pour qu'il apparaisse au dernier instant. Durant ces minutes, elle s'obligeait à ne pas regarder derrière elle. Elle fixait simplement l'océan, en se convainquant qu'il approchait à pas de loup pour la surprendre, juste au moment où la lune disparaîtrait. Chaque année la décevait pourtant, et celle-ci ne fit pas exception. Elle vit les nuages recouvrir peu à peu la lune, et surprit une lueur spectrale à l'horizon, annonciatrice de l'aube qui se lèverait bien plus tard.

Elle avait espéré que le crucifix en argent que le professeur lui avait offert lui porterait bonheur. Le pendentif semblait avoir repoussé les créatures maléfiques, conformément aux paroles de Cromwell, mais il ne lui avait pas ramené JD. Elle en défit la chaîne et le retira en regardant une dernière fois l'océan. Puis, les joues baignées de larmes, elle jeta la chaîne et le crucifix d'argent dans les vagues, aussi loin qu'elle put.

Si JD avait été encore en vie, il serait venu la retrouver. Elle avait fini par croire à sa mort, pour la simple et bonne raison que s'il était vivant, son absence aurait signifié qu'il ne tenait pas à elle aussi fort qu'elle tenait à lui. Aussi, à présent débarrassée du crucifix et de sa curieuse petite fiole bleutée qui l'avaient protégée des créatures de la nuit, Beth espérait de tout son cœur que quelque chose de terrible lui arriverait, afin que sonne sa dernière heure sur terre, et qu'elle puisse enfin rejoindre JD dans l'autre monde, où ils passeraient l'éternité ensemble.

Elle essuya les larmes qui souillaient ses joues rougies par le vent et se retourna vers la ville. Elle aurait aimé que cette longue marche sur la jetée n'en finisse jamais. Mais elle s'acheva bel et bien, et elle se retrouva alors sur la promenade, au début de ce long chemin qui la ramènerait chez elle.

65

« HÉ ! SAC À MERDE ! » mugit une voix au-dessus du vacarme du vent et de la pluie.

Kacy sentit le sursaut de Swann, qui relâcha insensiblement son étreinte, et dont le corps pesa moins lourdement sur son dos. Puis elle sentit le bout d'une botte lui effleurer les fesses et comprit presque aussitôt que toute la force du coup de pied s'était exercée sur l'entrecuisse de Swann, frappé de plein fouet par-derrière. En plein dans les noix. À l'endroit précis où elle l'avait blessé avec l'ampoule brisée de la lampe de chevet. Elle l'entendit gémir de douleur et tomber à genoux derrière elle, en la relâchant tout à fait. Kacy ne se fit pas prier pour bondir hors de portée de son agresseur.

Derrière Swann, se préparant à lui décocher un deuxième coup de pied dans les couilles, se tenait un terrifiant vampire. Terrifiant aux yeux de la plupart des gens, peut-être, mais, du point de vue de Kacy, il avait un je-ne-sais-quoi de touchant, et de particulièrement craquant. Il s'agissait en effet de Dante, encore reconnaissable bien que sa mue en créature de la nuit eût été complète. Alors que Swann tentait de se redresser en s'appuyant sur le taxi, Dante frappa de nouveau de son pied botté les couilles déjà tailladées et enflées du malheureux agent spécial. Swann avait beau porter un jean et un caleçon, ceux-ci n'étaient pas en acier trempé : la douleur fut aussi vive que s'il avait été totalement nu. Instinctivement, il protégea de ses mains son entrecuisse qui s'était remis à saigner, en faisant de son mieux pour ne pas vomir. C'est alors que, horrifié, il vit une main s'engouffrer dans l'infime espace qui se trouvait sous son aisselle, entre son bras et sa poitrine. La main retira prestement le pistolet de Swann de son holster.

« *Merde !* » fut le dernier mot qu'il parvint à articuler, et que la pluie et le vent recouvrirent de leur fureur. Il n'en alla pas de même pour le coup de feu qui retentit une seconde plus tard, et qui se fit entendre dans un rayon d'un kilomètre et demi autour de l'hôtel.

Kacy détourna le regard une fraction de seconde trop tard. Elle vit la cervelle de Swann jaillir de son front crevé pour se répandre sur la portière arrière du taxi. Le corps sans vie s'effondra contre le véhicule, avant de glisser lentement dans le caniveau. La pluie emportait le sang aussi rapidement qu'il coulait de la plaie béante du front.

Le vampire aux yeux ténébreux qu'était devenu Dante contempla le cadavre, dégoûté par ce que l'agent spécial avait eu l'intention de faire subir à la femme qu'il aimait.

À la vue de son amant dominant le corps détrempé de l'homme qui avait failli la violer et la tuer, Kacy fut littéralement subjuguée. Elle ne put réprimer l'allégresse qui s'empara d'elle. L'horreur des derniers instants fut soudain effacée, plus rapidement encore que le sang de l'agent spécial Swann dans le caniveau.

« Je t'aime, mon cœur ! » glapit-elle en tendant les bras pour serrer son héros contre elle. À sa plus grande déception, Dante recula d'un bond.

« Ne t'approche pas de moi ! feula-t-il d'une voix terrible. Je suis plus humain. Reste là où tu es ou je te tuerai. Crois-moi.

— Quoi ? » s'écria Kacy d'une voix chevrotante, tendant désespérément la main, ne serait-ce que pour l'effleurer du bout des doigts. De nouveau, il recula.

« Je déconne pas. N'approche pas. J'ai déjà super envie de te mordre. Sans déconner, j'ai soif de sang. Ne bouge plus. Peto a ce foutu Œil de la Lune. Je vais le chercher et m'en servir pour redevenir normal. Après ça, tu pourras m'embrasser autant que tu voudras. Mais jusque-là, retiens-toi.

— Peto est *ici* ? demanda Kacy.

— Ouais. À l'intérieur de l'hôtel. Il a pris l'ascenseur pendant que je prenais l'escalier pour venir te chercher.

— Est-ce qu'il portait un uniforme de flic comme le tien ?

— Ouais. Tu l'as vu ? »

Kacy acquiesça tristement.

« Sans sa tête.

— De quoi ?

— Je l'ai vu dans le hall d'entrée, mais sa tête avait… disparu. Il y avait du sang partout. Les gens flippaient complètement.

— Merde ! » Dante se retourna, gravit les marches à toute vitesse, passa les portes et pénétra dans le hall. Et il vit par lui-même ce que Kacy venait de lui décrire. Le corps sans vie de Peto se vidait de son sang sur la moquette. Plus la moindre trace de la pierre bleue, pas plus que du Saint-Graal. Le seul témoin sur les lieux semblait être la fille qui se trouvait à la réception, toujours en état de choc, assise sur son siège, les yeux rivés au cadavre qui gisait par terre. Oubliant qu'il était à présent un vampire de plein droit, Dante se tourna vers elle et lança d'une voix sifflante : « *Où est passée la pierre bleue ?* »

La jeune fille s'arracha à sa contemplation et tourna légèrement la tête en direction de Dante, qui la fixait de l'autre bout du hall, arborant d'énormes crocs affûtés comme des rasoirs, et un uniforme recouvert de sang. Ce n'était pas vraiment le genre de choses qu'elle aurait souhaité contempler à cet instant précis, et, par conséquent, elle s'évanouit aussitôt, tomba à la renverse et se cogna la tête contre le mur qui se trouvait derrière elle.

Kacy, exténuée, ébouriffée et défaite, entra alors dans le hall.

« Viens, mon cœur, supplia-t-elle, partons d'ici ! »

Dante se retourna vers elle. En dépit de ses crocs, de son visage pâle sillonné de veines sombres et de ses yeux profondément cernés de noir, il avait l'air totalement désemparé. Il venait de comprendre que celui ou celle qui avait tué Peto s'était volatilisé avec l'Œil de la Lune, et ce depuis un certain temps déjà. *Il était complètement foutu*. Vampire pour l'éternité, très vraisemblablement. Et Kacy faisait figure de parfait premier repas. Pour tout vampire, il n'existe pas de meilleur festin qu'un séduisant membre du sexe opposé. En vertu de quoi, pour Dante, Kacy était un véritable dîner de Noël.

« Ma puce, ne t'approche surtout pas, lui lança-t-il d'un ton résolu. Éloigne-toi autant que possible de moi.

Je sens que j'ai envie de te tuer. De boire ton sang. Ne m'oblige pas à faire ça. Fous le camp d'ici ! »

La mine de Kacy s'assombrit, et elle sembla de nouveau sur le point de pleurer.

« Quoi ? » dit-elle d'une voix étranglée. Depuis qu'ils se connaissaient, Dante ne l'avait jamais éconduite. Elle n'était pas habituée à ce sentiment de rejet et n'avait aucune envie de s'y habituer.

« Putain, je déconne pas ! insista-t-il d'un ton menaçant. Éloigne-toi autant que possible. »

Il se tut, puis ajouta :

« Je suis désolé. »

En prononçant ces mots, il prit pleinement conscience de ce qu'il était en train de lui demander, et l'émotion le saisit à la gorge. Pas plus qu'elle, il ne désirait sortir de sa vie, mais il se devait de la repousser. C'était la seule chose à faire. Le bien-être de Kacy était mille fois plus important que sa soif de sang. C'était précisément maintenant, alors qu'il pouvait encore maîtriser cette pulsion qui ne cessait de s'amplifier, qu'il devait se débarrasser d'elle.

« Je t'aime, Kacy, et je t'aimerai toujours, mais fous le camp d'ici. Fuis-moi. On ne peut pas rester ensemble. Si tu restes, je te tuerai, ou, pire encore, je ferai de toi un vampire, comme moi. Et tu peux me croire, ça n'a vraiment rien d'agréable. »

Kacy fit un pas vers lui. Il vit les larmes rouler sur ses joues, ces larmes de tristesse que causait son rejet. Et il s'en voulut plus encore.

« Dante, dit-elle avec un regard suppliant. Mon cœur, t'as vraiment rien compris ?

— Qu'est-ce que tu veux dire ? demanda-t-il d'une voix brisée par la douleur qu'il tentait de dissimuler.

— Ce que je veux dire ? répéta Kacy en s'obligeant à sourire. *Mords-moi*, espèce de couillon. »

Dante s'immobilisa. Était-elle vraiment en train de lui demander de la transformer en créature du mal ? L'aimait-elle vraiment au point de vouloir qu'il la tue, et la condamne à un éternel enfer ?

« Tu… t'es sûre, Kace ? Parce que franchement…

— La ferme, renifla Kacy, les joues littéralement noyées sous ses larmes. La ferme, tu veux ? De toute façon, c'était joué d'avance dès ton "*hé, sac à merde !*" »

Dès qu'elle eut prononcé ces mots, elle sut qu'elle l'avait touché en plein cœur. Les yeux de Dante le trahirent. Kacy en était sûre et certaine, elle avait vu une larme scintiller sur sa joue. Elle avait disparu en un clin d'œil, mais elle l'avait vue. Il n'avait aucune envie de se séparer d'elle, et, malgré tous ses efforts, il était incapable de le cacher.

« Je t'aime, Kace, dit-il.

— Je sais. Maintenant, presse-toi avant que je change d'avis. »

Dante s'approcha et l'enlaça, en plongeant son regard dans le sien.

« Ça t'embête si je t'embrasse avant ?

— T'as intérêt. »

Quelques minutes plus tard, tous deux formaient un couple de créatures de la nuit, voué à rechercher coûte que coûte la précieuse pierre bleue plus connue sous le nom d'Œil de la Lune.

66

Ramsès Gaius était confortablement assis dans son bureau ovale, très satisfait du cours des choses. Tout s'était passé comme prévu. Il ne lui restait plus dorénavant qu'à attendre que ses deux nouveaux grands prêtres viennent lui présenter les tributs qu'il avait demandés.

Le premier arriva juste après minuit. La porte résonna d'un coup. Un coup assez discret au demeurant, plutôt doux même, mais parfaitement audible.

« Entre », lança-t-il.

Le mercenaire chargé de monter la garde sur le seuil ouvrit la porte. C'était l'un des nombreux flics en uniforme, anciens membres du clan des Sales Porcs, qui avaient fait faux bond à de La Cruz et compagnie au moment où leur aide avait été requise. Gaius était un chef bien plus respectable, et toute créature maléfique voyait comme un honneur le fait de le servir.

Le garde laissa passer la silhouette gracile de la nouvelle grande prêtresse et néanmoins fille unique de Gaius, Jessica, revêtue comme à son habitude de sa tenue noire. Elle tenait sous son bras droit un paquet de tissu brun et épais. Le garde referma la porte derrière elle, et, dès qu'elle eut entendu le déclic du loquet, elle baissa la tête pour saluer Gaius.

« Père, j'ai l'Œil de la Lune et le Saint-Graal, déclara-t-elle en relevant la tête pour le regarder droit dans les yeux. Ainsi que la tête du moine qui les avait dérobés. »

Incapable de réprimer plus longtemps un énorme sourire vampirique, elle lança le paquet à Gaius. Celui-ci l'attrapa des deux mains en se levant et le posa devant lui, sur son bureau. Il pinça l'un des coins du tissu et, avec la plus grande des précautions, le déballa. À l'intérieur se trouvait la tête déformée et déjà flétrie de Peto, le dernier moine d'Hubal. Gaius fit courir sa main le long des dreadlocks ensanglantées.

« Ainsi donc, il se cachait parmi les Dreads. Ils doivent être punis pour ne pas l'avoir identifié. Si certains ont survécu au massacre, assure-toi qu'ils meurent avant de croiser mon chemin.

— Avec grand plaisir », répondit Jessica sans se départir de son sourire. Elle passa alors les deux mains dans sa nuque et détacha le bijou qu'elle portait au cou. Au bout de la chaîne admirablement ouvragée pendait l'Œil de la Lune. Elle vit le visage de son père s'illuminer lorsqu'elle posa la pierre précieuse sur son bureau. Puis elle plongea la main droite dans son décolleté (le « V » très échancré de son haut de kimono, qui dévoilait largement ses appas) et en sortit une coupe dorée et étincelante. *Le Saint-Graal*. Elle le secoua sous le nez de son père, en souriant encore davantage :

« Des nouvelles des deux salopards qui m'ont criblée de balles pendant l'éclipse ?

— Tous deux sont nécessairement morts, ma chérie. J'attends simplement confirmation de leur décès, confirmation qui devrait arriver d'un instant à l'autre.

— C'est vrai ? Et comment le Bourbon Kid est-il mort ?

— Ton nouvel associé, Bull, l'a éliminé. »

Gaius pointa alors la porte du doigt.

« C'est sûrement lui. »

On frappa alors deux coups.

« Entrez », dit Gaius.

La porte s'ouvrit de nouveau, et Bull entra, suivi de ses trois compagnons de la Shadow Company. Il portait sous le bras un paquet de tissu brun, à l'instar de Jessica quelques minutes auparavant. Sans un mot, il le lança à Gaius. Le Seigneur des Ténèbres fraîchement rétabli dans ses fonctions l'attrapa, le posa, et se mit à le défaire avec une plus grande hâte que pour le paquet de Jessica. C'était le tribut qu'il convoitait le plus, celui qu'il désirait contempler plus que tout autre.

Le tissu brun, figé par le sang coagulé dont il était imbibé, tomba par terre, et Gaius le repoussa d'un coup de pied. Ce trophée était également une tête tranchée que, contrairement à la première, Gaius garda jalousement entre ses larges mains. Il la souleva à hauteur de son visage, tandis que Jessica, Bull et ses trois acolytes guettaient sa réaction.

« Eh bien, dit enfin Gaius dans un profond soupir de satisfaction. Voici donc la tête du Bourbon Kid, fils de Taos. Il n'a plus l'air si terrible que ça, n'est-ce pas ? »

Les autres rirent poliment. Gaius considéra l'œil unique perdu au milieu du visage tuméfié et sanguinolent qu'il tenait entre ses mains. L'épaisse chevelure noire, poisseuse de sang à moitié coagulé, en recouvrait la partie supérieure, collée qu'elle était au front. Gaius écarta les cheveux et afficha un sourire bienheureux en contemplant le visage mort du Kid. Au bout de quelques secondes, il détourna son regard en direction de Bull et de ses compagnons, presque incapable de contenir sa joie.

« Merci, Bull. Votre position en tant que grand prêtre est maintenant assurée. Nous *fêterons* tous ensemble notre victoire dès ce soir.

— Merci, monseigneur », répondit Bull en inclinant la tête, afin de lui témoigner son respect.

Dans son dos, Jessica s'adressa à Bull de sa voix la plus sexy :

« Hé ! soldat, tu as quoi de prévu pour la prochaine demi-heure ? »

Bull examina de la tête aux pieds l'époustouflante silhouette de Jessica.

« Eh bien, moi et les gars, on comptait prendre une douche. Histoire de nous débarbouiller de tout ce sang, vous voyez ?

— Vous savez quoi ? lança Jessica en considérant les trois compagnons de Bull. Moi aussi, j'aurais grand besoin de prendre une douche. Ça vous embête si je me joins à vous ? »

Les quatre hommes firent aussitôt retentir un concert d'approbations inarticulées, avant de se précipiter vers la porte.

Ramsès avait profité de cet échange pour retirer son œil vert, à présent inutile, et le remplacer par l'Œil de la Lune, autrement plus esthétique. Dès que celui-ci eut retrouvé sa place au fond de l'orbite vide du Seigneur des Ténèbres, une faible lueur s'alluma en son centre.

Gaius savoura alors une sensation de plénitude qu'il n'avait plus éprouvée depuis des siècles.

Derrière son bureau, il sourit en observant la Shadow Company tomber sous le charme irrésistible de sa fille unique. Bull en particulier semblait très épris, exactement comme Gaius l'avait espéré. Il acquiesça, satisfait, tandis que le chef de l'unité spéciale prenait la main de Jessica et aboyait un ordre à ses hommes :

« Razor, ouvre la porte. Les dames d'abord. »

Razor se pressa d'obéir et laissa passer Jessica, qui se déhancha pour le plus grand plaisir des quatre soldats. Alors qu'ils lui emboîtaient le pas à la queue leu leu, Gaius donna de la voix à leur intention.

« J'aimerais juste savoir une dernière chose, leur cria-t-il en baissant les yeux sur la tête du Bourbon Kid qu'il avait déposée sur son bureau. Pourquoi est-ce qu'il a le mot « CONNARD » tatoué en travers du front ? »

67

La nuit était encore nuageuse, et un léger crachin tombait par intermittence, mais l'océan, apaisé, bruissait en petites vagues le long de la promenade. Cet Halloween plein de sang et de mort était enfin arrivé à son terme. Beth flânait sur le chemin désert en levant les yeux au ciel. Année après année, ce long trajet jusque chez elle était toujours aussi déchirant, et, comme si cela ne suffisait pas, elle commençait à avoir mal aux pieds. La tempête avait littéralement imbibé ses chaussures, et des ampoules s'étaient formées aux points de frottement entre la peau et le cuir mouillé.

Les yeux en l'air, Beth guettait les étoiles dans le ciel nocturne. Les nuages s'écartaient progressivement, et la lune bleue se remettait à briller. La faible lueur caressait son visage, comme si les rayons de la lune lui étaient exclusivement destinés.

Où es-tu, JD ? Que t'est-il arrivé durant cette nuit si lointaine ? Au long des ans, elle s'était posé cette question des millions de fois. *Je donnerais tout pour te revoir, ne serait-ce que cinq minutes. Uniquement pour savoir ce qu'il t'est arrivé. Où que tu sois, j'espère que ton âme est en paix.*

Au moment où les nuages se fendirent complètement, laissant la lumière de la lune l'auréoler, Beth entendit un bruit derrière elle. Le frottement d'une semelle sur le sol. Presque aussitôt suivi d'une voix :

« Toi aussi, c'est ta mère, hein ? »

Le cœur de Beth s'arrêta une infime fraction de seconde. Elle se retourna et vit une silhouette sombre, au milieu de la promenade sous les rayons de lune, à moins de deux mètres d'elle. L'homme portait un gilet de cuir noir, un T-shirt de la même couleur, et un jean sale et délavé. Son visage était celui d'une âme bonne et passionnée, et son sourire aurait fait fondre le cœur de n'importe quelle fille.

Osant à peine respirer, Beth s'approcha, plongea son regard au plus profond de celui de l'homme, et y vit le visage du garçon qu'elle avait jadis connu.

« Jack ? bégaya-t-elle. Jack Daniels ?

— Désolé d'être en retard.

— Où étais-tu passé ?

— Je me suis perdu en chemin. »

Il se fendit alors d'un sourire sincère, le premier depuis des lustres.

« Et puis en plus, il fallait que tu découvres le nom qui se cachait derrière mes initiales. Alors, tu es prête à sortir avec moi, maintenant ? »

Beth affichait un sourire rayonnant, incapable de détacher ses yeux de ceux de JD, lorsqu'elle se souvint soudain de l'horrible cicatrice qui sillonnait la partie droite de son visage, ce vestige du coup de poignard que lui avait donné sa belle-mère dix-huit ans auparavant. Instinctivement, elle la cacha derrière sa main, en se rendant compte de l'inutilité de ce geste. Il l'avait peut-être déjà remarquée. En fait, il l'avait forcément déjà remarquée.

« J'ai cette cicatrice… » marmonna-t-elle en fixant ses pieds endoloris, honteuse, gênée d'être ainsi défigurée.

JD tendit la main, et, d'une douce pression sous son menton, lui fit relever la tête. Nerveuse, elle redoutait sa réaction et évitait son regard par peur d'y lire de la déception. Sa seule réaction fut de se pencher vers elle pour l'embrasser tendrement sur les lèvres. Elle répondit à cette caresse avec passion. Ce fut aussi délicieux que ce premier baiser qu'ils avaient échangé, des années auparavant. Lorsqu'il recula enfin la tête, elle le regarda droit dans les yeux et lui renvoya son sourire. Alors, en cinq mots, il fit disparaître toutes ses peurs :

« Beth. On a tous des cicatrices. »

68

Sanchez avait fermé le bar pour la nuit et réfléchissait à cette énième journée de merde. Soit, il avait survécu à une nouvelle visite du Bourbon Kid, mais Jessica lui avait une fois de plus échappé, et, cette fois, peut-être pour de bon. Assis à un tabouret de bar face au comptoir du Tapioca, en feuilletant le *Livre de la mort*, il ne pouvait s'empêcher de se sentir un peu déprimé.

C'était sûr et certain, d'ici quelques jours, les gamins du coin se remettraient à courir les rues armés de leurs faux pistolets, à jouer au Bourbon Kid et aux flics. Le fait que des gamins idolâtrent des assassins notoires et des policiers corrompus le gênait vraiment. Quand viendrait son tour d'être un héros, *lui aussi* ? Probablement jamais, et, pourtant, les raclures de Santa Mondega ne seraient rien sans lui, qui tenait un véritable havre de paix ouvert à tous, où l'on pouvait boire et socialiser en toute liberté. Son dur labeur, répété jour après jour, était tout simplement considéré comme un acquis. Et si lui aussi se mettait à massacrer quelques dizaines d'innocents, histoire d'accéder enfin à quelque notoriété ?

Tout en sirotant un verre de bière chaude, il tâchait de se consoler en se disant que son tour viendrait bien un jour. Un jour, quelqu'un comme Jessica découvrirait la bonté qu'il avait au fond du cœur[1]. Sanchez cachait bien ses atouts, et les femmes en particulier semblaient ne jamais remarquer quel type merveilleux il était. Il se remémora une fois de plus le visage divin de Jessica, et décida qu'il valait mieux finir sa bière et aller se coucher.

Comme pour le faire déprimer encore plus, le *Livre de la mort* ne lui avait livré aucune des réponses qu'il recherchait. À aucun moment il n'était question de Jessica, de l'Œil de la Lune ou du Bourbon Kid. Ce n'était qu'une longue liste de noms de personnes défuntes. En le feuilletant une dernière fois, il s'arrêta à une page vierge, vers la fin. Il fixa d'un regard absent le parchemin jaunissant, et se demanda ce qu'il allait bien pouvoir faire de son existence. Pas de Jessica à protéger, moins de clients à servir. Est-ce que ça en valait vraiment la peine ?

Il en était là, à se complaire dans sa tristesse, lorsque son téléphone portable retentit. Il sonna à deux reprises avant que Sanchez ne le sorte de la poche de son pantalon de jogging.

« Yo, Sanchez à l'appareil.

— Hé ! Sanchez, c'est Rick. Rick du Olé Au Lait.

— Salut, mec. Un peu tard pour prendre des nouvelles, tu trouves pas ?

— C'est pas pour en prendre que je t'appelle, Sanchez : c'est pour t'en donner. Cette Jessica au sujet de

1. Vraiment, vraiment tout au fond.

laquelle tu m'as demandé de me renseigner, l'autre jour. J'ai l'info que tu recherchais.

— T'as trouvé qui a passé cet appel à témoins dans le journal ?

— Pas tout à fait, mon pote, mais elle s'est pointée au café il y a quelques heures, avec un gros balèze. On aurait dit qu'ils étaient en couple. J'ai le nom du type, ça t'intéresse ?

— Attends, je prends un stylo. »

Sanchez posa sa bière et son portable sur le comptoir, à côté du *Livre de la mort*, qui était toujours ouvert à la page à laquelle il s'était arrêté. Il y avait un stylo-bille noir sur une étagère, de l'autre côté du comptoir. Sanchez s'étira de tout son long et parvint à l'attraper du bout des doigts. Puis, en se rasseyant sur son tabouret, il gribouilla sur l'une des pages vierges du *Livre de la mort* pour voir si le stylo écrivait encore. À son grand soulagement, c'était effectivement le cas. Il reprit son portable :

« C'est bon. Dis-moi.

— Ce type s'appelle Ramsès Gaius. Et c'est vraiment un putain de colosse, mec.

— Ramsès Gaius ? »

Sanchez fouilla sa mémoire. Ce nom ne lui disait rien, mais une recherche rapide sur le Net lui apprendrait sûrement deux ou trois choses à son sujet. Chaque chose en son temps. Sanchez cala le téléphone sous son épais menton, et, à l'aide de son stylo, écrivit le nom sur la page vierge du livre qu'il avait devant lui, afin de s'assurer qu'il ne l'oublierait pas.

« Merci, Rick. Y a un autre truc que je devrais savoir ?

— Ouais. Cette femme-là, Jessica ? Son nom de famille, c'est Xavier, apparemment. »

Il avait beau connaître Jessica depuis maintenant un bon bout de temps, Sanchez n'était jamais parvenu à connaître son nom de famille. Aussi, en se disant là encore qu'une recherche Internet pourrait s'avérer utile, il écrivit son nom complet sous celui de Ramsès Gaius dans le *Livre de la mort*.

Ramsès Gaius

Jessica Xavier

« Merci encore, Rick. J'ai l'impression que je te dois une bouteille d'alcool fort, pas vrai ?

— Tu m'étonnes que tu m'en dois une, Sanchez, répondit Rick d'un ton un peu vif.

— Ce sera quoi, alors ?

— Jack Daniel's. Je viendrai la chercher demain.

— OK. Je le note, histoire de pas oublier », répliqua Sanchez. Il dessina un « J » sur la page, sous les noms de Ramsès Gaius et de Jessica Xavier. Puis il hésita. Une bouteille de Jack Daniel's, ce n'était vraiment pas donné. Peut-être y avait-il moyen d'arriver à un compromis ?

« Rick ? T'es sûr que tu préférerais pas plutôt une bouteille de Jim Beam ? »

FIN (peut-être…)

Bourbon Kid
dans Le Livre de Poche

Le Livre sans nom n° 32271

Santa Mondega, une ville d'Amérique du Sud oubliée du reste du monde, où sommeillent de terribles secrets… Un serial killer assassine ceux qui ont eu la malchance de lire un énigmatique livre sans nom… La seule victime encore vivante du tueur se réveille, amnésique, après cinq ans de coma. Deux flics très spéciaux, des barons du crime, des moines férus d'arts martiaux, une pierre précieuse à la valeur inestimable, quelques clins d'œil à *Seven* et à *The Ring*… et voilà le thriller le plus rock'n roll de l'année ! Diffusé anonymement sur Internet en 2007, ce texte jubilatoire est vite devenu culte. Après sa publication en Angleterre et aux États-Unis, il a connu un succès fulgurant.

Composition réalisée par FACOMPO (Lisieux)

Achevé d'imprimer en janvier 2012 en France par
CPI BRODARD ET TAUPIN
La Flèche (Sarthe)
N° d'impression : 66085
Dépôt légal 1re publication : février 2012
LIBRAIRIE GÉNÉRALE FRANÇAISE
31, rue de Fleurus – 75278 Paris Cedex 06

31/6143/7